AF714777

REVUE FRANÇAISE D'HISTOIRE ÉCONOMIQUE

N° 9-10

THE FRENCH ECONOMIC HISTORY REVIEW

DIRECTEUR DE LA RÉDACTION, FONDATEUR
DOMINIQUE BARJOT SORBONNE UNIVERSITÉ

RÉDACTEURS ADJOINTS
PASCAL CAUCHY I.E.P. PARIS, MARIE-CLAUDE ESPOSITO SORBONNE NOUVELLE, MICHEL HAU STRASBOURG, JEAN-LOUIS LENHOF CAEN - BASSE-NORMANDIE, RÉGINE PERRON CERGY-PONTOISE, CATHERINE VUILLERMOT UNIVERSITÉ DE FRANCHE-COMTÉ.

SECRÉTAIRES DE RÉDACTION
THIERRY CLAEYS SORBONNE UNIVERSITÉ, EMMANUEL DREYFUS I.E.P. PARIS, MATHIEU DUBOIS SORBONNE UNIVERSITÉ, CHRISTOPHE RÉVEILLARD SORBONNE UNIVERSITÉ.

COMITÉ DE RÉDACTION
KENNETH BERTRAMS UNIVERSITÉ LIBRE DE BRUXELLES, MARCEL BOLDORF LYON II, MARTIN CHICK ÉDIMBOURG, OLIVIER DARD SORBONNE UNIVERSITÉ, JEAN-PIERRE DORMOIS STRASBOURG, CYRIL GRANGE C.N.R.S., PIERRE LANTHIER TROIS-RIVIÈRES, CAROLINE PIQUET SORBONNE UNIVERSITÉ, LIEUTENANT-COLONEL RÉMY PORTE, SAMIR SAUL UNIVERSITÉ DE MONTRÉAL, NICOLAS STOSKOPF UNIVERSITÉ DE HAUTE-ALSACE.

COMITÉ SCIENTIFIQUE
HARM SCHROETER PRÉSIDENT DU COMITÉ SCIENTIFIQUE, BERGEN, KUDO AKIRA TODAI UNIVERSITY, TOKYO, MAGDA DE AVELAR PINHEIRO UNIVERSITÉ DE LISBONNE, MARIA-INÈS BARBERO UNIVERSIDAD DE BUENOS AIRES ET UNIVERSIDAD DE SAN ANDRES, ARGENTINE, HUBERT BONIN UNIVERSITÉ DE BORDEAUX, DIETER BRÖTEL UNIVERSITÉ DE STUTTGART, ANA CARDOSO DE MATOS EVORA, YOUSSEF CASSIS INSTITUT EUROPÉEN DE FLORENCE, ANNE CONCHON PANTHÉON SORBONNE, JOËL FÉLIX UNIVERSITÉ READING, MARC FLANDREAU INSTITUT DES HAUTES ÉTUDES DU DÉVELOPPEMENT, GENÈVE, MAURICE HAMON PRÉSIDENT DE LA SECTION D'HISTOIRE CONTEMPORAINE ET DU TEMPS PRÉSENT DU COMITÉ HISTORIQUE DES TRAVAUX HISTORIQUES ET SCIENTIFIQUES, WILLIAM HAUSMAN COLLEGE OF WILLIAM AND MARY, WILLIAMSBURG, VIRGINIE, ÉDOUARD HUSSON UNIVERSITÉ DE PICARDIE, JULES VERNE, BIRGIT KARLSSON ASSOCIATE PROFESSOR IN ECONOMIC HISTORY, UNIVERSITY OF GORHENBURG, YAGO KAZUHIKO WASEDA UNIVERSITY, TOKYO MATTHIAS KIPPING YORK, TORONTO, TIM LEGOFF YORK, TORONTO, PHILIPPE MIOCHE UNIVERSITÉ D'AIX-MARSEILLE, MARGRIT MÜLLER UNIVERSITÉ DE ZURICH, KIM OOSTERLINK UNIVERSITÉ LIBRE DE BRUXELLES, DAVID ROUND UNIVERSITY OF SOUTH AUSTRALIA, ADELAIDE, GUY ROWLANDS, UNIVERSITÉ DE ST ANDREWS, ÉCOSSE, LAURENT TISSOT NEUCHÂTEL, BÉATRICE TOUCHELAY LILLE III CHARLES DE GAULLE, JAVIER VIDAL OLIVARES UNIVERSITY OF ALICANTE, SPAIN, LU YIMIN UNIVERSITY ZHE JIANG, HANGZHOU, CHINE, LIU WENLI SUN YAT SEN UNIVERSITY, CANTON, CHINE.

COPYRIGHT
ASSOCIATION DES AMIS DE LA REVUE FRANÇAISE D'HISTOIRE ÉCONOMIQUE ET LES PRESSES DE LA RECHERCHE HISTORIQUE, 2014

ÉDITIONS
PRESSES DE LA RECHERCHE HISTORIQUE
ÉRIC LEDRU, DIRECTEUR
12, RUE DE SEINE
75006 PARIS
06 86 95 37 06
SIRET : 750 706 442 00019

CONCEPTION GRAPHIQUE
HUGUES VOLLANT

OUVRAGE COMPOSÉ EN
ROMAIN BP

ISSN
2427-4062

REVUE FRANÇAISE D'HISTOIRE ÉCONOMIQUE

THE FRENCH ECONOMIC HISTORY REVIEW

N° 9-10

Développement économique, financement et stratégie d'entreprise (XIXe-XXIe siècle)

volume dirigé par Dominique Barjot

Economic development, financing and business strategies (19th-21st century)

volume edited by Dominique Barjot

2018 - I-II

Association des Amis de la Revue française d'Histoire économique

Les Presses de la Recherche historique

THE FRENCH ECONOMIC
HISTORY REVIEW

N° 9·10

Foreword

REVUE FRANÇAISE
D'HISTOIRE ÉCONOMIQUE

N° 9-10

Préface

PRÉFACE

Lu Yimin
University Zhejiang, Hangzhou, China

Le présent numéro de revue constitue la publication finale de la session conjointe que le Professeur Dominique Barjot, de l'Université Paris-Sorbonne, et moi-même, avons organisée lors du XXIIe Congrès International de Sciences historiques, qui s'est tenu du 22 au 29 août 2015, à Jinan (Shandong) en Chine. Intitulé « Mondialisation, Modèle nationaux de développement et stratégies d'entreprise (XIXe-XXIe siècles) », cette session était un projet franco-chinois, dirigé, du côté français par le Professeur Barjot, de Sorbonne Université Lettres (anciennement Université Paris Sorbonne, Paris IV), et du côté chinois, par moi-même, Professeur à l'Université Zhejiang.

Afin de préparer la séance, qui eut lieu à Jinan le 26 août 2015, nous avons organisé, le Professeur Barjot et moi-même, une pré-conférence en France et une pré-conférence en Chine, qui ont toutes deux donné lieu à publications. La pré-conférence française a eu lieu les 18 et 19 septembre 2014 à Paris, et la pré-conférence en Chine, les 6, 7 et 8 novembre 2014 à l'Université Zhejiang à Hangzhou. La pré-conférence de Paris s'est consacrée aux pays anciennement industrialisés, à savoir l'Europe et l'Amérique du nord[1]. La pré-conférence de Hangzhou a été dédiée aux pays émergents de l'Asie[2].

1 – Dominique Barjot, Ed., «Globalization, national patterns of development and strategies of firms (19th-21st centuries) – Mondialisation, modèles nationaux de développement et stratégies d'entreprises (XIXe-XXIe siècles)», *Revue Française d'histoire économique – The French Economic History Review*, n° 1, mai 2015, 236 p.; Dominique Barjot et Marie-Claude Esposito, dir., *Mondialisation, modèles nationaux de développement et stratégies d'entreprises (XIXe-XXIe siècles) – Globalization, national patterns of development and strategies of firms (19th-21st centuries)*, Paris, SPM, 2016, 288 p.

2 – Dominique Barjot (dir.), «Entreprises et entrepreneurs d'Asie», *Entreprises et Histoire*, n°90, avril 2018, 184 p.

Je souhaite très vivement que cette coopération sino-française permette de mener jusqu'à son terme un grand projet international et même mondial. J'espère qu'elle sera une réussite dans l'avenir, notamment grâce à la collaboration de jeunes chercheurs chinois, européens, américains, africains et océaniens. Au nom de tous les participants chinois, je remercie donc très sincèrement les organisateurs et les participants à la pré-conférence à l'Université Paris Sorbonne. Lui a fait suite la pré-conférence tenue à l'Université Zhejiang. Les travaux ont donné lieu à une session de synthèse, qui s'est tenue à Jinan, et qui fut un très beau succès, attirant une bonne quarantaine de personnes ; elle fait l'objet de la présente publication.

L'Université Zhejiang est l'une des meilleures universités chinoises. Elle dispose de cinq campus, qui occupent une surface de 4,5 kilomètres carrés au total. Le nombre d'étudiants atteint environ 45 000. Les campus de notre université ont de magnifiques paysages. Ils se situent dans la ville historique, culturelle et touristique chinoise, Hangzhou, qui fut l'une des huit anciennes capitales chinoises. Elle est maintenant la capitale d'une des plus riches provinces de Chine, celle du Zhejiang. Le Lac de l'Ouest et le Grand Canal ont été sélectionnés par UNESCO et inscrits sur la liste du patrimoine mondial. Lorsqu'on décrit le beau paysage de Hangzhou, on dit toujours qu'« Au ciel, il y a le paradis ; sur terre, il y a Hangzhou ».

Le programme « Mondialisation, Modèle nationaux de développement et stratégies d'entreprise (XIXe-XXIe siècles) » a été une pleine réussite. Je souhaite donc que l'on puisse continuer longtemps les collaborations scientifiques étroites engagées entre le Professeur Barjot et moi-même.

THE FRENCH ECONOMIC
HISTORY REVIEW

N° 9-10

Economic development, financing and business strategies (19th-21st century)

volume edited by par Dominique Barjot

REVUE FRANÇAISE
D'HISTOIRE ÉCONOMIQUE

N° 9-10

Développement économique, financement et stratégie d'entreprise (XIXe-XXIe siècle)

volume dirigé par Dominique Barjot

Introduction

GLOBALISATION, MODÈLES NATIONAUX DE DÉVELOPPEMENT ET STRATÉGIES DES FIRMES (XIXe-XXIe SIÈCLE) : problématique et résultats finaux

Dominique Barjot
Professeur émérite d'Histoire économique contemporaine
Sorbonne Université. UMR 8596 Centre Roland Mousnier

Introduction

Notre monde est devenu vraiment global[1]. Aujourd'hui, la croissance impressionnante de la Chine et, plus généralement, des BRICS[2] et des MIST[3] constitue une bonne illustration du changement profond de ce monde global[4]. Même si l'ascension chinoise apparaît plus fragile, en raison d'une pollution galopante, d'une intervention massive de l'État, une crainte excessive des flux de capital étranger[5], le développement spectaculaire des *Global Challengers* – c'est-à-dire des 100 compagnies « perturbant l'ordre économique mondial »

1 – Dominique Barjot et Harm G. Schroeter, dir., « La circulation de l'information et des connaissances », *Entreprises et Histoire*, 75, juin 2014, 146 p.

2 – Brésil, Russie, Inde, Chine, Afrique du Sud.

3 – Mexique, Indonésie, Corée du Sud, Turquie.

4 – Dominique Barjot, Lu Yimin, dir., « Chine-Europe. Perceptions croisées », *Géostratégiques*, n° 42, juillet 2014, 392 p.

5 – Gabriel Grésillon, « La Chine face à l'essoufflement de son modèle », *Les Échos*, 18 février 2015.

(Boston Consulting Group) – démontre la poursuite du changement rapide de l'économie mondiale[6]. Ces *Global Challengers* sont chinois (Huawei, Lenovo, China Communications Construction, etc.), brésiliens (Petrobras, Votorantim, Natura), indiens (Mittal, Tata Group), russes (Gazprom, Rusal, Severstal) ou sud-africains (Bidvest, Sappi, Sasol), mais de plus en plus issus d'autres pays comme le Mexique (Cemex ou, dans l'agro-alimentaire, Bimbo) et l'Égypte (El

6 – La Tribune, « Découvrez ces nouvelles entreprises géantes venues des pays émergents », *La Tribune*, 18 novembre 2011.

ABSTRACT

GLOBALIZATION, NATIONAL PATTERNS OF DEVELOPMENT AND STRATEGIES OF FIRMS (19th-21st CENTURIES)

The emergence of new economic powers was a driving force for economic development. To study over an extended period of time the link between trade globalization, national strategies of development, and the emergence of international leaders (also known as global players), it is interesting to cross-analyze (a) the dynamics and growth of globalization and (b) its microeconomic perspectives. From a macroeconomic standpoint, it is important to know how national models of growth are successful within the process of globalization – or, at least, capable of integration – a crucial and growing challenge due to the rising power of international organizations. As a matter of fact, the economic policies of states, particularly those of smaller developed nations, appear to be very linked with the multinationalization process of firms. In this respect, microeconomic approaches make possible the definition of different internationalization factors that constitute a precondition to multinationalization. The international success of firms seems to follow the logic of path dependency: entrepreneurial firms are not necessarily condemned when facing managerial corporations, just as outsiders are not condemned when facing world leaders. However, it is increasingly crucial to consider the effects of global value chains in order to appreciate multinational influences on receiving countries. This is shown within the discussion surrounding the Asian model of development that was formulated in Japan, successfully tested in Hong Kong and South Korea, and developed in China as well as Indonesia, India and even to a certain extent in the United Arab Emirates.

RÉSUMÉ

L'émergence de nouvelles puissances économiques a constitué un moteur fondamental du développement économique. Afin d'étudier, en longue durée, le lien entre mondialisation des échanges, stratégies nationales de développement et émergence des entreprises à vocation multinationale (ou *global players*), il est intéressant de croiser les analyses concernant les dynamiques de croissance et la globalisation d'une part, les approches microéconomiques de l'autre. Dans une perspective macroéconomique, il est important de savoir comment les modèles nationaux de croissance sont sinon gagnants au sein du processus de globalisation ou, au moins, s'y intègrent, problème crucial et accru par la montée en puissance des organisations internationales. En effet, les politiques économiques des États, en particulier pour les petites nations développées, apparaissent très liés aux processus de multinationalisation des firmes. À cet égard, les approches microéconomiques permettent de définir les différents facteurs de l'internationalisation, qui constituent un préalable à la multinationalisation. Le succès international des firmes semble obéir à une logique de *path dependency*: les firmes entrepreneuriales ne sont pas nécessairement condamnées face aux corporations managériales, ni non plus les *outsiders* face aux *leaders* mondiaux. Toutefois, pour apprécier l'influence des multinationales sur les pays récepteurs, il faut de plus en plus prendre en compte les effets de « chaînes globales de valeur ». C'est ce que montre le débat autour du modèle asiatique de développement, né au Japon, testé avec succès à Hong Kong et en Corée du Sud, développé en Chine, mais aussi en Indonésie, en Inde et, même, un peu, dans les Émirats Arabes Unis.

JEL Classification: **N10, N15, N20, N25, N40, N45, N60, N65, N70, N75, N80, N85**
Key words: **internationalization, multinationalization, globalization, global players, path dependency, global value chains, performances, strategies, structures, Asian Model of Development**
Mots clés: **internationalisation, multinationalisation, globalisation, acteurs globaux, dépendance de sentier, chaînes globales de valeurs, performances, stratégies, structures, modèle asiatique de développement**

Seweby Electric). BRICS exclus, en 2010, les pays émergents représentaient 20 % de l'économie mondiale.

Parce que l'apparition de nouvelles puissances économiques a été un moteur fondamental du développement, l'importance de ces phénomènes constitue aujourd'hui une question passionnante pour des économistes et des historiens. C'est la raison majeure du projet *Globalization, National Patterns of Development and Strategies of firms (19th-21st centuries) - Mondialisation, modèles nationaux de développement et stratégies d'entreprises (XIXe-XXIe siècles*, organisé en tant que *Joint Session 3* du XXIIe Congrès International des Sciences Historiques de Jinan (23 au 29 août 2015). L'objet du projet était d'explorer, en longue durée, la liaison entre globalisation des échanges, stratégies nationales de développement et émergence des grandes entreprises à vocation multinationale[7]. L'optique était à la fois de définir le rôle des entreprises, petites et grandes, dans les dynamiques de croissance des nations industrialisées ou émergentes, en explorant leurs performances, leurs stratégies et leurs structures sans passer sous silence les implications sociales, culturelles et environnementales de leurs comportements en tant qu'acteurs.

Touchant fondamentalement au comportement des acteurs économiques, le projet relevait d'une étude des processus de décision. Il s'entendait au sens large, tant du point de vue macroéconomique, celui des agents institutionnels de la comptabilité nationale (entreprises non financières, entreprises et institutions financières, messages, administration publiques ou privées, reste du monde), que microéconomique (comportement des agents au sens néo-classique du terme)[8]. La problématique de l'émergence touche à de multiples questions fondamentales : l'apparition, puis la diffusion de la consommation de masse et l'américanisation, les politiques publiques tant conjoncturelles que structurelles, les politiques d'investissement des firmes et, de façon plus large, les décisions opérationnelles et stratégiques (selon la fameuse distinction d'Ansoff[9]), la prise en compte des coûts de transaction, le jeu des réseaux sociaux et/ou techniques, les dynamiques spatiales (districts industriels, systèmes productifs locaux et *clusters*), enfin les phénomènes de *path dependency*, tels que l'entendent Arrow[10] ou, surtout, Nelson et Winter)[11].

La montée de la puissance économique des BRICS, concept inventé par Goldman Sachs, puis celle des MIST, a remis en lumière l'importance déterminante des liens entre globalisation, modèles nationaux de développement et stratégies d'entreprises. Au XIXe siècle, face à la prépondérance britannique

7 – Dominique Barjot, dir., « Où va l'histoire des entreprises ? », *Revue économique*, vol. 58, n°1, janvier 2007, 294 p..

8 – Dominique Barjot, « Histoire économique et historiographie française : crise ou renouveau ? », *Histoire, économie et société (HES)*, juin 2012, p. 5-28.

9 – Igor Ansoff, *Corporate Strategy*, London, Penguin Group, 1965, 241 p.; Igor Ansoff, *The New Corporate Strategy*, Hardcover International, New York, John Wiley & Sons Inc., 1988, 288 p.

10 – Kenneth J. Arrow, "The economic implications of learning by doing", *The Review of Economic Studies*, Oxford Journals, Vol. 29, N° 3, June, 1962, p. 155-173.

11 – Richard Arena, Nathalie Lazaric, dir., « La théorie évolutionniste du changement économique vingt ans après », *Revue économique*, vol. 54, n° 2, mars, 2003, p. 329-431.

émergèrent les économies américaine et allemande, puis japonaise. De même, aujourd'hui, les nouvelles puissances économiques s'appuient sur le développement d'entreprises multinationales conquérantes, dont chacune à leur façon, Gazprom et Rusal (Russie), Mittal et Tata (Union indienne), Petrobras, Vale et Votorantim (Brésil), Samsung, LG et Hyundai-Kia (Corée du Sud), Cemex (Mexique) fournissent d'excellents exemples, sans omettre les puissantes firmes chinoises du pétrole, de l'informatique (Lenovo), de la téléphonie mobile ou du génie civil[12].

À partir des problématiques bien connues des historiens économistes concernant les dynamiques de croissance (depuis W.W. Rostow, P. Bairoch, S. Kuznets, A. Gerschenkron, R.R. Nelson et G.S. Winter) et la mondialisation (ou plutôt la globalization)[13], déjà abordée par Adam Smith et D. Ricardo, E. Heckscher, B. Ohlin et P. Samuelson, puis O. Williamson et J. Stiglitz, etc.), et celles, classiques, de l'histoire (F. Braudel, J. Wallenstein, D.S. Landes), il est utile de mobiliser les apports récents de la *business history* et, de façon plus large, des recherches macroéconomiques menées sur l'entreprise, l'État et les consommateurs. L'optique est à la fois de définir le rôle des entreprises, petites et grandes, dans les dynamiques de croissance des nations industrialisées ou émergentes, en explorant leurs performances, leurs stratégies et leurs structures, mais sans passer sous silence les implications sociales, culturelles et environnementales de leurs comportements en tant qu'acteurs.

Les communications présentées ont pu adopter ou privilégier une vision macro-économique autour de l'analyse des modèles de croissance ou des processus de globalisation, à partir de la révolution industrielle britannique. N'ont été ou ne sont pas exclues les approches spatiales (économie régionale, géographie économique, voire géostratégie), pas plus que les démarches sociologiques (structures et mobilités sociales, sociologie de l'action), ni celles relevant de l'histoire des sciences et des techniques ou de la démographie historique. Il est souhaitable cependant que de telles approches puissent être confrontées aux différentes visions microéconomiques. En effet, il s'agit de mieux comprendre le rôle des firmes dans l'émergence de l'économie moderne (par opposition aux économies traditionnelles au sens d'Arthur G. Lewis) et dans l'intégration mondiale des économies émergentes aux différentes étapes de l'histoire. Dans cette perspectives ont été ou sont privilégiées toutes les analyses des développement de la firme ainsi que de ses rapports avec l'État (et les collectivités publiques), qu'elles relèvent de la *business history*, des sciences de gestion ou de la microéconomie d'entreprise, de l'histoire et de l'économie de l'innovation, de la sociologie des organisations, de la psychologie sociale, sans exclure l'histoire du travail ou l'anthropologie des entrepreneurs, des travailleurs ou des consommateurs.

12 – *The New Goal Challengers. How 100 Top Companies from Rapidly Developing Economies Are Changing the World*, The Boston Consulting Group Inc., 2006.

13 – Le terme de globalisation présente une acception plus large et, donc plus à même d'incorporer tous les aspects traités dans le présent article.

La session a été organisée en trois étapes : 1/ une phase préparatoire marquée par la sélection du projet en tant que session conjointe par le Comité International des Sciences Historiques (CISH) et le lancement, à l'automne 2013, d'un appel à contribution officiel ; 2/ durant l'année 2014, débats et échanges scientifiques entre chercheurs. Il en a résulté la tenue de deux pré-conférences : la première à l'Université Paris Sorbonne (Paris IV) (18 et 19 septembre 2014), la seconde à l'Université Zhejiang, à Hangzhou (Zhejiang, Chine, du 6 au 8 novembre 2014) ; 3/ en 2015, lors du Congrès de Jinan, une session officielle de trois heures. Cette session a été l'occasion de présenter les principaux résultats tirés des deux pré-conférences. Ils s'organisent autour de trois axes majeurs : l'approche macroéconomique, notamment le lien entre compétition économique et politiques des États ; l'intérêt spécifique des approches microéconomiques ; la nécessité d'une démarche comparative, par exemple pour répondre à la question de l'existence, ou non, d'un modèle asiatique[14].

1/ L'APPROCHE MACROÉCONOMIQUE : COMPÉTITION ÉCONOMIQUE INTERNATIONALE ET STRATÉGIE DES ÉTATS

Dans une perspective macroéconomique, l'une des questions fondamentales consiste à savoir comment les modèles nationaux de développement économique sont capables d'être gagnants au sein du processus de globalisation ou, tout au moins, de s'y intégrer. De ce point de vue, si les expériences nationales diffèrent, il s'avère nécessaire de prendre en compte l'action grandissante des organisations internationales publiques ou privées.

1-1/ Développement économique, *path dependency* et intervention de l'État

Les politiques économiques des États apparaissent étroitement liées au processus de multinationalisation des firmes.

A/ Rôle décisif des gouvernements occidentaux dans la transition des compagnies à chartes aux multinationales

Les gouvernements occidentaux ont joué par exemple un rôle décisif dans la transition des compagnies à chartes aux multinationales durant le XIXe siècle

14 – Une première partie des travaux de la pré-conférence de Paris, a été publiée dans Dominique Barjot, dir., *Mondialisation, modèles nationaux de développement et stratégies d'entreprises (XIXe-XXIe siècles)* - Globalization, national patterns of development and strategies of firms (19th-21st centuries), *Revue Française d'Histoire Économique - The French Economic History Review*, 2015-I. L'autre partie est contenue dans Dominique Barjot & Marie-Claude Esposito, dir., *Mondialisation, modèles nationaux de développement et stratégies d'entreprises (XIXe-XXIe siècles) - Globalization, national patterns of development and strategies of firms (19th-21st centuries)*, Paris, Éditions SPM, 2016, 288 p.

(Wang Jiafeng)[15]. Ces compagnies à charte ont constitué l'un des outils les plus importants de l'accumulation primitive du capital au cours des XVIe, XVIIe et XVIIIe siècles[16]. La situation change entre 1800 et 1870, avec l'affirmation des *free standing companies*, modèle dominant d'un point de vue idéologique jusqu'à la Première Guerre mondiale[17]. En effet, non seulement la Grande-Bretagne a promu cette politique de façon vigoureuse, mais, de plus, les théories libre-échangistes se sont toujours combinées avec les intérêts nationaux et avec des valeurs universelles. À l'inverse, le protectionnisme a souvent dominé les stratégies de développement de l'Allemagne et des États-Unis. Cependant à la fin du XIXe siècle, les multinationales émergent en tant que nouveau modèle d'organisation productive. Deux facteurs ont joué sans doute un rôle décisif: l'intégration des procédés de production de masse ainsi que des politiques étatiques contribuant à la dégradation des relations internationales.

B/ Les voies du développement : Royaume-Uni et France

Deux facteurs parmi d'autres ont été décisifs pour le développement des économies occidentales comme celles du Royaume-Uni et de la France : l'action des institutions financières et le contrôle de l'énergie. Dans le cas du Royaume-Uni, cette action des institutions financières a abouti à une transformation du modèle de croissance à long terme. Ainsi, le Première Guerre mondiale, puis les difficultés des années 1920 et, en fin de compte, la crise de années 1930 forcent la Grande-Bretagne à jeter les fondations d'un nouveau modèle de développement caractérisé par la renonciation à son *leadership* financier mondial, mais aussi des tentatives de profonde restructuration industrielle. En outre, comme au Royaume-Uni, au cours du dernier quart du XXe siècle, les politiques économiques des États sont plus ou moins dirigées par des considérations environnementales.

De fait, le Royaume-Uni a renoncé, après la Première Guerre mondiale, à son *leadership* financier mondial (Aymen Boughami)[18]. Pourtant, immédiatement après le conflit, le pays est convaincu que le prix de la guerre ne pourrait remettre en cause sa suprématie internationale. Par la suite, Londres échoue à reconsidérer ses ambitions stratégiques. Optant pour l'orthodoxie économique, le gouvernement britannique se trouve ainsi entraîné dans la voie de la défla-

15 – Wang Jiafeng, "The Western Governments in the Transition from Chartered Companies to Multinationals in the 19th Century", *in* D. Barjot, dir., "Globalization, national patterns of development and strategies of firms (19th-21st centuries) - Mondialisation, modèles nationaux de développement et stratégies d'entreprises (XIXe-XXIe siècles", *Revue Française d'Histoire Économique - The French Economic History Review*, 2015-I, p. 28-39.

16 – Edward E. Rich and Charles H. Wilson, eds, *The Cambridge Economic History of Europe*, vol. 4, Cambridge University Press, 1967, 616 p.

17 – Charles S. Kindleberger, *World Economic Primacy: 1500 to 1900*, New York and Oxford, Oxford University Press, 1996, 288 p.

18 – Aymen Boughanmi, « La Grande-Bretagne face à la perte de sa suprématie géoéconomique, 1912-1932 : la rupture dans la continuité », *in* D. Barjot & M. C. Esposito, dir., *Mondialisation, modèles nationaux de développement et stratégies d'entreprises (XIXe-XXIe siècles) - Globalization, national patterns of development and strategies of firms (19th-21st centuries)*, Paris, Éditions SPM, 2016, p.-54-66.

tion. Celle-ci s'avère un échec, en raison de la réticence du capital américain à coopérer avec Londres, mais aussi parce que le retour du *Gold Standard*, prôné par la City, était inacceptable politiquement. Durant les années 1920, la Banque d'Angleterre apparaît en même temps comme un acteur des restructurations industrielles (Marie-Claude Esposito)[19]. Après le conflit mondial, la Bank of England (BoE) intervient dans l'industrie pour sauver et réorganiser un certain nombre de firmes à une échelle jamais atteinte auparavant, comme le montrent les exemples d'Armstrong, Whitworth & Company (armements), Beardmores (sidérurgie) et The Lancashire Textile Corporation.

Depuis 1945, au Royaume-Uni, de nouvelles contraintes sont venues peser sur les politiques publiques : ainsi les impératifs environnementaux (Martin Chick)[20]. Après la Seconde Guerre mondiale, les dimensions spatiales et temporelles des préoccupations environnementales changent, avec les problèmes grandissants de pollution comme les pluies acides, la pollution atmosphérique et les gaz à effet de serre. Les dimensions croissantes des affaires d'environnement conduisent le gouvernement britannique à des négociations environnementales. Ces contraintes se retrouvent en France. En effet, le pays a été confronté à une situation structurelle de pénurie d'énergie. De là découle le rôle attribué aux quotas d'importation (Julien Brault)[21]. Leur plus important effet a été la création de grandes firmes domestiques (CFP-total, Elf-Aquitaine). Toutefois, si la politique pétrolière française a été un succès, ses quotas ont également un certain nombre d'effets négatifs.

C/ Les petits pays : des acteurs décisifs de la globalisation

Au cœur des processus de globalisation, les petits pays ont joué, de façon fréquente, un rôle décisif dans le processus de globalisation. C'est ce que montre l'exemple de la construction des chemins de fer au Portugal (Ana Cardoso de Matos et Magda Pinheiro)[22]. La réalisation de ce réseau a eu, jusqu'en 1891, pour objectif principal de réduire le retard économique du pays. En raison de l'échec

19 – Marie-Claude Esposito, « L'intervention d'un banquier central dans l'industrie: le rôle de Montagu Norman et de la Banque d'Angleterre dans les années 1920 », *in* D. Barjot & M. C. Esposito, dir., *Mondialisation, modèles nationaux de développement et stratégies d'entreprises (XIXe-XXIe siècles) - Globalization, national patterns of development and strategies of firms (19th-21st centuries)*, Paris, Éditions SPM, 2016, p. 68-77.

20 – Martin Chick, "The Changing Role of Space and Time in British Environmental Policy since 1945", in D. Barjot, dir., *Globalization, national patterns of development and strategies of firms (19th-21st centuries) - Mondialisation, modèles nationaux de développement et stratégies d'entreprises (XIXe-XXIe siècles)*, Paris, Editions SPM, 2015-I, p. 72-88.

21 – Julien Brault, « Le pétrole et les déséquilibres du développement français », *in* D. Barjot & M. C. Esposito, dir., *Mondialisation, modèles nationaux de développement et stratégies d'entreprises (XIXe-XXIe siècles) - Globalization, national patterns of development and strategies of firms (19th-21st centuries)*, Paris, Éditions SPM, 2016, p. 78-93. Voir aussi : Julien. Brault, *Les transactions internationales de la France des années 1920 aux années 1970*, thèse de doctorat soutenue en 2013 au Graduate Institute of International Studies and of the Development de Genève et dirigée par Marc Flandreau.

22 – Ana Cardoso de Matos & Magda de Avelar Pinheiro, « La construction du réseau ferroviaire au Portugal : concepts, modèles et intervenants », *in* D. Barjot & M. C. Esposito, dir., *Mondialisation, modèles nationaux de développement et stratégies d'entreprises (XIXe-XXIe siècles) - Globalization, national patterns of development and strategies of firms (19th-21st centuries)*, Paris, Éditions SPM, 2016, p. 34-53.

des entrepreneurs britanniques, les hommes d'affaires et le capital français ont joué le rôle majeur. La crise économique de 1892 change la donne : elle pousse l'État portugais dans la voie de la nationalisation effectuée en 1899. Après la Seconde Guerre mondiale et en dépit de l'aide Marshall, l'électrification du réseau demeure lente.

Le cas finlandais révèle tout autant les avantages et les limites du nationalisme économique (Niklas Jensen-Ericsen)[23]. En Finlande, le nationalisme économique a exercé une influence majeure sur la politique gouvernementale et sur le développement des affaires. De fait, la politique finnoise a accru la cohésion nationale et l'esprit coopératif, mais affaibli l'esprit d'entreprise. Cela n'a changé que de façon tardive, à la fin des années 1980, grâce à l'Union Européenne et à l'attraction des investisseurs étrangers. Ainsi s'explique la spectaculaire ascension de Nokia. C'est toutefois un succès fragile, car le pays n'a pas produit suffisamment d'entrepreneurs.

Cette tension entre socialisation et multinationalisation se retrouve en Suisse. Depuis la fin du XIXe siècle, c'est avec succès que le pays a changé d'avantage compétitif dans le jeu international (Margrit Müller)[24]. L'économie helvétique a été capable de maintenir ou de reconquérir sa compétitivité dans un certain nombre d'industries manufacturières et de services durant le XXe siècle. La capacité des firmes suisses à exporter des biens et des services, à investir dans les pays étrangers et à importer des biens, des services et du capital étranger ont été hautement interdépendants. Parce que, au cours du XXe siècle, l'avantage compétitif de la Suisse s'est déplacé des étapes les moins élaborées aux plus sophistiquées de la chaîne de production et de ses segments à bas niveau de technologie à ceux à haut niveau, les investissements directs des firmes étrangères sont devenus plus importants. En effet, la Suisse était alors en train de passer d'une voie chandlérienne d'industrialisation, caractérisée par la domination d'un petit et stable nombre de grandes multinationales, à une autre, schumpétérienne, basée sur une importance croissante de petites entreprises.

1-2/ Intégration économique internationale et rôle des organisations internationales

L'intégration économique des nations est devenue de manière précoce un problème majeur pour les économistes. Cette préoccupation s'est accrue avec

23 – Niklas Jensen-Eriksen, "Business, economic nationalism and Finnish foreign trade during the 19th and 20th centuries", *in* D. Barjot, dir., *Mondialisation, modèles nationaux de développement et stratégies d'entreprises (XIXe-XXIe siècles) - Globalization, national patterns of development and strategies of firms (19th-21st centuries), Revue Française d'Histoire Économique - The French Economic History Review*, 2015-I, p. 40-57.

24 – Margrit Müller, "Specialization and multinationalization: Switzerland's changing competitive advantage since the late 19th century», *in* D. Barjot, dir., *Mondialisation, modèles nationaux de développement et stratégies d'entreprises (XIXe-XXIe siècles) - Globalization, national patterns of development and strategies of firms (19th-21st centuries)*, Revue Française d'Histoire Économique - The French Economic History Review, n°1, mai 2015, p. 58-71.

la montée en puissance des organisations internationales, à vocation tantôt mondiale tantôt régionale.

A/ À la recherche d'un modèle explicatif: François Perroux

Certains économistes ont cherché à définir un modèle susceptible de permettre une interprétation de l'évolution économique internationale, à l'instar de François Perroux (Emmanuel Dreyfus)[25]. F. Perroux a été l'un des plus importants économistes français du XXe siècle. Admirateur de l'école libérale de Vienne, il a aussi introduit la théorie de la domination en tant qu'élément explicatif des relations internationales. Son influence a été, dans une large mesure le résultat de discussions avec Keynes, Hicks et Von Hayek, mais aussi avec les économistes de l'École de la régulation.

B/ Les organisations internationales: un rôle difficile à estimer

Parce que difficile à estimer, le rôle spécifique des organisations internationales a été et demeure l'objet de débats vigoureux. Tel est le cas pour le GATT et son action sur le développement des pays du sud, de 1958 à 1963 (Régine Perron)[26]. Le *General Agreement on Tariffs and Trade* (GATT) a été en effet le prédécesseur de l'actuelle Organisation Mondiale du Commerce (World Trade Organisation ou WTO). À la fin des années 1950 et au début des années 1960, le GATT a joué un rôle clé dans le développement des pays du sud et leur intégration au sein de l'économie internationale. En raison de la concurrence entre les deux blocs, la question du Tiers Monde est devenue essentielle (rapport Harberler). À la même époque, les États-Unis et la communauté Économique Européenne ne sont pas prêts à ouvrir le marché européen à tous les exportateurs de produits tropicaux. Mais parce que le GATT n'adopte pas le modèle de substitution aux importations, il ouvre la voie à une division internationale du travail. En exportant leur produits primaires et leurs commodités (au sens de commodités, matières premières cotées sur le marché international), les pays en voie de développement participeraient au processus d'industrialisation, parce qu'ils pourraient réinvestir leurs bénéfices dans leurs propres économies nationales.

25 – Emmanuel Dreyfus, « François Perroux, entre Ricardo et Lénine, une théorie politique du commerce international », *in* D. Barjot & M. C. Esposito, dir., *Mondialisation, modèles nationaux de développement et stratégies d'entreprises (XIXe-XXIe siècles) – Globalization, national patterns of development and strategies of firms (19th-21st centuries)*, Paris, Éditions SPM, 2016, p. 94-103.

26 – Régine Perron, « La politique du GATT dans le développement des pays du Sud (1958-1963): vers une mondialisation du développement ? », *in* D. Barjot & M. C. Esposito, dir., *Mondialisation, modèles nationaux de développement et stratégies d'entreprises (XIXe-XXIe siècles) – Globalization, national patterns of development and strategies of firms (19th-21st centuries)*, Paris, Éditions SPM, 2016, p. 104-120 ; Régine Perron, *Histoire du multilatéralisme. L'utopie du siècle américain de 1918 à nos jours*, Paris, Presses Universitaires de Paris-Sorbonne, « coll. Roland Mousnier », 2014, 360 p. ; Régine Perron & Guido Thiemeyer, eds, *Multilateralism and the « Trente Glorieuses » in Europe, New perspectives in European Integration History*, Neuchâtel, Editions Alphil, 2011, 268 p.

La politique de concurrence de l'Union Européennes offre un autre exemple intéressant, vu sous l'angle de la globalisation (Christophe Réveillard)[27]. Cette politique de concurrence est la plus intégrée de celles de l'UE et s'inspire de la loi *anti-trust* américaine. La coopération entre autorités de la concurrence continue de se développer aux niveaux aussi bien bilatéral (avec les États-Unis par exemple) que multilatéral. Aujourd'hui, la politique de concurrence de l'Union Européenne constitue un outil de régulation des marchés œuvrant à la convergence des politiques européennes et des législations nationales : cela paraît essentiel au bon fonctionnement du marché interne de l'UE. Afin de préserver le bon fonctionnement des marchés de produits, les autorités européennes doivent prévenir ou corriger tout comportement anti-concurrentiel.

2/ INTÉRÊT DES APPROCHES MICROÉCONOMIQUES

Les approches microéconomiques ont tout autant d'intérêt. Elles permettent de définir les différents facteurs de l'internationalisation des entreprises et, aussi, de mettre en lumière le rôle décisif des stratégies[28].

2-1/ À la recherche des facteurs d'internationalisation

Le rôle des réseaux a été décisif dans l'intégration économique des entreprises.

A/ L'importance économique des réseaux

Les réseaux d'entreprises sont devenus l'un des sujets en expansion de l'histoire économique d'aujourd'hui. De fait, les réseaux techniques et sociaux offrent des clés d'explication. Il en va ainsi dans le bâtiment durant les *booms* de la construction postérieurs à la Seconde Guerre mondiale : il y existe un lien entre la polarisation des structures et la sous-traitance (Manuela Martini)[29]. Celle-ci est considérée par les économistes industriels comme l'une des causes de la fragmentation de l'industrie de la construction dans un certain nombre de pays européens. C'est le cas en France. En dépit de la présence de trois *leaders*

27 – Christophe Réveillard, « La politique de concurrence de l'Union européenne et la mondialisation », *in* D. Barjot & M. C. Esposito, dir., *Mondialisation, modèles nationaux de développement et stratégies d'entreprises (XIXe-XXIe siècles) - Globalization, national patterns of development and strategies of firms (19th-21st centuries)*, Paris, Éditions SPM, 2016, p. 122-137.

28 – Richard H. Coase, "The Nature of the Firm", *Economica*, New Series, Vol. 4, No 16, 1937, p. 386-405.

29 – Manuela Martini, « Polarisation de la structure industrielle et sous-traitance dans le bâtiment en France et en Europe pendant les Trente Glorieuses », *in* D. Barjot & M. C. Esposito (dir.), *Mondialisation, modèles nationaux de développement et stratégies d'entreprises (XIXe-XXIe siècles) - Globalization, national patterns of development and strategies of firms (19th-21st centuries)*, Paris, Éditions SPM, 2016, p. 150-167. Voir aussi Dominique Barjot (dir.), "The Construction Industry in the 20th Century: An International Interfirm Comparison", *Revue Française d'Histoire Économique - The French Economic History Review*, n°1, September, 2014, 175 p.

(Vinci[30], Bouygues[31], Eiffage), le processus de concentration est tardif et plus marqué du fait de l'importance durable et persistante de petites firmes. Deux explications peuvent être avancées : la disponibilité grandissante de firmes de taille petite et moyenne a contribué à l'affirmation des principaux entrepreneurs ; mieux : le réservoir existant de ces entreprises et moyennes peut être aisément remobilisé quand la demande change et devient caractérisée par une plus forte volatilité de la demande à la fois publique et privée.

Le secteur du champagne offre un autre cas d'espèce : ainsi avec la conquête du marché des États-Unis ou comment reconstruire un marché entre 1920 et 1939 (Yves Tesson)[32]. La période de l'entre-deux-guerres a été très difficile pour le champagne. En effet, la Première Guerre mondiale avait détruit une part importante des vignobles. De plus, les maisons de champagne ont à composer avec la fermeture du marché russe et la prohibition américaine. Par suite, le marché américain devient un marché expérimental, ouvrant la voie à une nouvelle stratégie de conquête : création des « ambassadeurs » du champagne, invention de cuvées spéciales (Dom Pérignon), développement des relations publiques. Les maisons de champagne préparent ainsi le modèle sur lequel elles bâtiront la spectaculaire croissance des années 1950 et 1960.

B/ Les firmes exportatrices, entre local et global

Même les très grandes compagnies ne peuvent se couper d'une logique de réseaux. En effet, elles combinent dans le même temps une forte implantation locale et une vocation mondiale, à l'instar de Schneider. Si la conquête du monde constitue bien pour la firme un objectif, il convient cependant de faire la part des réalités et des discours (Catherine Vuillermot)[33]. S'agissant d'un groupe aussi symbolique que Schneider, il peut être intéressant d'établir une chronologie du discours de la société elle-même et à son propos de son implantation outre-mer. La société Schneider & Cie a commencé à exporter au milieu du XIXe siècle. Cette politique a été adoptée par tous les dirigeants de la dynastie Schneider (Eugène Ier, Henry, Eugène II, Charles) et justifiée par un patriotisme économique. Depuis la décade Empain-Schneider, la célébration de la stratégie multinationale a continué de faire l'unanimité.

Olivetti propose un autre cas à valeur de symbole. Profondément ancré dans la région du Canavese, le devenir du groupe illustre le passage de la multinatio-

30 – Dominique Barjot, *La trace des bâtisseurs: histoire du Groupe Vinci*, Vinci, 2003, 623 p.

31 – Dominique Barjot, *Bouygues Les ressorts d'un destin entrepreneurial*, Paris, Economica, 2013, 384 p.

32 – Yves Tesson, « Le champagne à la conquête des États-Unis : l'exemple de Moët & Chandon 1920-1939 », *in* D. Barjot & M. C. Esposito, dir., *Mondialisation, modèles nationaux de développement et stratégies d'entreprises (XIXe-XXIe siècles) - Globalization, national patterns of development and strategies of firms (19th-21st centuries)*, Paris, Éditions SPM, 2016, p.168-185. Voir aussi : Yves Tesson, Francine Rivaud, *Robert-Jean de Vogüé, Le « quart d'heure d'avance » de Moët & Chandon*, Paris, Taillandier, 2016, 265 p.

33 – Catherine Vuillermot-Febvet, « Schneider à la conquête du monde: discours et réalités (des origines à nos jours) », in D. Barjot & M. C. Esposito, dir., *Mondialisation, modèles nationaux de développement et stratégies d'entreprises (XIXe-XXIe siècles) - Globalization, national patterns of development and strategies of firms (19th-21st centuries)* Paris, Éditions SPM, 2016, p. 186-202.

nale au district industriel (Marco Maffioletti)[34]. Le cas d'Olivetti souligne, d'un côté, l'évolution de l'engagement territorial de l'entreprise italienne après sa globalisation, de l'autre, le rôle du changement technologique dans son secteur industriel, l'équipement de bureau. À l'origine du succès de la firme, se trouve l'engagement de Camille et Andriano Olivetti, deux entrepreneurs motivés par des principes humanistes et socialistes. Ils ont incorporé cet engagement au sein des valeurs fondamentales de leur compagnie, même si Olivetti a changé de manière radical sa relation avec le Canavese durant les années 1990 (absorption par Telecom Italia, sa filiale en 2003), aujourd'hui, l'économie industrielle de la région du Canavese combine innovation, globalisation et développement local ainsi qu'Olivetti l'avait fait auparavant.

C/ Rôle décisif des stratégies

Ces approches microéconomiques démontrent le rôle décisif des stratégies. Dans le cas de Renault-Dacia, il est clair que l'*offshoring* (ou délocalisation) a procuré un avantage compétitif (Patrick Dieuaide)[35]. À partir des années 1990, l'Europe orientale est devenue l'eldorado de l'industrie automobile européenne. Cette situation a résulté de la convergence d'un certain nombre de facteurs : une main-d'œuvre à bon marché, mais relativement qualifiée ; la faiblesse des contraintes législatives et réglementaires ; la médiocre légitimité des syndicats ; l'existence de gouvernements affaiblis par la période du communisme soviétique, mais assez influents pour gérer la période de transition. Durant les années 1995 à 2005, le même scénario politique a joué un compromis social et politique fondé sur le principe « modernisation en échange de la paix industrielle ». Le cas de Renault-Dacia met en lumière l'importance et le rôle du *profit sharing* (partage des profits) tout en démontrant la réalité de la régulation sociale sans compromis.

L'ascension des *global challengers* constitue un autre volet essentiel de la globalisation : c'est ce que montre bien l'acquisition de Inco par la multinationale brésilienne Vale (Hildete de Moraes-Vodopivès)[36]. En effet, l'internationalisation de firmes issues des pays en voie de développement s'affirme de plus en plus comme une dimension majeure de la globalisation contemporaine. À cet égard, la compagnie minière brésilienne Vale offre un bon exemple de

34 – Marco Maffioletti, « Olivetti, entre le territoire et le globe », *in* D. Barjot & M. C. Esposito, dir., *Mondialisation, modèles nationaux de développement et stratégies d'entreprises (XIXe-XXIe siècles) - Globalization, national patterns of development and strategies of firms (19th-21st centuries)*, Paris, Éditions SPM, 2016, p. 204-217.

35 – Patrick Dieuaide, "Profit Sharing and the Stability of Employment Relations at Renault-Dacia: The End of Compromise?" in D. Barjot, dir., *Mondialisation, modèles nationaux de développement et stratégies d'entreprises (XIXe-XXIe siècles) - Globalization, national patterns of development and strategies of firms (19th-21st centuries)*, *Revue Française d'Histoire Économique - The French Economic History Review*, 2015-I, p. 130-144.

36 – Hildete de Moraes Vodopives, "The globalization wave rolls towards Canada, with Vale's acquisition of Inco", *in* D. Barjot, dir., *Mondialisation, modèles nationaux de développement et stratégies d'entreprises (XIXe-XXIe siècles) - Globalization, national patterns of development and strategies of firms (19th-21st centuries)*, Revue *Française d'Histoire Économique - The French Economic History Review*, 2015-I, p. 146-156.

global challenger[37]. Avant le rachat par Vale du canadien Inco, Vale souffrait de graves déficiences face à une concurrence grandissante sur le marché global. En revanche, après l'acquisition d'Inco, Vale prend place parmi les trois plus grandes compagnies minières diversifiées au monde, avec BHP Billiton et Rio Tinto.

La libéralisation des infrastructures de transport en Amérique latine y a ouvert la voie à une percée du capital espagnol (Javier Vidal-Olivarès)[38]. Dans cette région du monde, le processus de libéralisation du marché du transport aérien a débuté dans les années 1980. Il n'a pas affecté seulement les lignes aériennes et le flux de trafic entre pays, mais aussi les infrastructures fixes et mobiles. Il a engendré un grand mouvement de privatisation. L'Amérique latine est l'une des zones géographiques où le mouvement de privatisation s'est accru de façon rapide à la fin des années 1990. Des accords de concessions y sont signés. De plus, le flux d'investissement en direction des concessions latino-américaines d'aéroport est alors dominé par les entreprises espagnoles de construction[39]. Cependant, l'élément nouveau réside dans la participation d'une compagnie d'État spécialisée dans la gestion commerciale et technique des aéroports, à savoir l'AENA ou (Aeropuertos Espagnoles y Navegacion Aéra). AENA est une société à capitaux d'État, mais cette collaboration avec les grands opérateurs aéroportuaires (en fait des *contractors* de génie civil et de bâtiment) est une nécessité afin de diversifier leurs affaires. En conséquence de quoi, AENA et aujourd'hui devenu le *leader* mondial des opérateurs aéroportuaires en termes de nombre de passagers transportés.

2-2/ Stratégies de multinationalisation

Les processus de multinationalisation ont des conséquences importantes pour les pays récepteurs des investissements des multinationales. Cependant, l'internationalisation constitue un préalable à la multinationalisation.

37 – Armando Dalla Costa, "La Vale dans le nouveau contexte d'internationalisation des entreprises brésiliennes", *in* M. I. Barbero and C Davila., dir., «Entreprises d'Amérique Latine», *Entreprises et Histoire*, 54, avril, 2009, p. 86-106.

38 – Javier Vidal Olivares, "The liberalisation of transport infrastructure and Spanish investment in the international market: Latin American airports and the case of AENA", *in* D. Barjot, dir., *Mondialisation, modèles nationaux de développement et stratégies d'entreprises (XIXe-XXIe siècles) - Globalization, national patterns of development and strategies of firms (19th-21st centuries), Revue Française d'Histoire Économique - The French Economic History Review*, 2015-I, p. 158-172.

39 – Eugenio Torres, "The Large Spanish Contractors (1950-2000)", *in* D. Barjot, dir., L'industrie de la construction au XXe siècle: une comparaison internationale - The Construction Industry in the 20th Century: An International Interfirm Comparison, *Revue Française d'Histoire Économique - The French Economic History Review*, 2014-I, p. 86-107.

A/ Réalités et limites de l'internationalisation des firmes

Or les stratégies d'internationalisation apparaissent inégalement heureuses. Dans le cas de SKF, le succès a été au rendez-vous (Birgit Karlsson)[40]. Beaucoup de multinationales suédoises se sont établies à la fin du XIXe siècle, à l'instar d'Ericsson, Skanska[41] ou SKF. Cette dernière compagnie a été capable de surmonter le challenge de la globalisation face à la concurrence japonaise. En effet, la connaissance est devenue le principal atout de la compagnie. Grâce au changement de la structure organisationnelle et à la capacité à passer d'une compétence en roulement à une autre en solutions digitales, les aspects les plus, problématiques de la *path dependency* (dépendance de sentier) ont été évités.

Les firmes françaises se sont trouvées confrontées au même dilemme : passer du marché domestique à la multinationalisation par l'entremise de l'internationalisation : c'est ce que montrent les destins contrastés de Schneider et d'Alcatel Alsthom (Félix Torrès)[42]. La multinationalisation des grandes entreprises françaises survient durant le dernier quart du XXe siècle : tel est le cas pour Total, Axa, Carrefour, GDF-Suez, Saint-Gobain, Vinci, Bouygues, Lafarge, Michelin, etc.). Cette émergence réussie tient à des raisons à la fois internes et externes. Le processus se trouve permis et renforcé par l'une des tendances fondamentales de la globalisation, la globalisation financière, accompagnée d'un désengagement de l'État ainsi que de la désintermédiation et l'affirmation des actionnaires.

Dans ces conditions, Schneider et Alcatel-Alsthom suivent des voies différentes. D'un côté, la métamorphose d'Empain-Schneider en Schneider Electric s'avère un succès, nonobstant la faillite de Creusot-Loire ou des échecs de Framatome et de Spie Batignolles[43]. Le groupe Schneider surmonte la crise, grâce à l'action personnelle de Didier Pineau-Valenciennes, au succès de Merlin-Gérin[44] et aux acquisitions de Télémécanique (France), Square D (Etats-Unis) et Federal Pionneer (Canada). En revanche, Alcatel-Alsthom emprunte un chemin plus chaotique. Étroitement dépendante des marchés publics, la Compagnie Générale d'Electricité devient réellement internationale avec la création de GEC-Alsthom[45]. Mais tant Alcatel-Lucent qu'Alsthom

40 – Birgit Karlsson, "Globalization and Swedish industry: the SKF's case", *in* D. Barjot, dir., *Mondialisation, modèles nationaux de développement et stratégies d'entreprises (XIXe-XXIe siècles) - Globalization, national patterns of development and strategies of firms (19th-21st centuries), Revue Française d'Histoire Économique - The French Economic History Review*, 2015-I, p. 90-101.

41 – Dominique Barjot, "Skanska 1887-2007: The rise of a Swedish Multinational Company", [Skanska (1887-2007) : l'essor d'une multinationale suédoise] », *Revue d'Histoire Nordique, Nordic Historical Review*, n° 8, 2009, p. 225-256.

42 – Félix Torres, « La Mondialisation des entreprises françaises ou le destin contrasté de Schneider Electric et d'Alcatel Alsthom », communication présentée au cours de la Préconférence de Paris, tenue à l'Université Paris Sorbonne (Paris IV), les 18 et 19 septembre 2014, mais non publiée.

43 – Tristan de La Broise, *Schneider. L'histoire en force*, Paris, Editions Jean-Pierre de Monza, 1999, 492 p. ; Didier Pineau-Valencienne, *Dans la boucle de l'hirondelle. Mémoires d'entreprise*, Paris, Albin Michel, 2004, 400p.

44 – Félix Torres, *Merlin Gerin, une histoire pour l'avenir 1920-1992*, Paris, Albin Michel, 1992, 214 p.

45 – Albert Broder et Félix Torres, *Alcatel Alsthom. Histoire de la Compagnie générale d'électricité*, Paris, Hachette, 1992, 480 p. ; Yves Bouvier, *Connexions électriques. Technologies, hommes et marchés dans les relations*

expérimentent une période difficile durant les années 2000. En effet, l'instabilité du management d'Alcatel-Alsthom introduit un doute par rapport aux sociétés qui en ont hérité. En définitive, le poids des participations semi-publiques conduit à une fragmentation d'Alcatel-Alsthom. Ces deux destinées divergentes illustrent la transition allant d'un marché domestique associé à l'internationalisation à une véritable globalisation.

L'un des *challenges* majeurs à relever pour l'entreprise moderne réside dans la tension entre les échelles locales et globale : ainsi pour l'industrie italienne, des pâtes alimentaires. En effet, la péninsule est aujourd'hui encore le premier producteur mondial (Sylvia A. Conca Messina)[46]. Durant le XXe siècle et encore au début du XXIe, le processus de globalisation a représenté un défi difficile pour l'entreprise italienne, en raison de limites du système national de capitalisme, de l'absence d'une politique industrielle forte et de l'émergence de puissantes compagnies étrangères (Danone, Kraft, Nestlé). Cependant, un certain nombre d'entreprises italiennes se sont engagées avec succès dans la voie de l'internationalisation : Barilla a renforcé son *leadership* relatif face à Danone, tandis que Zara (de Trieste) est devenu le principal exportateur italien de pâtes alimentaires.

D'une manière plus large, au cours du XXe siècle, l'industrie agro-alimentaire italienne est devenue une activité industrielle à part entière (Claudio Besana et Andrea Maria Locatelli)[47]. Le tournant est survenu durant les années 1980, avec l'acquisition d'Invernizzi par l'américain Kraft en 1985 et celui de Galbani par Ifil-Danone en 1989, même si le premier rachat peut être daté de la fin des années 1960, lorsque Locatelli a été repris par Nestlé. Les facteurs explicatifs en sont assez simples : en raison d'une absence de renouvellement du management, d'esprit d'innovation et de marketing agressif, l'entrée du capital étranger est devenue significative en Italie, surtout dans deux secteurs, les industries agro-alimentaires, mais aussi pharmaceutiques.

B/ A la recherche du processus de multinationalisation

Le succès international des firmes semble obéir à une logique de *path dependency* (ou « dépendance de sentier »). Il n'est guère possible de nier, dans un certain nombre de cas, la force persistante du capitalisme familial. C'est ce que révèle

entre la Compagnie générale d'électricité et l'Etat 1898-1992, Bruxelles, PIE Peter Lang, Histoire de l'électricité n° 6, 2014, 583 p.

46 – Sylvia A. Conca Messina, "Pasta in local and global contexts. A difficult challenge for Italian enterprises" in D. Barjot, dir., *Mondialisation, modèles nationaux de développement et stratégies d'entreprises (XIXe-XXIe siècles) - Globalization, national patterns of development and strategies of firms (19th-21st centuries), Revue Française d'Histoire Économique - The French Economic History Review*, 2015-I, p. 102-115.

47 – Claudio Besana and Andrea Maria Locatelli, "Italian Family Business and multinationals in the Eighties of the 20th Century: Invernizzi/Kraft and Galbani/Danone", *in* D. Barjot, dir., *Mondialisation, modèles nationaux de développement et stratégies d'entreprises (XIXe-XXIe siècles) - Globalization, national patterns of development and strategies of firms (19th-21st centuries), Revue Française d'Histoire Économique - The French Economic History Review*, 2015-I, p. 116-129.

l'exemple du groupe anversois Ackermann et Van Haaren (Dirk Podjevin)[48]. Grâce à un mélange de tradition mercantile néerlandaise, de législation libérale belge et de savoir-faire français propre à ces deux familles alliées, l'entreprise s'est adaptée avec succès aux deux vagues de nationalisation, notamment en Amérique du sud et, dans le secteur des dragages, à travers le holding DEME, devenu un *leader* mondial.

Mais la Belgique offre aussi l'exemple de compagnies multinationales plus classiques, à l'instar de Solvay (Kenneth Bertrams et Nicolas Coupain)[49]. Cette société a été créée en 1863 sous la forme d'une société en commandite. Il s'agissait alors de mettre en œuvre le procédé Solvay de production à bas coût de soude caustique à partir de l'ammoniaque. Jusqu'en 1914, le procédé et donc l'entreprise ont donc connu un succès remarquable. La situation change après 1914. Face aux difficultés survenues en Russie et aux États-Unis, la compagnie essaie de compenser ses pertes grâce à des accords de cartel. Après la Seconde Guerre mondiale, elle doit réévaluer sa stratégie de manière fondamentale: réorganisation en vieille Europe, reconquête de solides positions en Amérique et en Europe orientale, vente de sa branche pharmaceutique et acquisition de Rhodia (à Rhône-Poulenc).

La quête de la multinationalisation peut conduire à la recherche d'un *leadership* mondial. L'exemple de Lafarge démontre ainsi, tout au moins jusqu'en 2007, la pertinence du modèle managérial (Dominique Barjot)[50]. Grâce à un bon contrôle de ses coûts de production, un taux élevé d'investissement et d'importantes opérations de croissance externe, ce groupe a été capable, de 1993 à 2007, de maintenir un haut niveau de rentabilité, de concilier des dividendes croissants et un autofinancement substantiel, de conquérir un *leadership* en Europe et en Amérique du Nord, d'adopter une stratégie cohérente de développement durable, de produire un massif effort de recherche-développement, générateur d'avance technique sur les concurrents. Mais ce succès demeure fragile. En effet, le « Printemps arabe » compromet les marges de profit attendues. La situation est aggravée encore par la montée en puissance de nouveaux compétiteurs en Europe (CRH) et hors d'Europe (Cemex, Votorantim, Camargo Correa, et, plus encore, entreprises chinoises). Ces difficultés précipitent le

48 – Dirk Podevijn et alii, Ackermans & van Haaren, *Un groupe familial aux ambitions internationales 1876-2007*, Ackermans & van Haaren, Anvers, 2007; Dirk Podevijn, Hendrik Willem Ackermans, carnets d'un pionnier industriel, 1887-1937, Anvers, Snoek, 2013 ; Dirk Podevijn, "Ackermans & van Haaren. A Familial Group with International Ambitions. 1876-2014", *in* D. Barjot & M. C. Esposito, dir., *Mondialisation, modèles nationaux de développement et stratégies d'entreprises (XIX*e*-XXI*e *siècles) - Globalization, national patterns of development and strategies of firms (19th-21st centuries)*) Paris, Éditions SPM, 2016, p. 218-233.

49 – Nicolas Coupain, "Strategies of a Belgian-born multinational company: Solvay (1863-2014)", communication présentée au cours de la Pré-conférence de Paris, tenue à l'Université Paris Sorbonne (Paris IV), les 18 et 19 septembre 2014, mais non publiée. Voir aussi: Kenneth Bertrams, dir., *Une Entreprise au coeur de l'histoire: Solvay*, Cambridge University Press, New York, 2013, 201 p.

50 – Dominique Barjot, « Lafarge: de l'entreprise international à la firme mondiale (1993-2007) », in D. Barjot & M. C. Esposito, dir., *Mondialisation, modèles nationaux de développement et stratégies d'entreprises (XIX*e*-XXI*e *siècles) - Globalization, national patterns of development and strategies of firms (19th-21st centuries)* Paris, Éditions SPM, 2016, p. 234-262 ; D. Barjot, « Lafarge (1993-2004). Comment on devient firme mondiale », *in* D. Barjot, dir., « Où va l'histoire des entreprises ? », *Revue économique*, vol. 58, n°1, janvier, p. 79-111.

processus de fusion entre Lafarge et Holcim[51], donnant naissance, en 2015, au nouveau *leader* mondial de l'industrie cimentière.

A contrario, une stratégie d'*outsider* peut ouvrir aussi la voie à la multinationalisation, à l'instar de Virgin Atlantic (Nathalie Champoux)[52]. Cette compagnie aérienne privée a été fondée en 1984 par l'entrepreneur Richard Branson dans un contexte de libéralisation du transport aérien aux niveaux à la fois national et international. Dans le cas présent, l'option prise par Richard Branson s'est révélée fructueuse. Virgin Atlantic s'est imposée ainsi comme la seconde plus grande compagnie aérienne britannique long courrier. Y ont contribué deux facteurs déterminants : la volonté des pouvoirs publics de libéraliser le marché et l'échec de ses principaux rivaux, tels que Laker Airways.

C/ Quelles conséquences pour les pays récepteurs

Il ne suffit pas de considérer l'action des multinationales à partir d'une analyse interne. Il est important aussi (et peut-être surtout) de s'interroger sur les conséquences de leur implantation dans les pays d'accueil. Ces conséquences peuvent être évaluées à la fois en termes de flux d'investissement à l'étranger et de « chaîne globale de valeur ». Partant d'une comparaison entre Bayer et ITT, de 1880 à 1975, Nuria Puig et Adoracion Alvaro-Moya se sont interrogé sur leur rôle dans la promotion de talents managériaux spécifiquement espagnole[53]. En définitive, il apparaît que les investissements directs étrangers ont contribué à améliorer le capital humain dans les économies des pays d'accueil, mais ces processus s'est trouvé largement favorisé par le talent managérial local déjà existant.

Le concept de « chaînes globales de valeur » (*global value chains*) constitue un bon instrument d'analyse des stratégies des firmes et de développement économique régional (Preston Perluss)[54]. Grâce aux chaînes de valeur sont créés de façon intentionnelle et délibérée des liens de coopération et de com-

51 – Dominique Barjot, "Holcim: from the Family Business to the Global Leadership: An International Interfirm Comparison", *in* Dominique Barjot, dir., *Mondialisation, modèles nationaux de développement et stratégies d'entreprises (XIXe-XXIe siècles) - Globalization, national patterns of development and strategies of firms (19th-21st centuries), Revue Française d'Histoire Économique - The French Economic History Review*, 2014-I, p. 56-85.

52 – Nathalie Champroux, « Le décollage de Virgin Atlantic dans le contexte de la libéralisation de l›industrie aérienne au Royaume-Uni », *in* D. Barjot & M. C. Esposito, dir., *Mondialisation, modèles nationaux de développement et stratégies d'entreprises (XIXe-XXIe siècles) - Globalization, national patterns of development and strategies of firms (19th-21st centuries)*, Paris, Éditions SPM, 2016, p. 264-277 ; Nathalie Champroux, Richard Branson. *L'aventure Virgin*, Paris, Economica, 2011, 208 p.

53 – Nuria Puig & Adoracion Álvaro-Moya, "Did inward FDI promote Spanish managerial talent? A study of two companies (Bayer and ITT, 1880-1975)", communication présentée au cours de la Pré-conférence de Paris, tenue à l'Université Paris Sorbonne (Paris IV), les 18 et 19 septembre 2014, mais non publiée ; A. Álvaro-Moya, *Inversión directa extranjera y formación de capacidades organizativas locales. Un análisis del impacto de Estados Unidos en la empresa española (1918-1975)*, thèse de doctorat, Madrid, Universidad Complutense de Madrid, 2011.

54 – Preston Perluss, "Global Value Chains: vistas for study of historical firm strategies and regional economic development", *in* D. Barjot & M. C. Esposito, dir., *Mondialisation, modèles nationaux de développement et stratégies d'entreprises (XIXe-XXIe siècles) - Globalization, national patterns of development and strategies of firms (19th-21st centuries)*, Paris, Éditions SPM, 2016, p. 138-147.

plémentarité avec pour objectif de maximiser le profit. Ces chaînes globales de valeur offrent un outil d'étude et un élément essentiel pour comprendre le succès individuel des firmes et aussi les transferts de richesse et de capital productif au sein de l'économie mondiale.

3/ L'APPROCHE COMPARATIVE : EXISTE-T-IL UN MODÈLE ASIATIQUE DE DÉVELOPPEMENT ?

Le concept de « chaînes globales de valeur » apparaît particulièrement utile pour l'approche comparative. Il peut être opératoire pour rouvrir la question de l'existence d'un modèle asiatique de développement. Celle-ci est reliée de manière très étroite à celle de la « Grande Divergence », idée développée notamment par Kenneth Pomeranz, aujourd'hui Professeur à l'Université de Chicago[55].

3-1/ Chine et Extrême-Orient

Ce modèle asiatique n'est-il pas, originellement, un modèle chinois.

A/ Le modèle chinois de développement

La pré-conférence de Hangzhou a relancé la question à partir d'études de cas concernant les formes locales du mode chinois de développement, les origines des entreprises familiales et les controverses au sein du pouvoir communiste autour de la socialisation des biens de production. Deux questions ont été privilégiées cependant. La première concerne le rôle spécifique de Hong Kong durant la crise financière asiatique de 1997-1998 (Marie-Claude Esposito)[56]. En 1997 en effet, les pays d'Extrême-Orient connaissent une profonde crise financière. La forte croissance des années 1980 et 1990 a masqué un certain nombre de faiblesses, en particulier dans les systèmes financiers : endettement excessif, management déficient des risques, faiblesse de la supervision bancaire. Ce n'était pas le cas à Hong Kong, mais, néanmoins, l'économie hongkongaise est affectée de façon sévère par la crise, du fait de l'importance du choc externe. Hong Kong étant l'une des économies les plus ouvertes, son activité est extrêmement vulnérable aux chocs externes. Durant la crise asiatique, Hong Kong reste néanmoins le seul pays capable de défendre la libre convertibilité de sa monnaie. Au contraire, parce que son économie est de plus

55 – Kenneth Pomeranz, *The Great Divergence: China, Europe and the Making of the Modern World Economy*, Princeton, Princeton University Press, 2000, 392 p.
56 – Marie-Claude Esposito, "The 1997-1998 Asian Financial Crisis : The Case of Hong Kong", communication présentée au cours de la Pré-conférence de Hangzhou, Chine, tenue à Zhejiang University du 6 au 8 novembre 2014, mais non publiée.

en plus intégrée avec celle de la Chine continentale, Hong Kong est devenue plus vulnérable à tout ce qui se passe en République Populaire de Chine, mais moins aux chocs externes issus de l'Asie du Sud-Est ou du reste du monde.

La République Populaire de Chine, de son côté, s'est intégrée de plus en plus au sein de l'économie mondiale. L'un des moyens de cette intégration, ce sont les *global players* chinois China Railway Group Limited en fournit un bon exemple (Zhou Xiaolan)[57]. En effet, l'industrie chinoise a fait de remarquables progrès, à l'intérieur, mais aussi sur les marchés extérieurs, principalement dans les pays en voie de développement. Le cas de China Railway Group Ltd montre que le choix, désormais, est d'optimiser la structure de ce groupe à capitaux d'État au moyen d'un meilleur management de ses différentes branches, mais aussi une amélioration sensible de l'effort de recherche développement.

B/ Spécificité de la voie asiatique de développement économique : le modèle japonais

L'influence originelle du modèle chinois sur les économies du Japon et de la Corée du Sud a été décisive. En retour, les transferts économiques, technologiques et institutionnels du Japon en direction de la Chine se sont produits à large échelle. Si la dynamique économique japonaise dépend de façon étroite de facteurs économiques externes, en particulier durant les années 1950 et 1960, cependant la stratégie des groupes japonais est devenue plus autonome. Le poids des conditions externes sur le modèle national de développement ressort bien d'une étude des prêts de la Banque mondiale et de leur rôle dans la croissance japonaise de l'après-guerre de 1952 à 1967 (Yago Kazuhiko)[58].

Après la Seconde Guerre mondiale, l'aide étrangère et la Guerre froide ont favorisé la reconstruction industrielle et la rapide croissance du commerce. En effet, avec les prêts de la Banque mondiale, le Japon a construit un certain nombre d'usines hydroélectriques modernisé ses principales usines sidérurgiques, mis en place une infrastructure de transport moderne (trains à grande vitesse, autoroutes reliant les principales cités). Les firmes japonaises ont bien accueilli ces prêts : Kawasaki Steel en fournit un exemple typique. En définitive, quatre grandes conclusions semblent se dégager : 1/ les prêts de la Banque mondiale ont joué un rôle important dans l'économie japonaise de l'après-guerre ; 2/ les prêts ont été accordés après de nombreux conflits entre

57 – Xiaolan Zhou, "The International Activities of the Chinese Construction Industry under the Context of China's Entry into the WTO: The Case of "China Railway Group Limited", *Ibid.*, but unpublished. Voir aussi: Xiaolan Zhou, ", "The Chinese Construction Industry in the Remaking since 1978. In the Context of the Deng Xiaoping's Important Reforms", *in* D. Barjot, dir., *Mondialisation, modèles nationaux de développement et stratégies d'entreprises (XIXe-XXIe siècles) – Globalization, national patterns of development and strategies of firms (19th-21st centuries), Revue Française d'Histoire Économique – The French Economic History Review*, 2014-I, p. 128-145 ; et « Deng Xiaoping et la refonte de l'industrie de la construction en Chine », *in* D. Barjot, Y. Lu, dir., « Chine-Europe. Perceptions croisées », *Géostratégiques*, n°42, juillet, p. 155-177.

58 – Yago Kazuhiko, "External conditions for national pattern of development: the World Bank lending and the postwar Japanese growth (1952-1967)", communication présentée au cours de la Pré-conférence de Hangzhou, Chine, tenue à Zhejiang University du 6 au 8 novembre 2014, mais non encore publiée.

parties prenantes ; 3/ la politique interventionniste du gouvernement (et de la Banque mondiale) a coexisté avec la stratégie concurrentielle des firmes emprunteuses ; 4/ la Guerre froide a constitué un important arrière-plan de la croissance japonaise, sans être l'élément le plus significatif.

De fait, les entreprises japonaises ont dû faire face aux changements imposés par le marché, à l'instar de l'industrie cinématographique japonaise face à la « Digital Revolution Era » (Yuzawa Takeshi)[59]. Il est intéressant, à cet égard, de comparer les cas de Kodak, Fuji et Sony. Créé en 1888 par Georges Eastman, Kodak détenait en 1976, 85 % du marché américain. À partir des années 1980, une opposition a été établie entre ses divisions digitales et film. Les trois derniers Chief Executive Officers ont mené une politique visant à enrayer le déclin commercial du groupe. Cette politique est fondée sur la diversification et le désinvestissement : création Eastman Chemical (1993) ; lancement de la caméra digital (2000) ; cession à LG, en 2007, d'Organic Light Emitting Diode (OLED). Le résultat en a été la concentration sur l'imagerie et l'imprimante à jet d'encre. Mais cela débouche en fin de compte, en 2012, sur un échec financier.

De création plus récente (1934), Fuji s'est imposé rapidement comme le premier producteur japonais de films photographiques. Confronté du même problème que Kodak, le groupe Fuji a mieux su faire un succès de sa diversification, notamment en raison de la constitution de Fuji Xerox. La conséquence en a été la restauration de la rentabilité du groupe entre 2000 et 2011. Sony est né après la Seconde Guerre mondiale, en 1946, par Ibuka Masaru (1908-1997) et Morita Akio (1921-1999). Au début des années 1950, Ibuka a convaincu Bell de céder la licence de la technologie du transistor à compagnie japonaise. De ce fait, Sony a joué un rôle majeur dans le développement du Japon comme puissance exportatrice dans les années 1960, 1970 et 1980, en accroissant ses affaires de façon agressive. Toutefois, avec la révolution de l'internet, la diversification du groupe s'est accompagnée de pertes importantes. En dépit de réels succès cinématographiques (*Spider-Man*), le groupe connaît désormais une stagnation, avec pour conséquence un déclin de la valeur de la marque (à la différence de Fuji).

C/ Spécificité de la voie asiatique de développement : l'exemple sud-coréen

Le Japon a influencé en profondeur le modèle économique coréen, mais celui-ci affirme aujourd'hui son originalité. En effet, l'origine du capitalisme coréen semble plus ancienne qu'on ne le dit de manière générale, même si le *take-off* du pays a été plus tardif que celui du Japon. L'origine de ce capitalisme est à chercher sans doute du côté des industries agricoles et alimentaires. C'est ce que montre l'exemple des Kim de Séoul, marchands de grains devenus

59 – Yuzawa Takeshi, "How to cope with changing market at the Digital Revolution: a case of film industry", communication présentée au cours de la Pré-conférence de Hangzhou, Chine, tenue à Zhejiang University du 6 au 8 novembre 2014.

Minotiers (Hong Sung Chan et Lee Jong-Hwa)[60]. Ces marchands et consignataires de grains ont fondé et géré des moulins à riz de la fin du XIXe siècle au commencement du pouvoir colonial japonais. Ces usines à riz montraient que les Kim étaient à la fois des capitalistes et des manufacturiers. Ils vendaient leur produit final au prix le plus élevé avec un objectif de profit. De plus, ces usines à riz disposaient de moteurs et des équipements de travail. Ces capitalistes accumulèrent un capital non négligeable à travers des activités variées dès le dernier tiers du XIXe siècle au moins. Ils étendirent même leur activité selon un processus d'intégration verticale. Cependant, ils se heurtèrent à des difficultés croissantes. Elles tenaient à un changement de localisation du centre des affaires à Séoul, avec la construction des chemins de fer et celle de nouvelles routes. Mais la cause principale résidait dans la concurrence de grands groupes japonais (Mitsui Bussan, Suzuki Shozen, Itochugomei). À la veille de la Première Guerre mondiale, les *majors* japonais de l'agro-alimentaire contrôlaient presque totalement le marché coréen des grains.

En revanche, l'industrie des constructions navales a bien constitué un secteur moteur stratégique pour le décollage économique de la Corée du Sud, entre 1953 et les années 2000 (Dominique Barjot et Rang-Ri Park)[61]. De fait, en 2011, les constructions navales demeuraient le quatrième poste d'exportation pour le pays, après les semi-conducteurs[62], l'automobile[63] et l'électronique grand public[64]. Les constructions navales constituent donc, aujourd'hui encore, un secteur clé pour le développement économique national, notamment grâce à leurs liens étroits avec quelques-uns des complexes sidérurgiques les plus puissants du monde (Posco, Hyundai Steel)[65]. À partir de 2000, les constructions navales coréennes se sont hissées d'ailleurs au premier rang mondial. Ce succès résulte d'une convergence de facteurs favorables : une croissance rapide des ventes et des effectifs employés des investissements croissants dans

60 – Hong Sung Chan & Lee Jong Hwa, "From Grain Merchants to Millers: The Kims of Seoul and the Internal Origins of Korean Capitalism", communication présentée au cours de la Pré-conférence de Hangzhou, Chine, tenue à Zhejiang University du 6 au 8 novembre 2014, non encore publiée.

61 – Rang Ri Park-Barjot, Dominique Barjot, "The shipbuilding industry: a strategic leading sector for the South Korea's economic take-off of (since 1954)", communication présentée au cours de la Pré-conférence de Hangzhou, Chine, tenue à Zhejiang University du 6 au 8 novembre 2014.

62 – Rang-Ri Park, Dominique Barjot, « L'émergence d'un leader asiatique de la sidérurgie: Posco (1968-2010 », *in* C. Barthel, I. Kharaba, P. Mioche, dir., *Les mutations de la sidérurgie mondiale du XXe siècle à nos jours. The Transformation of the World Steel Industry from the 20th Century to the Present*, Bruxelles, P.I.E. Peter Lang, 2014, p. 299-319.

63 – Jimmyn Parc, *An eclectic approach to enhancing the competitive advantage of nations nations: Analyzing the success factors of East Asian economies with a focus on the development of South Korea*. Unpublished doctoral dissertation, Seoul National University and Paris Sorbonne University, 2014.

64 – Dominique Barjot, Rang-Ri Park, "The Globalization of the Firm and its limits, the Example of LGThe Globalization of the Firm and its Limits: The Example of LG Electronics", communication à la Session 7.A: Becoming a Global Company, 16th annual conference of the European Business History Association and first joint conference with the Business History Society of Japan - *Business enterprises and the tensions between local and global*, Paris, EHESS, 30 août à 1er septembre 2012.

65 – Rang-Ri Park, *Samsung. L'œuvre d'un entrepreneur hors pair, Byung Chull Lee*, Paris, Economica, 2008, 266 p. Voir aussi: Park Rang-Ri, « Mondialisation et avantage concurrentiel. La percée internationale de Samsung (1953-1986), *Revue Économique*, vol. 58, n° 1, janvier 2007, p. 231-258.

de puissant *clusters* en développement, l'avantage compétitif de trois firmes mondiales (Hyundai Heavy Industries, Samsung Heavy Industries, DSME).

Les compagnies coréennes opposent en effet une vive résistance aux menaces. Deux dangers pèsent sur cette industrie. Le premier, interne, réside dans un endettement très élevé (ainsi STX, DSME et même Hyundai Heavy Industries). Le second, externe, tient à la montée en puissance de nouveaux concurrents : la Chine devenue numéro un mondial en tonnage (mais pas nécessairement en termes de rentabilité), un certain nombre de pays soutenus par leur État (Brésil, Inde, Russie, Vietnam), bénéficiant d'investissements étrangers (Malaisie, Philippines, Roumanie) ou d'un secteur privé dynamique (Turquie). Deux voies de résistance s'offrent aux firmes coréennes : devenir multinationales (STX en Europe, au prix de succès à la Pyrrhus, Canada et Chine, DSME au Vietnam, en Oman, en Roumanie et aux États-Unis) et évoluer vers des activités à plus haut taux de valeur ajoutée (Hyundai, Samsung).

Dans le cas sud-coréen, il est donc intéressant de se demander comment les réponses des firmes aux politiques industrielles affectent le développement économique au sein de la globalisation. À cet égard, l'industrie automobile offre un exemple démonstratif (Parc Jimmyn)[66]. Depuis les années 1950, les firmes coréennes d'automobile ont accru rapidement leur productivité. Par suite, l'industrie automobile nationale est devenue le cinquième producteur mondial (en termes d'unités produits) et le quatrième exportateur mondial (en valeur). Il s'ensuit trois conclusions : c'est avant tout la stratégie des constructeurs qui a primé dans le développement de cette industrie, même si le rôle de l'État, surtout dans les années 1960 et 1970, a été décisif; la globalisation a constitué une chance; les politiques proactives du gouvernement coréens et des stratégies agressives de la part des firmes ont accru fortement la compétitivité des modèles produits.

3-2/ Asie du sud et Moyen-Orient : autres partenaires asiatiques

Les capitalismes indien et islamique sont de plus en plus en rivalité avec celui de la Chine.

A/ Un nouveau challenge pour la Chine et l'Inde

C'est ce que montre d'un côté l'évolution des salaires et des coûts du travail, de l'autre les stratégies financières du groupe Tata. Michel-Pierre Chelini a étudié ainsi la place des salaires et des coûts du travail dans l'économie

66 – Jimmyn Parc, "How do corporate responses to industrial policies affect industrial development in the midst of globalization: the case of Korean automobile industry?", communication présentée au cours de la Pré-conférence de Hangzhou, Chine, tenue à Zhejiang University du 6 au 8 novembre 2014, non publiée. Voir aussi : Jimmyn Parc, "Does Cartelization Deteriorate or Enhance Industrial Competitiveness? A Case Study of Korean Automotive Industry", *Entreprises et Histoire*, vol. 76, n° 3, p. 92-106.

indienne depuis les années 1970[67]. Dans les pays avancés, aujourd'hui, les salaires constituent le revenu majeur des employés et le principal élément de coûts pour leurs employeurs. À l'inverse, dans les pays émergents comme l'Inde, cette part est beaucoup plus basse parce qu'il y a peu d'employés et beaucoup de petites affaires familiales dans le secteur informel. Cependant, la situation tend à se rapprocher de celle des pays développés. Le tournant pour l'Inde date des années 1990 et de l'ouverture économique libérale. Celle-ci contraste avec la phase d'économie contrôlée de la fin des années 1940 à celle des années 1980, période dominée par la dynastie Nehru-Gandhi. À partir de cette dernière date, l'Inde tire avantage de l'abondance de main-d'œuvre à productivité faible, mais croissante.

Un autre indicateur de cette montée en puissance de l'économie indienne réside dans la multinationalisation d'un certain nombre de ses entreprises, à l'instar du groupe Tata depuis 1991 (Pierre Lanthier)[68]. L'année 1991 a été essentielle dans l'histoire économique indienne, en raison d'abord de l'adoption de politique de libéralisation par le gouvernement du pays et d'ouverture à l'économie mondiale, mais aussi du changement de stratégie au sein du groupe Tata. En effet, Rajah N. Tata a ouvert alors son groupe aux technologies de l'information. Dès lors, ce groupe est devenu multinational : en 2013, il est présent dans plus de 150 pays. De son étude ressortent trois conclusions. En premier lieu, Tata est un vieux groupe Parsi. Datant de la fin du XIXe siècle, grâce à l'Empire britannique, il a pu exporter dans toute l'Asie et au Royaume-Uni. Au tournant du XXe siècle, la famille Tata a créé deux compagnies intensives en capital : Tisco (Tata Steel Industry Company) et Tata Hydro. Puis le groupe a diversifié ses activités : chimie, aviation (Air India), cars et autobus (Telco), thé, hôtellerie. Pour ce faire, il n'a pas hésité à embaucher des ingénieurs étrangers. En second lieu, la multinationalisation du groupe a été aussi diversifiée que sa structure : Tata Steel, Tata Motors (Range Rover, Jaguar), Tata Consultancy Services, Tata Communications. Enfin Tata s'est dotée de deux filiales particulièrement intéressantes, Tata Power et Tata Steel (Royaume-Uni).

B/ Islam et développement économique en Asie

En compétition avec les hommes d'affaires chinois en Indonésie, le capitalisme islamique revêt une forme particulièrement dynamique dans les États du Golfe, comme aux Émirats Arabes Unis. L'Indonésie offre un espace privilégié aux initiatives entrepreneuriales (Gwenaël Njoto-Feillard)[69]. À partir de la

67 – Michel-Pierre Chelini "Wages and labour costs in the Indian economic development since the 1970s, general issues and examples of economic sectors", communication présentée au cours de la Pré-conférence de Hangzhou, Chine, tenue à Zhejiang University du 6 au 8 novembre 2014, non publiée.

68 – Pierre Lanthier, "The multinationalization of the Tata group since 1991: the financial strategies", *Ibid.*. Voir aussi : Kumar Nirmalya, *India's Global Powerhouse. How They Are Taking on the World*, Boston, Harvard Business Press, 2009, 250 p.

69 – Gwenaël Njoto-Feillard, "Entrepreneurship in Indonesia: The Role of the State, Ethnicity & Religion", communication présentée au cours de la Pré-conférence de Hangzhou, Chine, tenue à Zhejiang University du 6

crise économique asiatique de 1997, l'Indonésie a constitué un nouveau pays émergent. Néanmoins, le nombre d'entrepreneurs y reste très bas. L'ascension économique a été la source de tension constantes au sein de la société indonésienne, en particulier entre les entrepreneurs indonésiens-chinois, dont la plupart se sont convertis au christianisme, et les hommes d'affaires musulmans promus, à partir des années 1990, par certains éléments de l'Islam politique alliés à l'État. Une nouvelle génération d'entrepreneurs est en train d'apparaître comme Salahudin Uno (Saratoga Capital). Cependant l'incertitude subsiste en ce qui concerne les petites et moyennes entreprises.

Le développement industriel y demeure très lié à la sécurité, comme dans les Émirats Arabes Unis (United Arab Emirates, étudiés par William Gueraiche)[70]. Quand les Émirats Arabes Unis ont été créés en 1971, le gouvernement fédéral n'a consacré qu'une faible attention à l'industrie, à cause des réserves de pétrole et de gaz, d'une population très réduite, d'un pays constitué seulement de Bédouins et de marchands et du fait que les revenus pétroliers ont engendré une mentalité de rentier. La politique économique change durant les années 1970. En effet, pour des raisons de sécurité nationale, une diversification de l'économie devient nécessaire. Dubaï joue désormais un rôle moteur, sous l'impulsion de la famille Al Maktoum. Dans une certaine mesure, le modèle japonais a influencé Dubaï et les Émirats Arabes Unis plus que l'Europe occidentale ou l'Amérique du Nord.

3-3/ La Chine, le monde et la France

L'étude de la Chine et de ses relations avec l'évolution économique mondiale conduit à la question fondamentale des liens entre structure économique, marché et origine du capitalisme.

A/ La Chine et le monde

S'agissant des relations entre la Chine et le monde, trois volets ont été abordés au cours de la pré-conférence de Hangzhou : celles des origines du capitalisme, de la politique commerciale de l'Union Européenne et de l'industrie des camions. L'historien économiste chinois Wang Jiafeng a exploré le premier aspect[71], autour de la question : pourquoi le capitalisme est-il né plutôt en Europe qu'en Chine ou en Inde ? La réponse qu'il propose mérite discussion.

au 8 novembre 2014, mais non publiée.

70 – William Guéraiche, "Industry and security in the UAE", *ibid*.. Voir aussi : William Guéraiche, *Géopolitique de Dubaï et des Émirats arabes unis*, Éditions Arbre bleu, 2014, 348 p.

71 – Wang Jiafeng, "Economic Structure, Markets, and the Origin of Capitalism", communication présentée au cours de la Pré-conférence de Hangzhou, Chine, tenue à Zhejiang University du 6 au 8 novembre 2014, non publiée.

Selon lui, le fait que le ce même capitalise soit d'origine européenne n'est pas dû d'abord à son commerce ou à son artisanat qui auraient condamné la société féodale, mais à son système juridique et aux institutions qui en ont découlées, fondamentalement différentes de celles du reste du monde.

La Chine est en outre l'un des grands partenaires commerciaux de l'Union Européenne, elle-même engagée dans le processus de globalisation (Christophe Réveillard)[72]. La création d'une union douanière constitue l'une des origines majeures de la construction européenne. Au contraire de ce que proposait l'European Free Trade Association (EFTA ou Association Européenne de Libre Échange), la CEE se caractérisait par l'application d'un tarif extérieur commun. Son efficacité découlait (et découle encore) du poids économique de l'Union Européenne, environ un cinquième des échanges mondiaux. L'application de la politique commerciale commune par la Commission Européenne s'articule principalement autour des négociations multilatérales et régionales à la fois dans le but de défendre le marché commun et l'accès au marché des pays tiers.

Tels ont été les objectifs poursuivis au cours des grands cycles de négociations internationales : Dillon Round (1960-1962), Kennedy Round (1964-1967), Tokyo Round (1973-1973), Uruguay Round (1986-1994) et Doha Development Round (depuis 2001). Ce dernier poursuit trois objectifs principaux : une plus large ouverture des marchés, renforcement des règles encadrant le commerce, meilleure intégration des pays en voie de développement dans le commerce international. La Communauté Européenne a dû établir une relation entre la politique commerciale menée pendant la décolonisation des pays en voie de développement et la demande d'un accès plus favorable aux marchés mondiaux. Telle a été l'origine, en 1971, du système de préférence généralise (GPC ou Generalized Preference System), puis, en 2001, du libre accès pour les exportations des pays les moins développés (LDC ou *Less Developed Countries*), toutes dispositions dont, en son temps, la Chine a pu tenter de profiter.

Pour la Chine, les États-Unis sont aussi un partenaire majeur : c'est ce que montre l'exemple du marché mondial du camion (Harm Schroeter)[73]. Entre 1970 et 2000, l'industrie mondiale du camion a été dominée et dirigée par deux centres : le Michigan (États-Unis) et la moitié sud de Honshu, au Japon. Aujourd'hui il est clair que l'Europe a perdu la bataille face aux États-Unis. De façon plus précise Renault ou, même, Toyota ont beaucoup à faire en comparaison de Ford, dont l'avance est certaine par rapport à eux.

B/ Chine et France : la stratégie de Saint-Gobain en Asie (1986-2012)

L'historiographie chinoise s'est intéressée, de façon toute particulière, à la France, mais assez peu à ses entreprises. Pourtant leur présence n'est pas

72 – Christophe Réveillard, "European Union's common trade policy and the process of globalization", *ibid.*, non publiée.

73 – Harm G. Schröter, "Directing the World's Truck Business – A regional Issue? ", *ibid.*, article non publié.

négligeable, comme le montre l'exemple de Saint-Gobain (Wang Wei)[74]. Fondée en 1665, la Compagnie a fusionné en 1970 avec celle de Pont-à-Mousson, elle-même née en 1854. Suite à cette fusion, Saint-Gobain-Pont-à-Mousson, puis à nouveau Saint-Gobain s'est beaucoup développé à l'international. Il s'agit d'une tradition ancienne : le Saint-Gobain historique s'est implanté en Allemagne (1853), en Italie (1888), en Belgique (1889), aux Pays-Bas et en Espagne (1904), aux États-Unis (1959) et au Brésil ; constituée par une majorité de capitalistes sarrois, la Compagnie de Pont-à-Mousson s'est établie, pour sa part, en Belgique (1907), en Sarre (1929) et au Brésil (1937).

Après sa privatisation, en 1986, Saint-Gobain a mis en œuvre une ambitieuse politique d'acquisitions : Norton aux États-Unis (1990), Poliet en France (1996), Meyer (2000) et British Plante Board (BPB, 2005) au Royaume-Uni, Maxit en Suède (2007). L'internationalisation du groupe Saint-Gobain a été, par ailleurs, spectaculaire, notamment en Amérique latine et en Asie. À partir de 1990, grâce à Norton, Saint-Gobain a opéré une percée significative en Corée du Sud, en Thaïlande et en Chine, où le groupe a mis à son actif le construction (usine Sekurit de Shanghai, 1995) ou le rachat (usine Zirpro de Handan, en 2005, spécialisée dans la fabrication de céramiques à haute performance), mais aussi des réalisations fameuses : le Stadium olympique (2008) et l'Opéra de Beijing (2007, conçu par l'architecte Paul Andreu) ou le Nouvel Opéra de Shanghai (1998).

Conclusion

Au total, le projet *Globalization, national patterns of development and strategies of firms (19th-21st Century)* a mobilisé soixante-trois chercheurs de dix-sept nationalités différentes. Cependant, si leur distribution montre une forte mobilisation de la communauté scientifique chinoise, l'on peut regretter la relative faiblesse de la participation d'universitaires venus d'Afrique, d'Allemagne, des États-Unis et de Russie. De même, si le projet a inclus de constantes références aux modèles britannique et asiatique, ainsi qu'une analyse précise de processus d'américanisation, ni les États-Unis, ni l'Allemagne n'ont fait l'objet d'études spécifiques. D'une certaine manière, le projet n'a donc été réalisé qu'en partie.

Toutefois, les deux pré-conférences ont permis d'aboutir à des résultats significatifs. En premier lieu, ces deux manifestations scientifiques ont permis de croiser les approches macro- et microéconomiques, tout en confirmant l'intérêt d'un tel rapprochement. En second lieu, il est probable que le niveau microéconomique est sans doute celui pour lesquels ces résultats ont été les plus riches et novateurs :

74 – Wang Wei, "The Group Saint-Gobain in Asia 1986-2012: an internationalization strategy of the world's leading contruction materials firm", *Ibid.*, non publiée.

1/ les facteurs de l'internationalisation, puis de la multinationalisation et, enfin, du passage à la firme mondiale ressortent désormais assez bien ;

2/ les travaux présentés durant les deux pré-conférences permettent d'ouvrir la voie à une typologie des stratégies de multinationalisation de firmes multi- et transnationales ;

3/ les investissements étrangers, en particulier américains, semblent avoir en des effets plus favorables que défavorables pour les économies qui en ont bénéficié. Ils ont autorisé une amplification des effets de *global value chain*. En outre, la pré-conférence de Hangzhou a permis un retour sur l'ascension des économies d'Extrême-Orient. Il est clair qu'il existe bien un modèle est-asiatique de production et de développement, puisant aux origines de la civilisation chinoise, mais largement élaboré au Japon sous l'effet du choc avec le capitalisme européen et nord-américain.

CHINA'S PATH TO BECOME A MODERN NATION: INDUSTRIALIZATION, LEARNING STRATEGY AND SYSTEM CHOICE

Huang Chun
Associate professor of economics, Renmin University of China

Wang Jue
Associate professor of economics, Renmin University of China

Introduction

Ever since the First Opium War of 1840, Chinese people have gradually realized that they needed to re-consider what China was in order to follow the changing world. They also needed to change the economic, political and cultural aspects and their interrelations of the traditional Chinese society. China has started learning from the modern Western civilizations. However, as a civilized society with a long history, it still needs to know what to reform and how to reform.[1] The authors of this paper suggest that China's learning strategy from the Western world has greatly influenced the reform process of China's

1 – John K. Fairbank, ed., *The Cambridge History of China: Late Ch'ing 1800-1911*, Volume 10, Part 1, Cambridge, Cambridge University Press, Reprint Edition 1978; John K. Fairbank and Kwang-Ching Liu, eds, *The Cambridge History of China: Late Ch'ing 1800-1911*, Volume 11, Part 2, 1980; Gilbert Rozman, ed., *The Modernization of China, New York*, Free Press, 1982; Yang Yao "The Chinese Growth Miracle", in Philippe Aghion and Steven Durlauf, eds, *Handbook of Economic Growth, Volume 2B*, North Holland, Elsevier B.V., 2014; Ma Debin and T.G Rawaki, "From Divergence to Convergence: Reevaluting the History Behind China's Economic Boom" *Journal of Economic Literature*, 52 (1), 2014, p. 45-123.

modernization. In this paper, they attempt to find out the learning strategies and the reasons behind these strategies.

The first part of the paper builds a model to describe China's path to become a modern nation. Then the second part identifies four stages in China's modernization, and analyzes the contents and characteristics of the learning strategies and of the system choices in these stages respectively. The third part analyzes the reasons that have determined China's learning strategies from the aspect of Chinese cultural traditions. The fourth part discusses current issues on China's path to modernization, and the important role that culture will play in China's future development. The fifth part is a conclusion.

1. MODEL AND QUESTION

Before 1840 AD, Europe and China were two independently developing civilizations in human history. Comparing the traditional Chinese culture and the modern Western culture, people can see differences in both civilization capacities, institutions, social structures and ideology.[2] And the social changes

2 – Samuel E. Finer, *The History of Government From The Earliest Times, Volume I-III, Oxford*, Oxford University Press 1997; Denis Shirman *et alii*, *World Civilizations: Sources, Images and Interpretation*, 4th Edition, New

ABSTRACT

How to reform the economy, politics and culture of a traditional Chinese society and change the relations among these three aspects accordingly. These questions dictate the path China took to become a modern nation. According to the authors the strategy used by China to learn from the modern Western world was to promote the modernization of the economic, political and cultural capacity through industrial modernization. Focused on this goal, the learning from Western institutions and ideology was considerably adaptive, reformative and inclusive. From the perspective of developing China's own culture, the nature of China's modernization lies in the question of how to integrate the traditions of the Chinese culture with the modern Western culture to create a new culture form.

RÉSUMÉ

LE CHEMIN D'ACCÈS DE LA CHINE POUR DEVENIR UNE NATION MODERNE : INDUSTRIALISATION, STRATÉGIE D'APPRENTISSAGE ET CHOIX DE SYSTÈME

Comment réformer l'économie, la politique et la culture d'une société chinoise traditionnelle et changer consécutivement les relations entre les trois aspects. Ces questions ont dicté le chemin emprunté par la Chine pour devenir une nation moderne. Les auteurs proposent que la stratégie utilisée par la Chine pour apprendre de l'Occident moderne a été de promouvoir la modernisation de l'économie, la capacité politique et culturelle par le biais de la modernisation industrielle. Centré sur cet objectif, l'apprentissage de l'idéologie et des institutions occidentales s'est avéré considérablement adaptatif, fondé sur le redressement, et inclusif. Dans la perspective de développer la culture de la Chine, la nature de la modernisation de ce pays réside dans l'intégration des traditions de la culture chinoise avec la culture occidentale moderne pour créer une nouvelle forme de culture.

JEL Classification: **N45, O53, P21, P30, Z10, Z13.**
Key words: **China's modernization, Transitional Economies, Culture and Nation**
Mots clés: **Modernisation de la Chine, économies en transition, culture et nation**

in China's modernization gained its duality in a comparison: from a Western culture point of view, it is about the characteristics of learning, including what China will learn, how it will learn, and what it has already learnt; from a traditional Chinese culture point of view, it is about the characteristics of reforming, including what to reform, how to reform, and how the reforms will turn out. Concerning the concepts of culture, civilization, social structure, institutions etc, the meanings are different according to the authors.[3] The first part of this paper builds an analytical framework by defining the concepts to describe China's path to become a modern nation.

1.1 Model

Definition 1: *Culture* comprises civilization capacity, institutional system, social structure, ideology and their interrelations.

Civilization capacity refers to the certain social conditions or performance obtained by the actions and interactions of the society members allowing the society to exist and to develop. It includes economic, cultural and political capacities. A culture's economic capacity lies in its capacity to engage in agricultural, manufacturing, commercial, fiscal and financial activities; it also lies in its capacity to sustain and increase production, to maintain economic stability, to provide jobs, and to maintain population size and longevity. A culture's capacity itself entails its capacity to use language, letter and symbol, to implement education; to engage in activities such as science, art and religion, etc. A culture's political capacity refers to its capacity to maintain order, to live in groups (family, countries, towns or cities, nations, etc.). Obviously, the economic, cultural and political capacities of a culture are interrelated.

Institutional system refers to the orders and norms pertaining to social members' activities and their relationships, which aim to achieve the society's full civilization capacity. These orders include customs, conventions and legal regulations. The institutional system includes economic institutions, such as property rights, cultural institutions such as education, and political institutions such as the state, the military, etc. The economic, cultural and political institutions of a culture are also interrelated.

Social structure. Society is a collection of people. The social structure appears when the interplays between different social members' identities and roles manifest the institutional systems. Institutional systems have to be embodied

York, McGraw-Hill, 2005; Debu Gao and and Ju Wang, *Economic History of The World*, Beijing, China Renmin University Press, 2005; Zhaoguang Ge, *History of Chinese Thought*, Shanghai, Fudan University Press, 2014.

3 – Ernst Cassirer, *An Essay on Man: An Introduction to a Philosophy of Humam Culture*, *Yale*, Yale University Press. 1944; Maurice Duverger, *Sociologie de la Politique, Éléments de Science Politique*, *Paris*, Presses Universitaires de France, 1973; Joël M. Charon, *The Meaning of Sociology*, 8th Edition, London, Pearson Education, 2008; Douglas C. North, *Understanding the Process of Economic Change*, Princetown, Princeton University Press, 2005; Matthias Doepke and Fabrizio Zilibotti, "Culture, Entrepreneureship, and Growth", in Matthias Doepke and Fabrizio Zilibotti, eds, *Handbook of Economic Growth*, *Volume 2A*, Amsterdam, Elsevier B.V., 2014.

by certain political, economic and cultural structures of society, in order to exercise orders and norms on social members' activities and relationships, and to achieve certain civilization capacities.

Ideology. Ideology contains the normative and empirical knowledge or thoughts of how institutional systems translate into civilization capacities by constructing social structures, and the underlying mechanisms. It also contains economic, cultural and political thoughts. Alternatively, it can be divided as philosophy, science, ethics, aesthetics and jurisprudence, etc.

Equilibrium. The actual relations among the institutional system, the social structure and the civilization capacity combine in *social reality*. If social reality is consistent with ideology, both empirically and normatively, then the culture in question is *in equilibrium*.

There are different types and forms of culture that can satisfy the equilibrium conditions. For example, traditional authority, charismatic authority or legal authority can be types of legitimate rules, according to Max Weber.[4] The traditional Chinese culture and the modern Western culture can be seen as different types of culture.

Definition 2. *Social changes* are the historical events that lead to changes in ideology, institutional system, social structure and civilization capacities, and that modifies the form of culture.[5]

Culture changes are the result of social changes. Though social changes are the results of the actions of society members and their interactions, society does not usually impose rules on how changes should happen. Social changes are the chance for a society to explore and to compete in the unknown future. The authors of this paper think that China's social changes were triggered by the impact of the modern Western culture. Modernization in China can be seen as a cultural evolution that is pushed by a series of social changes.[6]

1.2 Question: culture and nations

The modern culture that originates from Europe has evolved under the pressure of many independent social powers, for example, the powers of the church, the citizens, the aristocrats and the kings. All influences convert to form a unified system of modern culture, like in many modern nations.[7] But modern European

4 – Max Weber, *Gesammelte Aufsätze zur Religionssoziologie*, Volume I, 1920, Tübingen, J. C. B. Mohr; Max Weber, *Die protestantische Ethik und der Geist des Kapitalismus*, 1905, English Translation Paul Siebeck: *The Protestant Ethic and the Spirit of Capitalism*, London and New York, Routledge Classics, 2001.

5 – Nathan Nunn, "Historical Development", in Philippe Aghion and Steven Durlauf, eds, *Handbook of Economic Growth, Volume 2B*, *op. cit.*, p. 347-402; Sheilagh Ogilvie and A.W. Carus, "Institutions and Economic Growth in Historical Perspective" in *Ibidem*, p. 403-490.

6 – Debu Gao, *The Revolution of China's Values*, Beijing, People's Publishing House, 2016.

7 – M. M. Postan, ed., *The* Cambridge *Economic History of Europe, Volume 1; Cambridge*, Cambridge University Press, 1966; Harold J. Berman, *Law and Revolution, I: The Formation of The Western Legal Tradition, Harvard*, Harvard University Press, 1982, 2003; François Guizot, *Histoire des origines du gouvernement représentatif en Europe*, Paris, Didier, 1851; Bruce L. Shelley, *Church History in Plain Language*, Thomas Nelson Inc, 2nd edition

countries are not equivalent to the modern European culture. Nation is a narrower concept than culture. It is defined as a unified political-economic-cultural social structure that is determined by an independent legal system. A nation's political, economic and cultural capacities can be manifested in its civilians' well being and its international relations. The modern European ideology integrates ideas from ancient Greece, ancient Rome and Christianity to lay the foundation of modern philosophy, science, ethics, jurisprudence, political science, economics, and other modern subjects. Such ideology has become the shared cultural foundation for different modern European nations.

The modernization of the world can to some extent be seen as a worldwide expansion of the modern European culture. And the modernization of China is a historical event in this progress to expand.[8] In contrast, China has its own unique independent culture. Thus, a unity between culture and nation can be identified in China, whereas both entities are separated in Europe.[9] Ever since the Qin Dynasty, China had established a relatively independent bureaucratic system, the system for administrative officials. It educated and trained scholar-bureaucrats (literati and officialdom) in public or private schools, and the best students were selected and integrated into the bureaucratic system. This education and selection process later developed into the Imperial Examination System.[10] In principle, society was no longer ruled by the emperors, but by the hierarchy of scholar-bureaucrats. The civilians' opinions could influence the emperors' decisions, provided bureaucrats reported them. The core content of the ideology of this bureaucracy-ruled society was Confucianism. The social structure that operated on the bureaucrats-civilians-scholars dynamic and the relevant institutional system and ideology lasted more than two thousand years after the Qin Dynasty, which was an unparalleled record in the history of human civilizations. As a result, on the one hand, China has possessed the political-economic-cultural social structure of a nation for a very long time;

1996; Judith M. Bennett, Medieval Europe: A Short History, 11th edition 2010; Yves-Charles Zarka, *Figures du Pouvoir*, Paris, Presses Universitaires de France, 2001.

8 – J. K. Farbank, and K. C. Liu, K.C., eds, *The Cambridge History of China, Volume 10-11. Late Ch'ing, 1800-1911, Part 1-2*, Cambridge, Cambridge University Press, 1978, 1983, 1986; R. MacFarquhar 1987,1991; Wong, R. Bin 1997; K. Pomeranz, *The Great Divergence: Europe, China and the Making of the Modern World Economy*, Princeton, Princeton University Press, 2000; A. G. Frank, *Reorient: Global Economy in the Asian Age*, The University of California Press, 1998; Dixin Xu and Chengming Wu, *The History of Development of Chinese Capitalism*, Volume I, II, III, Beijing, People's Publishing House 2003; Lilan Deng, ed., *History of Chinese Political Thoughts*, Modern Volume, Beijing, China Renmin University Press, 2014; Zongzhi Huang, *Changes of Rural Social Economy Since the Ming and Qing Dynasty: History, Theory, and Reality*, Beijing, Law Press China, 2014; Ming Wan, *Social Changes of Late Ming Dynasty: Issues and Studies*, Beijing, The Commercial Press, 2005.

9 – M. Weber, *Gesammelte Aufsätze zur Religionssoziologie*, Volume I, Tübingen, J. C. M, 1920, p. 276-536; Mu Qian, *The History of Chinese Thought*, Beijing, Jiuzhou Press 2012; *The Spirit of Chinese History*, Beijing, Jiuzhou Press; Jianxiong Ge, *Integration and Separation: The Enlightenment of Chinese History*, Beijing, The Commercial Press, 2013.

10 – D. Twitchett, and M. Loewe, *The Cambridge History of China, Volume 1. The Ch'in and Han Empires 221 B.C.-A.D.220*, Cambridge University Press, 1986; Peiqing Sun *et alii*, eds, *History of Chinese Education*, Shanghai, East China Normal University Press 2009; Kaixuan Wang, *Chinese History of Imperial Examination System*, Shenyang, Wanjuan Press, 2012; Xiaohong Guan, *Development Economics: Chinese Economic Development*, Beijing, Tsinghua, University Press, 2013.

and on the other hand, the emergence of this nation system has coincided with a unique civilization, and created its own ideology. Thus, the ideology, the institutional system and the social structure of China are highly consistent and unified. The culture and the nation share an almost identical definition, that is traditional China is both a culture and a nation.

However, when the traditional Chinese culture is under the impact of the modern Western culture, the Chinese people need to re-consider what China is as a nation. In this process, the modernization of China takes place on a dual nature. On the one hand, when China is incorporated into a worldwide modern culture, the nation's legal nature expects to be transformed institutionally. And to find a place in this worldwide culture, it expects political reforms and economic and cultural ones as well. On the other hand, such reform goes beyond transforming the institutional system, changing the social structure from the one of bureaucrats-civilians-scholars to the modern Western one of politics-economics-culture, and hence modernizing the civilization capacity in economics, politics and culture. The reform also entails transforming the traditional ideology, which includes transforming the traditional view of nation. Thus, to inspect the progress of modernization in China, an important aspect is how its ideology and its concept of nation have changed.[11]

2. THE SOCIAL CHANGES OF MODERNIZATION IN CHINA: LEARNING AND REFORM

This paper is therefore going to analyze the reasons that determine the learning strategy and system choice of China, from the perspective of changes in ideology and in the concept of nation. First of all, it divides the modernization progress since 1840 AD into four different stages, and analyzes the meaning and nature of events that happened in these four stages respectively with regard to learning strategy and system choice.

2.1 Understanding the conception of China as a modern nation (1840-1919)

In 1840 AD, despite its already huge population and production level, China operated on a small-scale peasant economy, and agricultural production constituted the largest part of total output. The Industrial Revolution had

11 – Youjiong Yang, *The Legislation History of Modern China*, Beijing, China University of Political Science and Law Press, 2012; Jilin Xu, *The Key Ideas of Modern Chinese Thoughts*, Shanghai, Shanghai People's Publishing House 2011; Guantao Jin and Qingfeng Liu, *The Origns of Chinese Modern Thoughts: The Evalution of Chinese Political Culture from the Perspective of Ultrastable Structure, op. cit.*; Hui Wang, *The Rise of Chinese Modern Thought, op. cit.*; Gao Debu, *The Revolution of China's Values, op. cit.*;

developed in Europe for about a hundred years, and many areas had made great progress towards industrialization.[12]

Though China had connections with European countries, emperors and officials did not understand the "social rules" that European countries used to interact with others, because of its very different culture. Emperors and officials saw the world from an egocentric view. They loved their culture, and felt their cultural traditions were superior. However, starting from the First Opium War, China was struck with a series of commercial, cultural, diplomatic and military conflicts with the Western world, and its national pride was frustrated by great humiliations. However, most Chinese people still lacked the understanding of the world around them and of the modern definition of nationhood. The few high-ranking officials of the Qing Dynasty that sensed that China was at the door of an unprecedented revolution, attempted to imitate the Western culture, and struggled to solve the conflicts in and out of the country. The imitation effort was commonly known as the Self-Strengthening Movement (or the Westernization Movement), and it centered on building a modernized military force and an industrial base. This was the first attempt in China to push modernization through industrialization. This reform was guided by conservative nationalist thoughts. The goal was to protect Chinese traditions, and learning from Western industry and military technology was the means to achieve that goal, as Chang Chih-tung proposed, "Chinese learning for fundamental principles and Western learning for practical application." The Self-Strengthening Movement later ended in the fiasco of the Sino-Japanese War.[13]

Pressured and cornered by international and national forces, the Qing Dynasty had to start a constitutional reform, but the revolutionary force led by Sun Yat-sen left them no time to make this last attempt. The Revolution of 1911 overthrown the Qing dynasty and established the Republic of China. Sun Yat-sen founded the Xingzhonghui (Revival of China society) in 1894, which was reorganized into Tongmenghui (the Revolutionary Alliance) in 1905 and later developed into Kuomintang (the Nationalist Party). Sun Yat-sen was the first to lay the foundation of China as a modern nation, with the Three Principles of the People – nationalism, democracy and livelihood of the people – upon which the country was founded. Jianguofanglve (Constructive Scheme for Our Country), Sun Yat-sen conceived the building of China's social ideology, economy and institutional system. Ideology-wise, Sun Yat-sen recognized that Chinese people needed a new spirit to propel modernization, and thus advo-

12 – Yuru Wang, *Economic History of China*, Beijing, Higher Education Press, 2008; Gao Debu and Jue Wang, *The Revolution of China's Values*, *op. cit.*; G. Clark, "The Industrial Revolution", *Handbook of Economic Growth*, Volume 2A, Amsterdam, Elsevier B.V., 2014.

13 – John K. Fairbank, ed., *The Cambridge History of China: Late Ch'ing 1800-1911*, Volume 10, Part 1, *op. cit.*; Gao Debu and Jue Wang, *Economic History of The World*, Beijing, China Renmin University Press, 2005.

cated Psychological Reconstruction. This was the starting point for China to learn from the modern Western culture and to build a modernized country.[14]

With increasingly better understanding of the Western culture, the Chinese people found three things of interest in its ideology: science, democracy and liberty. Science was at the root of Western industrial technology. Democracy guided the organization of Western societies as constitutional states that operated with representative systems. And liberty had been an ingrained conviction that people valued and pursued in life. A New Culture Movement aiming at revolutionizing the traditional Chinese culture gradually rose among Chinese people. They changed their writing styles, criticized traditional ideas, and learned new ideas from the West. The long independent history of China decided that China's modernization reforms had to be led by Chinese people themselves. They had to look for the opportunities that helped the nation to develop independently and continue with its own history and narrative, instead of submitting to the Western narrative. The May 4th movement that took place in 1919 marked the time when the vision of a modern nation had spread from the elitist few to the crowd to stir mass movements among young students and citizens. That was the beginning of the revolutionary ideas of a modernized China, that included not only learning science, democracy and free thought from the West (New Culture Movement), but also counter-tradition (anti-feudalism) and national independence (anti-imperialism).[15]

2.2 Understanding the nature of social structure and the objective of revolution (1919-1949)

In 1921 AD, under the influence of the Soviet Union, a group of young intellectuals founded the Communist Party of China. Though the Nationalist Party and the Communist Party cooperated to defeat the Northern Warlords, they had different opinions on the nature of Chinese social structures, and were thus divided in drafting the political, economic and cultural systems of the new nation. The specific political-economic-cultural-social structure of modern Western countries was significantly different from the traditional Chinese social structure of the bureaucrats-civilians-scholars. To understand the difference was fundamental in building a modern nation. At that time, China was faced with the choice between reform and revolution. And China's

14 – Sun Yat-sen, *Constructive Scheme for Our Country*, Beijing, China Changan Press, 2011; Sun Yat-sen, *Three Principles of the People*, Beijing, Jiuzhou Press 2012; Youjiong Yang, *The Legislation History of Modern China*, Beijing, China University of Political Science and Law Press, 2012; Lilan Deng, *History of Chinese Political Thought*, Modern Volume, Beijing, China Renmin University Press, 2014.

15 – Kaijian Yao, *History of Marxist Economic Theories*, Beijing, China Renmin University Press, 2010; Debu Gao, *The Revolution of China's Values*, *op. cit.*

international relations with the Soviet Union, and with Europe and the US also added to the complicated situation.[16]

Regarding Chinese social structure, the Nationalist Party believed that China had never been a slave society, and it had only been a feudal society for a very short period of time that ended with the Qin dynasty. They believed that China was under merchant capitalism, pre-capitalism, or despotism during the two thousand years between the Qin and Qing dynasties, and that it had become a capitalist society after the Opium War. They considered that China's rural areas were already capitalized, and that the central issue of a rural economy was no longer the land, but capital. Therefore, the Nationalist Party advocated policies to preserve the current orders in the economy, and to develop manufacturing and commercial industries at the same time. Though the Nationalist Party implemented land policies to protect farmers' interests, these policies were never really carried out until they left the mainland.[17]

China experienced the second wave of industrialization between 1914 and 1937. The initial stage of this new industrialization was different from the Self-Strengthening Movement. While the Self-Strengthening Movement was initiated by the government of the already decadent Qing dynasty out of their concern for the armaments industry, the initial stage of this new industrialization was led by outstanding nationalist leaders, entrepreneurs, intellectuals and bureaucrats, and it aimed at satisfying market demand and making profits. Historians called that period the golden age of Chinese capitalism.[18] But on the one hand, the national and international political environments were rather volatile for such development. The Cotton Mill Crisis in 1923-1924 revealed that this development was a fragile miracle. On the other hand, the Nationalist Party was affected by Sun Yat-sen's later adoption of Socialist ideas which thought that a nation should represent the interest of society as a whole. After 1927, bureaucratic capitals exercised increasing control over the economy through banks, joint ventures and other means. The Resources Committee, directly under the leadership of the Nationalist Party's Military Committee, tightened its direct control over the national economy. Ultimately, the national bourgeoisie disappeared in the Chinese political arena. The industrialization efforts made by the Nationalist Party came to an end with the second Sino-Japanese War in 1937.[19]

However, the Communist Party had a more radical view of the nature of China's social structure. Its advocates believed that despite the initial rise of Capitalism, China was still a feudal society before the Opium war. The imperialist invasion made the feudal natural economy disintegrate gradually, and

16 – John K. Fairbank, ed., *The Cambridge History of China, The Republican China, 1912-1949, Part 1. Volume12*, Cambridge University Press, 1983; Kaijian Yao, *History of Marxist Economic Theories*, *op. cit.*; Zhou Jinwen, *The History of Chinese Modern Economic Thoughts*, Beijing, Economic Science Press, 2016.

17 – Kaijian Yao, *History of Marxist Economic Theories*, *op. cit.*

18 – Marie-Claire Bergère, *L'âge d'or de la bourgeoisie chinoise 1911-1937*, *op. cit.*

19 – *Ibidem.*; Debu Gao, *The Revolution of China's Values*, *op. cit.*; Quan Guan, *Development Economics: Chinese Economic Development*, Beijing, Tsinghua, 2014.

it also halted the development of China's Capitalist relations, leaving China in a special socio-economy formation that was a semi-colonial and semi-feudal rule under imperialist invasion. For the Communist Party China needed the New Democracy Revolution.[20]

In brief, the economic dispute between the two parties centered on whether to base policies on developing capital or on solving the land problems for the peasants.[21] This economic dispute was also a problem of international relations. After the passing of Sun Yat-Sen, the Nationalist Party abandoned its policy of allying with the Soviet Union and with the Communists, and turned to Britain and the United States. In 1927, the Nationalist party started the "purge" within the party and murdered many Communists. This officially put the two parties in opposition. The Communist Party started building its own armed forces, entering rural areas, and carrying out the agrarian revolution. Finally, a civil war broke out. In 1937, the second Sino-Japanese War broke out. The two parties cooperated again and led the Chinese people gain the final victory. But after the war ended, the Nationalist party failed to fulfill the peasants' eager need for land. And it was difficult for the two parties to reach consensus on how to form a coalition government. The civil war became the last resort, and a national tragedy was inevitable. In the civil war that broke out in 1946, the Communist Party's economic policy that emphasized land reform gained people's support. They won the war eventually in 1949. After a hundred years of turmoil and great sacrifices since 1840, China has finally united again politically, this result determining China's choice of a Socialist political system.[22]

2.3 Understanding the industrialization and capacity of a modern nation (1949-1978)

After the founding of the People's Republic of China, the Communist Party faced the challenge of recovering the heavily damaged social order after war. On the other hand, China needed to quickly build its state capacity as a modern nation given the then political setting. As economic development was in the forefront to reach the aforementioned goals, it again faced the choice between reform and revolution. However, the quick economic recovery in the early stage of New China and the victory in the Korean War inspired national confidence.

Preserving the multiple ways of economic organizations, or following the nation-led unified economy of the Soviet Union was debated among the state

20 – Kaijian Yao, *History of Marxist Economic Theories*, Beijing, China Renmin University Press, 2010; Dixin Xu and Chengming Wu, *The History of Development of Chinese Capitalism*, Volume I, II, III, Beijing, People's Publishing House, 2003.

21 – Kaijian Yao, *History of Marxist Economic Theories*, *op. cit.*; Zongzhi Huang, *Changes of Rural Social Economy Since the Ming and Qing Dynasty: History, Theory, and Reality*, *op. cit.*;

22 – J. K. Farbank, *The Great Chinese Revolution: 1800-1985*, *op. cit.*

leaders, but only for a short period of time. Soon, they came to the consensus that China could end the developing stage of capitalism, and begin the constructing stage of socialism. Meanwhile, achieving China's modernization speedily through industrialization was no longer a dream for a few Chinese; it was also a dream for the majority of Chinese people. In 1953, under the large-scale technical assistance of the Soviet Union, China started the third wave of industrialization, entering its modernization construction in a revolutionary way. For a country whose agricultural production still took up the vast majority of national output and only had a slight surplus, a rapid industrialization implied that the agricultural department was required to support industrial investment strongly and even beyond its means. Obviously, achieving this progress could not just depend on economic power; political power, which required a strong capability to mobilize, was essential.

The organizational capability developed in war was transferred to the development of the economy. In 1953, large-scale reform movements took place in industry and in commerce simultaneously. The agricultural cooperation reform movement was initiated in rural areas. Capital and lands were nationalized or collectivized. A dual system was run for cities and for rural areas. Different labor relations were identified as officers, workers, peasants, and soldiers. The new government was prepared for a rapid industrialization both from an economic and political point of view. Since 1953, China has maintained the habit of making national plans on a five-year basis. The plan aims at economic development, and gradually builds the suitable capacity to manage the nation and to balance economic management. The years between 1949 and 1978 were known as the period of planned economy in China. During that period, China made some progress in building the society's civilization capacity; it established the initial stage of the industrial system, and achieved an average GDP growth rate that matched the world average. However, urbanization developed slowly. Compared with the year 1949, the urbanization rate did not change significantly. And with population growth, people migrated from cities to rural areas.[23]

In retrospect, it was an age of revolution when everyone was motivated to realize the dream of modernization, and it was an age filled with ideals, passion, turmoil, and tragedies. In those days, Chinese people did not fully understand the role of commerce and capital in modern economies. Their understanding of modern economy was limited to the relation between industrialization and national capacities. And they saw industrial and commercial enterprises as mere production organizations. Though some scholars realized that modern industry would eventually lead to commercial market-oriented commodity economy through increasing specialization, overall they did not recognize

23 – R. MacFarquhar and J. K., Farbank, 1987, 1991, *The Cambridge History of China*, Volume 15, *op. cit.*; Quan Guan, *Development Economics: Chinese Economic Development*, Beijing, Tsinghua, University Press, 2014.

the role that commerce and capital played in modernization, capital being considered as an object to be criticized.[24]

In addition, the class analysis method in classical political economics and in Marxist political economics was considered erroneous as the theory of class struggle was then used as the political tool of social management. These did not only led to political, economic and cultural antagonism, but also to interpersonal antagonism. The brutal aspect of human nature was brought out under the disguise of ideal and passion, and it led to many great tragedies.

2.4 Understanding commerce, capital and competition (1978-)

Relative to other socialist countries like the Soviet Union and the ones in Eastern Europe, China was among the early ones to begin the reform towards market economy actively. The Chinese marketization reform was not directly derived from an understanding of commerce, capital and competition. Instead, it was initiated when Chinese people became aware of the discordance among political, economic and cultural aspects in the planned economy, and of the persisting disparity between China and the modern Western world. Facing the problems, Chinese people chose to set aside theoretical disputes and to prioritize solving practical problems, believing that they could "seek the truth from facts".

Thus, they embarked on structural adjustment in 1978 to better include the use of commerce and capital. This practical approach was vividly captured in Deng Xiaoping's famous analogy, "It doesn't matter whether a cat is white or black, as long as it catches mice." Adjustment started with a series of concrete events. For example, resuming Gaokao (the Chinese college entrance exam), allowing young people who were located in the countryside to return to cities, rehabilitating people who were wrong during the Cultural Revolution, allowing people to own small business, allowing farmers to contract their own land, allowing people to contract operations of some collective or state-owned enterprises, allowing open market pricing, establishing Special Economic Zones and so on. The series of reforming measures taken together formed the marketization reform and facilitated the fourth wave of industrialization in China. The Adam Smith' invisible hand was playing its role at last. Chinese people began to understand and practice the value of commerce, capital and competition in their own way during the process of Reform and Opening-up. Step by step they shifted away from the pattern of planned economy, and formed a rather complete market economy system that achieved rapid economic growth during the time of market economy reform. With an abundant influx of peasants into industry, urbanization was greatly accelerated. The development

24 – Kaijian Yao, *History of Marxist Economic Theories*, Beijing, China Renmin University Press, 2010; Xiaolei Zhao, ed., *The History of Chinese Contemporary Economic Thought*. Beijing: Economic Science Press, 2016.

of market economy made a free employer-employee relationship the main type of labor relation in China, which indicates that China's economy was being capitalized. In the practice of market economy, people progressively realized the value of commerce, capital and market competition to modernization.[25]

In the process of reform, Western economies gradually replaced the Soviet Union as the new model for Chinese people to learn modern Western culture. A new wave of learning from the Western societies was reinitiated. The content of learning went beyond science and technology, and broadly included philosophy, economics, politics, sociology, law, business management and society management, and etc. In this context, mainstream economics also gradually became the main content of Chinese economic teaching, and became the important theoretical foundation on which the government based its economic policies.[26]

2.5 Learning strategy and choosing the system in history of social changes

Ever since the Opium War of 1840, faced by the modern Western culture, China has been forced to find its own position in this new cultural system. After four waves of industrialization, China strives to drive the nation's modernization. While learning from the modern Western culture, China exhibits the following learning strategy: it sees the main goal of learning as promoting the nation's economic, cultural and political capacity through the development of industrialization (Zhao Xiaolei.1994), while solving different questions in different historical stages. First of all, the national political capacity is a fundamental precondition for modernization, necessary to create a stable environment for economic and cultural development. And an adequately developed economic capacity is a precondition to develop cultural capacity. Guided by the main goal – learning from Western culture and its institutional systems – ideology is fairly adaptive, reformative and inclusive.

25 – L. Brandt and Eric Thun, "The Fight for the Middle: Upgrading, Competition, and Industrial Development in China", *World Development*, Vol. 38 (11), November 2010, p. 1555-1574; Yang Yao, "The Chinese Growth Miracle", *Handbook of Economic Growth*, Volume 2B, Amsterdam, Elsevier B.V., 2014; Yu Zhang, *The Pattern of China's Transformation: Rethink and Innovate*, Beijing, Economic Science Press, 2006; Yaomin He, *China's Path of Economic Development*, Beijing, China Renmin University Press 2014; Ze Yu, *Finance, Price and Industrial Structure in Unbalanced Economic Growth*, Beijing, China Renmin University Press, 2016.

26 – Xiaolei Zhao, ed., *The History of Chinese Contemporary Economic Thought*, Beijing, Economic Science Press 2016.

3. THE INFLUENCE OF CHINA'S TRADITIONAL IDEAS OF NATIONHOOD ON ITS LEARNING STRATEGY AND SYSTEM CHOICE

In virtually every stage of China's modernization, learning from the Western institutional systems and ideology resulted in sometime violent debates. This also led to setbacks in China's modernization.[27] This paper holds that one major reason for such debates and setbacks is the influence that China's traditional ideas of nationhood shed on its learning strategy and system choice.

3.1 China's modernization reform: A Western one or a Chinese one?

If one is to see the world as one whole cultural system, then a modern nation is a mere component of this system with its own independent legal system, just as corporation is an independent legal institution in the modern culture. As China joins this worldwide culture, it needs to reform its legal system constantly and to change its traditional social structure based on bureaucrat-civilian-scholar relations, in order to adapt to this larger culture. That is the only way for China to become a closer and more integrated part of the world and a modern nation, just like Chinese corporations becoming like corporations in the rest of the World. However, behind China's traditional bureaucrat-civilian-scholar social structure there lies a tacit "constitution" – the Chinese' concept of an ideal nation – that was formed throughout China's long history. Whether to choose the socialist or the capitalist system, the system selection for China's modernization needs to take into consideration the relation between modern Western culture and traditional Chinese culture. Thus, understanding the influence of traditional Chinese ideas of nationhood should be taken into account to look at China's learning strategy and system choice of modernization.[28]

The learning process of everyone starts with learning the unfamiliar from the familiar and learning the unknown from the known. Specific for ideology, the modern Western culture does not only bring a new way of thinking, as exemplified by modern science and technology, but also suggests new ethical values as those of Christianity and jurisprudence, and new moral emotions, which are carried in literature and art. The modern science and technology of the modern Western culture is of course very novel for Chinese people, and all the more novel as the Chinese traditional culture has its own deeply rooted ethical values and moral emotions. Chinese people inevitably approach the modern Western culture from their own familiar framework of ethical values

27 – L. Brandt, Ma Debin, T.G. Rawaki, "From Divergence to Convergence: Reevaluating the History Behind China's Economic Boom", *Journal of Economic Literature*, 52(1), 2014, p. 45-123; Guantao Jin, Qingfeng Liu, *The Cycle of Growth and Decline: On the Ultrastable Structure of Chinese Society*. Beijing, Law Press, 2011; Quan Guan, *Development Economics: Chinese Economic Development*, Beijing, Tsinghua University Press 2014.

28 – Bin Wong, *China Transformed: Historical Change and the Limits of European Experience*, Cornell University Press, 1997; Gao Debu, *The Revolution of China's Values*, *op. cit.*; Hui Wang, *The Rise of Chinese Modern Thoughts*, Hong Kong, SDX Joint Publishing Company, 2015.

and moral emotions. And they judge the culture's values and make their decisions based on this familiar framework.[29]

3.2 China's traditional ideal of nation and its ideology

Chinese people were bound to understand the nature of their own country through their own traditional culture. In China's mind, nation was not a concept of law. Instead, it was the sky, the land, rivers, mountains, stocks, women, children, families, the countryside, towns, and so on. Nation meant the entirety of people's social activities, of the society's state of surviving and developing and the relevant capabilities. Chinese ideology was essentially a philosophy of life. It viewed social activities as a living system that was composed of countless smaller organisms. Maintaining the development of this living system was the ultimate goal of every social activity. This society's living system, or social civilization capacity, equaled the nation for the Chinese. Thus, the morality that guided the Chinese people's actions was not exogenous as the will of god, principles or laws. Rather, it was endogenous, for the faith of Chinese people was in their own social activities. That is to say, granting society the ability to survive was the exact goal in people's living activities. Through such insights into life, Chinese people formed their understanding of the true, the good and the beautiful in the world, from were their ethical values and moral emotions originated. Among values and emotions, one important concept was harmony (he xie) which was a suitable and beneficial state to develop and carry on social activities.[30]

Based on this moral foundation, different social members were associated with different responsibilities in maintaining social harmony. The inter-personal relationships between them were defined by the relations between their responsibilities, forming family structures based on husband-and-wife and father-and-son relationships, and social structures based on bureaucrats-civilians-scholars relations. The emperors were responsible for leading the entire bureaucratic class to be responsible for the nation, which was in people's mind to be responsible for the deterministic course of life in general. Given its responsibility, the bureaucratic system (the government) was supposed to transcend any conflict of interest in society, and to coordinate conflicts, without being swayed by any single force or side of the conflicts. Any forces or interest could not override those of the government. Facing the variety of conflicts of interest, the government had to remain neutral. And this neutrality was the government's justice. If a bureaucratic system (empire) failed to fulfill

29 – Guantao Jin, Qingfeng Liu, *The Origns of Chinese Modern Thoughts: The Evalution of Chinese Political Culture from the Perspective of Ultrastable Structure*, Beijing, Law Press, 2011.

30 – Youlan Feng, *A Brief History of Chinese Philosophy*, Beijing, New World Press, 2004; Yuanpei Cai, *History of Chinese Ethics*, Beijing, Zhonghua Press, 2014; Mu Qian, *The History of Chinese Thought*, Beijing, Jiuzhou Press 2012; Simian Lv, *Outline of Chinese Classics*, Beijing, Gold Wall Press, 2014.

this responsibility, then it was against the law of nature, and thus giving people the right to build a new empire. This was in practice the Chinese "constitution" which was formed naturally in its history.[31]

The next question was how to maintain the harmony of social life. Chinese people saw changes as unavoidable; they were not against changes and reforms. To fulfill the goal of surviving and developing, they identified manifold relations like life and death, stillness and changes, etc. They were also aware that they could only have limited knowledge, which supported an insight into the relation between knowledge and actions. To put it in a contemporary way, people always made decisions with imperfect information and uncertainty. Similarly, Chinese people used to know that they needed to balance the known and the unknown in their decision-making to make proper choices. How to make the right judgment and how to act in a proper way? Chinese classical studies aimed at answering these questions. They produced theories to answer a wide variety of questions arising from family life to state events. The understanding of these theories depended on people's own experience and practice. Under this theoretical framework, people evaluated history, and gained experience from their own life. Not only did families learn from the past in this way, but empires too. The new empires were responsible for summarizing the gains and losses of the empires before them, and for improving their own capability to make proper judgments. In this way, they formed moral emotions and ethical values, and built behavioral patterns. Traditional Chinese ideology was then well preserved and passed on in the long history of China. Thus, China formed its own culture throughout history. Its ideas of nationhood were closely related to its culture of history.[32]

3.3 Criticism and inheritance

When Chinese people received the cultural impact from the Western world, they came to realize that their social life had already deviated from their ideal life as organized by the nation. The culture they were proud of was not in equilibrium, and reality had deviated from their ideal. The first identified goal of reform was industrialization, as it was the basis for promoting the society's capacity to survive and develop. The first thing to achieve industrialization was ldarning science and technology. From the Self-Strengthening Movement to Sun Yat-sen's Constructive Scheme for Our Country, from the

31 – Xiaotong Fei, *From the Soil: The Foundation of Chinese Society. Birth System, Bejing*, Peking University Press 1998; John King Farbank, ed., 1957, *Chinese Thought and Institutions*, Chicago, University of Chicago Press; Guantao Jin, *The Cycle of Growth and Decline: On the Ultrastable: Structure of Chinese Society, op. cit.*; Gao Debu, *The Revolution of China's Values, op. cit.*

32 – Mu Qian, *The Spirit of Chinese History*, Beijing, Jiuzhou Press, 2012; Max Weber, *Gesammelte Aufsätze zur Religionssoziologie*, Volume I, Tübingen, J. C. B. Mohr, p. 276-536; Jianxiong Ge, *Integration and Separation: The Enlightenment of Chinese History*, Shanghai, The Commercial Press, 2013; Zhaoguang Ge, *History of Chinese Thought*, Shanghai, Fudan University Press, 2014.

development of industry and commerce in the Republic of China to the twelve continuing five-year-plans of the People's Republic of China, the development of industrialization, science and technology has always been a persistent goal throughout China's modernization process.[33]

Another important aspect of learning and changing was the social structure, which was highly correlated with economic systems. The traditional Chinese social structure was highly unified and heavily dependent on the bureaucrats-civilians-scholars relations. In practice this could easily fall prey to feudal absolutism and to bureaucratic interest groups. These bureaucratic interest groups did not stand for any interest of the national industry and commerce, nor of the landlords and peasants. They would simply be the strength that impeded social political, economic and cultural reforms. This explained why the Communist Party of China aimed at feudalism, imperialism and bureaucratic capitalism as the firing target in its New-Democratic Revolution. In this way, China recognized changes in the social structure and institutional systems as part of its modernization reform. And the Chinese people took a step forward to realize that it was part of their traditional feudalist ideas that encouraged such feudal systems and bureaucratic interest groups, and thus started their criticism of the traditional ideology of Confucianism.[34]

Overall, despite the special conception of nation in the Chinese tradition, Chinese people did not resist to change. And they actively used different theories and thoughts from the Western world, as Marx's political economics and the neoclassical economics, to pinpoint the reasons why China was falling behind concerning modernization. Meanwhile, Chinese people also used their traditional thoughts concerning how an ideal nation should be like to evaluate modern Western ideology. The traditional ideal or conception of the nation among Chinese people carried an abundance of ethical values and moral emotions with a strong appeal. A good example was when Chinese people realized that a modern nation based on capitalist systems contradicted their traditional ideal of a nation, in that the free developing capital would become a great strength to sway the neutrality or the impartiality of the government, that is, an absolute freedom of economic activity would jeopardize an impartial justice in the political system.[35]

However, it was necessary to accept commercialization and capitalization if society was to be industrialized. Thus, nationalizing capital became the next step to build a benign relation between the political and the economic world. With the government controlling capital rather than the other way round,

33 – Xiaolei Zhao, "The Historical Turning of China's Economic Thought: The Establishment of the Dominant position of Industrialization Thought", *Researches In Chinese Economic History*, Vol. 1, 1994, p. 119-126; Yuru Wang, *Economic History of China*, Beijing, Higher Education Press, 2008; Quan Guan, *Development Economics: Chinese Economic Development*, Beijing, Tsinghua University Press, 2014.

34 – Yanan Wang, *Studies on the Politics of Chinese Bureaucracy*, Beijing, Chinese Social Sciences Press, 1981; Yanan Wang, *Principles of Chinese Economy*, Guangzhou, Guangdong Economy Publishing House, 1998.

35 – Jinwen Zhou, *The History of Chinese Modern Economic Thoughts*, *op. cit.*, 2016; Xiaolei Zhao, ed., *The History of Chinese Contemporary Economic Thought*, *op. cit.*, 2016.

the nationalization policy sought to protect the neutrality and impartiality of the government. However, it did not exclude bureaucratic interest groups by nature, which left the question of an all-encompassing policy open. In this way, China's modernization contained the conflict between political impartiality and economic freedom. Granted that this conflict is not unique to China but rather common in the modern world, the traditional conception of nationhood among Chinese people, however, made them more aware of the conflict. For them, solving this conflict was an age-long question, documented since the Han Dynasty.[36]

They chose to approach the conflict from a more fundamental question behind it, that is, how should people handle the conflict of interest in society in general. One proposed solution was by law, and the other by education. Both solutions were exemplified in history by the Legalist school and the Confucian school. Solving the conflict by education was more popular throughout China's history than solving by law. Given these systems, cultural development relied on people's autonomous cultural awareness and self-discipline more heavily. Such awareness and self-discipline tincluded the way and the philosophy to balance the conflicts of interest into harmony. Reliance on such conflict-solving method was rationalized by Chinese people's philosophy of life that indicated that conflicts and oppositions in life were inevitable; but they were also fluid, and constantly changing since nature was always changing.

This philosophy entailed a problem-solving method that was neither procedural nor rule-like, but rather of a dialectic type from the perspective of historical development. A good conflict solving method was one that sought common ground while acknowledging differences. And the problem would be solved along the way of development, given that the society's survival was maintained. Thus, the fundamental solution to every problem was change and development. And preserving political impartiality served the exact goal to maintain development.[37]

In the end, China's modernization was still China's people's exploration and practice of their own civilization capacity, and their own understanding of the natural law and destiny. However, the natural law and destiny in china's philosophy were different from the natural law and destiny in Western world philosophy. Thus, defining the modern culture and social ideal of China from both the perspective of China's philosophy and the perspective of Western philosophy was a question that was worth exploring.[38] And this unanswered question may have led to the many debates and ups-and-downs in China's modernization.

36 – D. Twitchett and M. Loewe, eds, *The Cambridge History of China, Volume 1. The Ch'in and Han Empires 221 B.C.- A.D.220, op. cit.*, 1986; Mu.Qian, *The Economic History of China*, Beijing, Beijing United Publishing, 2014.
37 – (Qian Mu.2012b; Gao Debu.2016; Zhao Jing.1998; Chen Yongqin.2008).
38 – (Ge Zhaoguang.2014; Wang hui.2015; Gao Debu.2016).

4. THE MODERN CULTURE OF CHINA: ISSUES AND THE FUTURE

The essential question in China's modernization is more than just how to incorporate the newly transformed nation into the Western culture, but how to integrate the two different cultural systems to create a new one[39]. Actually, the Constitution of the People's Republic of China in 1982 clearly states the cultural motivation of China's modernization. In this Constitution, China is defined as a culturally integrated community of multiple nations with a long history. And it is the Chinese people's responsibility to further develop this culture through modernization.

4.1 Issues: the relation between the government and the market

China's modernization requires a transition from the traditional bureaucrat-civilian-scholar social structure to a modern political-economic-cultural social structure. With China's modernization development, the relationship between the government and the market is also changing. One thing to note is that in the past decades of the developing market economy in China, the government has still played a leading role in market reforms, and competition among local governments and different government departments has been a major force driving the marketization of China.[40] However, with constant changes in society, such economic mode dominated by within-government competition shows its limitation.

First of all, the government competition mode entails that the government plays a decisive role in resource allocation. And the relationship between government and business becomes a crucial factor that decides on business and relevant capital development. This mode facilitates collusion between the government and businesses, which becomes one of the main reasons for corruption and unfair competition.[41]

Secondly, with the development of market economy, the labor relations of officials, workers, peasants and military personnel with the state, dating back to the time of the planned economy, is constantly changing and adjusting, as employer-employee relationship has gradually become the most basic labor relation. The society has asked for a fairer and more equitable economic relation between individuals and the state, which is to be built upon such basic employment relationship. Economic relations should involve broad aspects of taxation, education, medical care, housing condition, social security and

39 – Fei Xiaotong 2010; Yu Shiying 2011; Gao Debu 2014,2016

40 – Steven N.S. Cheung, *The Economic System of China*, Beijing: China CITIC Press, 2009; Yean Zhou and Tao Li, *Local Government Competition and Economic Growth*, *op. cit.*, 2013.

41 – Qijing Yang, *Market, Government and Firm: Rethink on Pattern of China's Development*, Beijing, China Renmin University Press, 2010; Huihua Nie, *The Collusion Between Government and Firm, Economic Growth: Rethink on Pattern of China*, Beijing, China Renmin University Press 2013; Yongping Wu, 2010; Gordon Tullock, *The Economics of Special Privilege and Rent Seeking*, Kluwer Academic Publishers, 1989.

etc. However, within the government department, labor relations, along with welfare, keep running on an officer-ranking system that is left from the planned economy time. This ranking system severely contradicts the functioning of the market where wages are determined by the nature and the responsibility of specific jobs.[42]

In brief, due to the government's participation in market competition, the public authority has a huge impact on the market of products, capital, land and labor. Therefore, building a good social structure including politics, the economy and culture becomes an inevitable question on China's way to modernization.

4.2 The future: the rule of law and change in thinking

Ever since Mr. Sun Yat-sen and the May Fourth Movement, the great modernization revolutions of China have been led and achieved by the few national leaders with progressive thoughts, who educated, motivated and led the people. Educating and motivating people, organizing and leading them, selecting who and how to lead, and how to reform, have been questions that required continuous exploration. Countless Chinese people with progressive minds arouse to the call of history throughout exploration. With their idealistic, realistic, heroic and romantic spirit, they woke up the ancient sleeping China and reset it to a youthful spirit, giving it a new ethos to pursue modernized development. Currently, China's modernization has already made great progresses, and education in China has broadly popularized.[43] Whether this pursuit can be translated into a wide social awareness to develop a modern culture has a significant meaning for the future modernization path of China.

There is no doubt that the legal system's intervention in conflicts was the most realistic reason for improvements in society-wide institutional systems. Chinese people have to pursue their ideal of a nation and to exhibit their civilization capacity with their new cultural awareness and moral self-discipline under this realistic binding. Just like modern science and technologies, the rule of law was a new object to be learned by China's people. The learning of it involves the coordination of different interests and, more significantly, change in thinking. Achieving the modernization through the rule of law and revealing the cultural value of the rule of law has been a major task in China's development path.[44]

42 – Wenkai Sun, *Income Mobility and Labor Mobility in Rural China*, The Publishing House of Ordnance Industry, 2011; Jun Zhang, *Wages in China: An Economic Analysis*, Beijing, China Renmin University Press, 2012.
43 – Peiqing Sun, ed., *History of Chinese Education*, Shanghai, East China Normal University Press, 2009; Guping Zhou *et alii*, *Modern Transformation of Chinese Universities*, Hangzhou, Zhejiang University Press, 2012.
44 – G. Rozman, ed., *The Modernization of China*, New York, Free Press, 1982; J. L. van Zanden, *The Long Road to the Industrial Revolution: The European Economy in a Global Perspective, 1000-1800*, Leiden, Koninklijke Brill NV, 2009.

If we consider the industrialization of the planned economy as a means for China to solve the problems of political capacity, and the industrialization of the market economy as a means to solve problems of economic capacity through commerce and capital, then the next stage of industrialization will be targeting cultural capacity. This implies not only targeting the culture's ability to innovate in science and technologies, to rule the country by law, but also targeting a coordinated development of politics, economics and culture. And China's modernization will eventually be achieved by fulfilling its civilization capacity. Lying at the heart of the development of civilization capacity is a changing and developing mindset.[45] The developed legal system will even more so improve the social division of labor which is no longer just an economic concept, but also a political and cultural one.

A better social division of labor, from China's institutional system to ideology and ideal of nation will change everything,[46] including the bureaucrat-civilian-scholar relation. When changing, China needs to criticize sufficiently the unenlightened, feudal and authoritarian dross in the traditional bureaucrat-civilian-scholar social structure, and collect the transcending parts of moral emotions, ethical values and ideal of nation through China's history. This progress will be shown through new scientific and technological innovations and through the perfection of the legal system. It will be achieved when people can master this new modern way of thinking as one of their ways of expressing and communicating their own traditional moral emotions, ethical values and ideal of nation. The maturation of a modern culture in China will take place up till then

5. Conclusion

Industrialization, commercialization and capitalization are the most fundamental economic drive for globalization. However, as the German economist List pointed out, during globalization the relations among countries and within every country are also crucial to understanding the modernization paths of different countries. Some Chinese economists have emphasized the implication of List's approach.[47] This paper focused on further expounding the important role played by China's people's changing conception of what a nation means and how it should be like in China's modernization and system selection. From a cultural perspective, China's modernization results from

45 – Jilin Xu, *The Key Ideas of Modern Chinese Thoughts*, Shanhai, Shanhai People's Publishing House 2011; Zhaoguang Ge, *History of Chinese Thought*. Shanghai, Fudan University Press, 2014; Hui Wang, *The Rise of Chinese Modern Thoughts*, Hong Kong, SDX Joint Publishing Company, 2015; Debu Gao, *The Revolution of China's Values*, *op. cit.*

46 – Émile Durkheim, *De la Division du Travail Social*, Paris, Alcan, 1902.

47 – Genliang Jia, "The New List-ism: New Theory to replace New Autonomist Globalization", *Learning and Exploration*, Volume 3, 2012; Genliang Jia, *New Listian Economics in China*, Beijing, China Renmin University Press, 2015.

the developments of the institutional system, social structure, civilization capacity, and ideology. China's modernization has not yet been completed. Exploration goes on.

This paper tried to explain the developing idea of nationhood throughout China's modernization from a learning strategy perspective, by describing the interplay between the Western modern culture and China's traditional culture. When the two different cultures collided in 1840, attempts to answer the question of what a nation means and should be like became their own tower of Babel. The different languages spelled out different meanings of nation and international relationships, as well as different relations among families, corporations, markets and states. Should the social changes of China's modernization be understood with the concepts of equilibrium or He Xie (harmony)? The differences in such expressions interacted with one another to determine the course of China's modernization and the world's modernization alike. But different from being in Shinar, people who speak different language and hold different nationality can change the narrative direction of the old biblical story by using their creative mind to consciously overcome the inertia of fixed cultural mindsets. The nature of China's modernization lies in how to integrate the traditions of Chinese culture with the modern Western culture to create a new culture.

TRANSLATED ECONOMIC PARADIGMS: WORLD BANK LENDING AND THE JAPANESE GROWTH IN THE 1950s AND 1960s

Kazuhiko Yago
School of Commerce, Waseda University

The economic paradigm of development and growth influenced Asian economic performance through various channels. The World Bank, founded by the Bretton Woods Agreement in 1945, was one of the most powerful channels, carrying ideas and funding for Asian development. It must be noted, however, that the World Bank's economic paradigm did not reach the Asian countries per se. Instead, the theory and practices of the Bank were modified and adapted following debates between the World Bank and the borrowing countries. The original ideas of the Bank have been "translated" into something different, depending on occasions and outcomes of the debates. This paper aims to reveal this process of "translation" in the case of the World Bank lending to Japan.

Japan became a member of the IMF and the World Bank in August 1952. Soon after joining the World Bank, from 1953 to 1966 Japan borrowed funds from the World Bank totaling $862.9 million. With World Bank lending, Japan launched several hydropower electricity plants, modernized key steel factories, and constructed transport infrastructure including a high-speed railway system and highways connecting major cities. The World Bank lending was, in fact, one of the most important resources which enabled the Japanese "High-Rate Growth" of the period.[1]

In the course of the above lending, three actors played particular roles in the "translation" of the World Bank's paradigm: first, the World Bank itself, demonstrating various orthodoxies in development economics; second, Japanese Government agencies which "translated" the official theory into the Japanese development policy; and third, Japanese firms, in their turn "re-translating" the World Bank's views into their own strategies. This paper tries to reveal the above "translation" process from archival sources, focusing especially on the steel factory project which triggered the economic growth of Japan.[2]

There have also been conflicts *within* each of the above three actors: the World Bank during the period experienced a debate over development economics among theorists and economists. An antagonism was witnessed within

1 – * This work was supported by JSPS KAKENHI Grant Number JP17H02556.
Toyoo Gyohten, "Japan and the World Bank", In Devesh Kapur, John Lewis and Richard Webb, eds, *The World Bank, its First Half Century*, vol. 2, Washington, D.C, Brookings Institution, 1997.

2 – The Japanese "High-growth" period from the 1950s to the 1970s has become a major subject of historical studies. Cf. Haruto Takeda, *Koudo Seichouki no Nihon Keizai [The Japanese Economy during the High Growth Era]*, Tokyo, Yuhikaku, 2011. One of the most recent surveys on the post WWII Japanese growth is Haruto Takeda, Ed., *Micro-Performance during Postwar Japan's High-Growth Era*, New York, Springer, 2016.

ABSTRACT

The World Bank was one of the most powerful channels carrying ideas and funding for Asian development. However, the theory and practices of the World Bank were modified and updated during the debates between the World Bank and the borrowing countries. This paper aims at analyzing this process of "translation" in the Japanese case. In the 1950s, the World Bank experienced a drastic "economics" shift from the development-friendly view to the banker-oriented austerity. The Japanese Government "translated" the World Bank's suggestion as if it were the prerequisite to obtain lending. Japanese firms abode to the World Bank's conditions: in the case of Kawasaki Steel, the neo classical "economics" of the World Bank was "translated" into the Rhein-model Japanese type of capitalism.

RÉSUMÉ

LE PRÊT DE LA BANQUE MONDIALE ET LA CROISSANCE JAPONAISE PENDANT LES ANNÉES 1950 ET 1960

Les idées et les pratiques de la Banque Mondiale concernant le développement économique des pays asiatique furent modifiées et adaptées au cours des débats entre la Banque Mondiale et les pays emprunteurs. Notre article s'efforce d'éclaircir ce processus de « traduction », en s'appuyant sur le cas japonais. Dans les années 1950, la Banque Mondiale a fait évoluer sa théorie économique en donnant la priorité aux plans d'austérité après avoir privilégié le développement économique. Le gouvernement japonais a « traduit » la suggestion de la Banque Mondiale comme si c'était la condition nécessaire pour obtenir un emprunt. Les entreprises japonaises se sont également soumises aux conditions imposées par la Banque Mondiale : dans le cas de Kawasaki Steel, l'entreprise a « traduit » la demande « économique » néo-classique de la Banque en modèle Rhénan du capitalisme du type japonais.

JEL Classification: **N15, N85, O19**
Key words: **World Bank, Japan, development economics, development aid, steel industry**
Mots clés: **Banque Mondiale, Japon, économie du développement, aide au développement, industrie sidérurgique**

the Japanese government between the expansionist view (mainly held by the MITI) on the one hand and the austerity view (supported by the Ministry of Finances) on the other; and firms also encountered severe conflicts over their future strategies, especially concerning long-run plans. Special attention will be paid to the above conflicts in this paper.

The first section of the paper presents an overview on development economics thinking in the World Bank well before its foundation to the 1970s; the second section deals with the negotiation between the World Bank and the Japanese government, revealing the macro-economic side of the debate between (and within) two camps; the third section analyzes lending to Kawasaki Steel,[3] which represents the micro-economic strategy on the borrowing side and its evaluation on the lending side.

I. RISE AND FALL OF DEVELOPMENT ECONOMICS IN THE WORLD BANK: CHANGING ECONOMIC PARADIGMS

According to recent a study by Eric Helleiner, the concept of "development" originated in Friedrich List, the mid-nineteenth century economist leading the German Historical School. The idea then propagated into various channels, one of them was Sun Yat-Sen, founder of the nationalist China, who published a book entitled *International Development of China* in 1912. The word "development" (or "underdevelopment") then emerged in the writings by Wilfrid Benson of the ILO in 1942 as well as Harry Truman's inauguration speech in January 1949.[4]

Along with above conceptual appraisal, a group of scholars and businessmen established a network of development economics in the 1930s and the 40s: backed by the Good Neighbor Policy of Roosevelt administration, they found their field of research and practices in South America. Robert Triffin, Raul Prebisch, Lauchlin Currie, Emilio Collado and Albert Hirschmann were the representative figures.[5] Early founders of development economics introduced, in various manners, the cultural anthropology structuralism into economic understandings of the underdeveloped area, to claim the "difference" of the market and society of these areas compared to the developed West. Paul

3 – The followings are important previous studies on the Kawasaki Steel in its relation to the World Bank Lending: Nobuo Hamada, "Kawasaki Seitetsu no Senkou Ikkan Keikaku to Segin Shakkan" ["Kawasaki Steel's Integrated Iron Steel Production Project and the World Bank Lending"], in *Gnosis*, No. 12, 2003; Chikage Hidaka, "Tekkougyou no Setsubi Toushi to Segin Shakkan"["Equipment Investment in the Steel Industry and the World Bank Lending"], in *Musashi Daigaku Ronshu*, Vol. 44, No.2/ No. 4, November 1996/March 1997. The former work by Hamada is an outstanding achievement on the process of the World Bank's decision-making process over Kawasaki project. The latter study by Hidaka is also an impressive work depending upon the World Bank Archives. Our paper, however, draws some different conclusions from the similar subject.

4 – Eric Helleiner, *Forgotten Foundations of Bretton Woods, International Development and the Making of the Postwar Order*, Ithaca, N.Y., Cornell University Press, 2014.

5 – Michele Alacevich, *The Political Economy of the World Bank: the Early Years*, World Bank/ Stanford University Press, 2009.

Krugman, in his paper presented to the World Bank Annual Conference on Development Economics held in 1992, called this generation of development economists as the "Golden Age".[6]

However, this current of early development economics was purged by the World Bank and the IMF soon after its foundation: Triffin's unique plan for the development of Paraguay was suspended; Prebisch, who once was designated as the first Chief of the Research Division of the IMF, was replaced by Jacques Polak; Collado, who once had been named the American representative in the World Bank, was fired by John McCloy, when McCloy was to be named the second President of the Bank and made it a condition for his inauguration to replace Collado. The rigid neo-classical economics backed by New York bankers' interest replaced early development economics in the World Bank thinking.[7] In fact, the early Presidents of the Bank were named from the financial circle in Washington and New York, and the newly named economic advisor of the Bank was Per Jacobsson, the economic advisor of the Bank for International Settlements at the time, who was an apostle of Wicksellian economics;[8] then, the Economics Department was set up, and headed by Leonard Rist seconded by Paul Rosenstein-Rodan.[9] The "economics" of the World Bank on which we are focusing in this article dealt with the Economics Department, which regarded "development" and "growth" as a same phenomenon with similar mechanism.

The background for this change in "economics" in the World Bank was twofold: first of all, it was due to the change in American policy from the "multilateral approach" to the "key currency approach" in international currency management;[10] secondly, however, it was quite natural for a young bank like the World Bank to build up its initial assets in a cautious way, so that "economics" must have been more demanding for the developing borrowing countries than that of the early development economics.

This rigid "economics" was incarnated by the first three Presidents of the World Bank, Eugene Mayer (in office 1946), John McCloy (1947-49) and Eugene Black (1949-62), all of them connected to the financial circle. Figure 1 represents a snapshot of their lending policy: the World Bank loan was the only method of lending to the developing world until the beginning of the 1960s; more flexible frameworks of lending like IDA or IFC loans were not yet established; the amount of the World Bank loan during the 1950s and 60s, as shown in the

6 – Paul Krugman, "Toward a Counter-Counterrevolution in Development Theory" in *Proceedings of the World Bank Annual Conference on Development Economics*, 1992.

7 – Jochen Kraske *et al.*, *Bankers with a Mission: The Presidents of the World Bank, 1946-91*, Oxford, Oxford University Press, 1996.

8 – Kazuhiko Yago, *The Financial History of the Bank for International Settlements*, London, Routledge, 2013.

9 – Hamid Hosseini, "Rosenstein-Rodan: From marginal utility to a pioneer in economic development and possibly socio-economics", *Journal of Socio-Economics*, 1999, Vol. 28, Issue 2. For Rosenstein- Rodan's early work on development, cf. Paul Rosenstein-Rodan, "Problems of Industrialization of Eastern and South-Eastern Europe", *Economic Journal*, Vol. 53, No. 210/211, 1943.

10 – Richard Gardner, *Sterling-Dollar Diplomacy: Anglo-American Collaboration in the Reconstruction of Multilateral Trade*, Oxford, Clarendon Press, 1956.

Figure 1, stagnated around 500 million per year. Figure 2 demonstrates the Bank's fund raising: during the above three presidencies, the largest part of raised funds derived from "usable subscriptions", i.e. the capital paid up by the member countries.

FIGURE 1 **COMPONENTS OF THE WORLD BANK LENDING (1947-71): IN MILLIONS CURRENT**

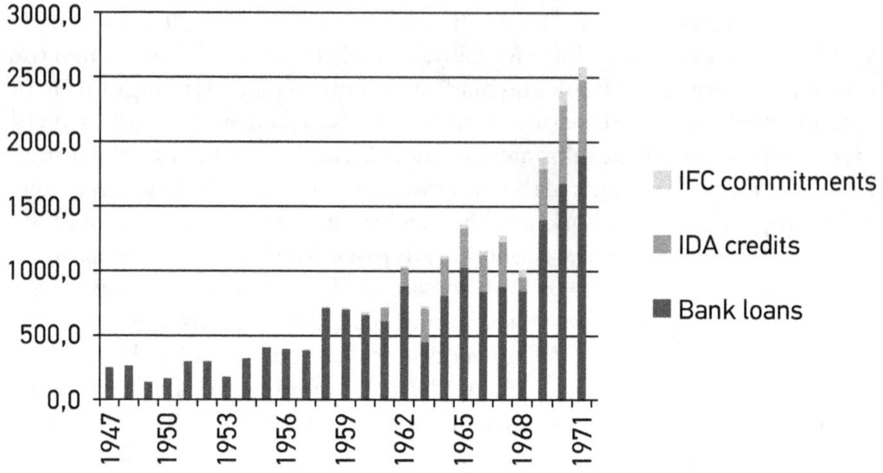

Source: E. Mason and R. Asher, *The World Bank since Bretton Woods*, Brookings Institution, 1973, p. 799, 857 (originally from IBRD, Controller's Department, Accounting Division, August 1971).

FIGURE 2 **FUND RAISING OF THE WORLD BANK (1947-71): IN MILLIONS CURRENT $**

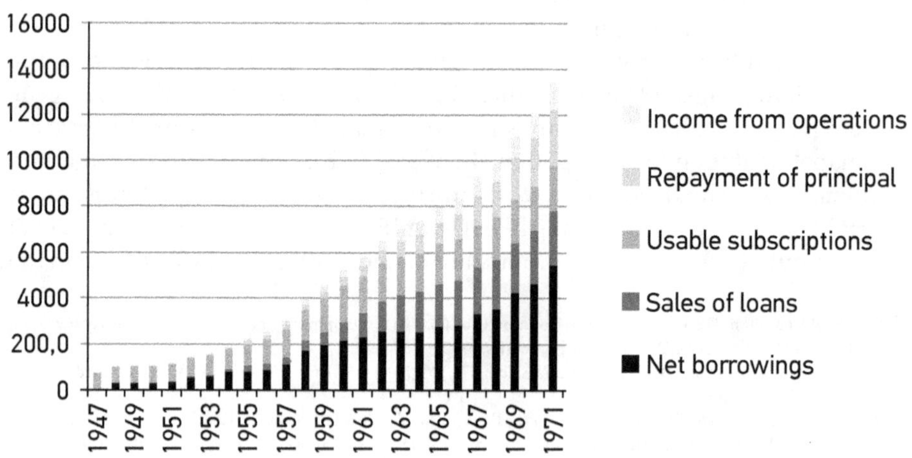

Source: E. Mason and R. Asher, *Ibid.*

Figure 3 demonstrates most clearly the above context: the "net borrowing" of the World Bank was under the "usable subscriptions" until 1955, which means that the Bank borrowed in the limits of its capital; the "bank loans" stayed inferior to "usable subscriptions" until 1971, which means that the Bank made loans in the limit of its capital in the 1960s.

FIGURE 3 **BORROWING, SUBSCRIPTIONS AND THE WORLD BANK LOANS (1947-71): IN MILLIONS CURRENT $**

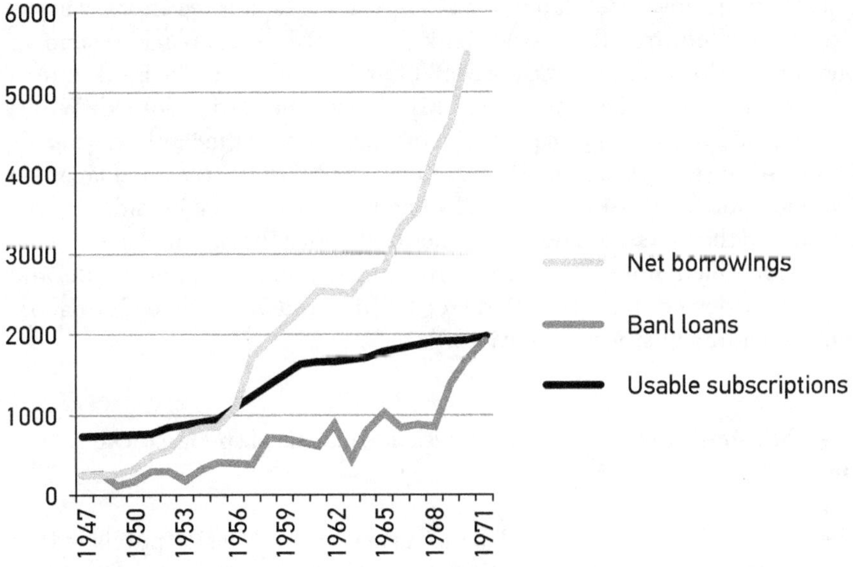

Source: E. Mason and R. Asher, *Ibid.*

It must be added, however, that the World Bank's official "economics" would change once more in the late 1960s, with the arrival of Robert McNamara as the President of the Bank. Hollis Chenery, named the Economic Advisor under McNamara, would develop another version of development economics,[11] which was in a way a revival of the former "Golden Age" development economics of the 1940s. Raul Prebisch[12] and Albert Hirschmann,[13] who were still working at the United Nations and other institutions, would echo this drastic change in the "economics" of the World Bank. In other words, the "economics" which this article deals with is one current of development economics in between two stages, both of which led by humanitarian, structuralist and rather spending thinking.

11 – Chenery's contemporary view is expressed in the following works: Hollis Chenery et al., *Redistribution with Growth*, World Bank/Oxford University Press, 1974; Hollis Chenery and Moises Syrquin, with the assistance of Hazel Elkington, *Patterns of Development, 1950-1970*, World Bank/Oxford University Press, 1975.

12 – Edgar J. Dosman, *The Life and Time of Raul Prebisch, 1901-1986*, Montreal, McGill-Queen's University Press, 2008.

13 – Jeremy Adelman, *Worldly Philosopher, The Odyssey of Albert O. Hirschman*, Princeton, Princeton University Press, 2013.

II. JAPAN AS A BORROWER COUNTRY: RIGID VIEWS OF THE WORLD BANK

The period of the World Bank's "rigid" management coincided with the years of Japanese economic growth, and the Japanese Government together with the Japanese firms repeatedly asked for World Bank's lending. The negotiation commenced as follows:

Japanese membership in the World Bank was accepted on 13 August 1952. Right after the above attendance, on 27 August, the Japanese Embassy in the United States required the World Bank President Eugene Black to send an economic mission to Japan, and the Staff Loan Committee of the Bank agreed to send the mission on October 13. The Mission was headed by John de Wilde, the economic advisor of the Department of Operations of the Bank, assisted by William Gilmartin of the same Department. The Mission arrived in Japan on 21 October 1952, and on 4 December, Robert Garner, the Vice President of the Bank, joined the Mission. The attendance of the Vice President Garner made the Mission much more important than expected on the Japanese side, and Garner interviewed the Prime Minister Yoshida and other major Ministers, as well as leading business executives.[14]

Garner Mission and Dorr Mission: Critical Analysis of the Japanese Economy

At the end of the Mission's visit to Japan, Garner and his Mission published the following statement on the Japanese economy. This statement was important as the first thorough view of the World Bank expressed on the Japanese economy, standing upon the "economics" of the period. The diagnosis given by Garner was a harsh one: according to the statement, the Japanese balance of payments faced disequilibrium, thus an expansion of exports along with raw material imports from the non-dollar area was necessary; the lack of capital in the Japanese economy must be balanced by enforcing domestic savings, instead of asking for the foreign aid and capital; the Japanese investment plan was too far reaching, without any priorities among the candidate projects; inflation could be avoided only when a balance between savings and investment was reached; the World Bank lending would be examined after the above Japanese self-help measures...[15]

14 – Yoshio Asai, "Sekai Ginkou no Tainichi Seisaku no Keisei, 1951-56" ["Formation of the World Bank's Policy on Japan, 1951-56"], in *Keizai Kenkyuu*, Seijo University, No. 204, 2014. As for the Japanese negotiation with the World Bank, our paper owes largely on Asai's article.

15 – "Press Statement Issued by Mr. Robert L. Garner, Vice-President, International Bank for Reconstruction and Development", December 19, 1952, translated in Keizai Mondai Chousakai [Group for Economic Research], *Sekai Ginkou no Tainichi Toushi [World Bank Investment to Japan]*, Koudo Publishers, 1950.

A more detailed version of the Garner's Mission Report was presented to the World Bank Board on June 18, 1953.[16] The following statements deserve interest from our point of view:

(1) "Japan has to support a larger population on the basis of diminished resources. At the same time it suffers from certain structural changes in the pattern of world trade which have severely curtailed the market for raw silk and for cotton textiles which have always constituted a large proportion of Japanese exports". This structural deficit constitutes one of the most important factors of "basic weaknesses" of the Japanese economy.

(2) After WWII, U.S. Aid including special dollar procurement had helped to balance the above trade deficit, but "these types of U.S. special dollar procurement may, however, be expected to drop off substantially". So, Japan's "most urgent future task is therefore to increase its foreign exchange earnings to compensate for the probable decline in special dollar income and at the same time to provide for the natural growth of the population".

(3) Then, how to cope with the deficit? The Report suggests that Japan "may well be able over the next five years to reduce its annual deficit, exclusive of special dollar income, to a figure between $300 and $400 million". The reduction of deficit is supposed to be achieved by import from non-dollar area and other uncertain factors. The Report frankly admits "that it would hardly be prudent, however, to anticipate that Japan will be able, particularly in the near future, to balance its international accounts at a tolerable level without the continued availability of some sort of special dollar disbursements". It is noteworthy that at the time, the measure to overcome trade deficit was more focused on *reduction* on the side of imports, rather than *increase* on the side of exports.

(4) Of course, the Report suggests, on the other hand, a "considerable volume of domestic investment", whose goal "implies much higher levels of industrial and agricultural production and corresponding expansion in transport and communications and in the generation and distribution of electric power". However, more attention is paid to the danger of inflation. The Report made banking practices and even the Bank of Japan guilty for inflation, looking back to the historical development of the postwar Japanese inflation: "While government financial policy continued to be disinflationary in effect, an extraordinary expansion of bank credit abetted to some extent by the Bank of Japan took place". This negative reference to the so called "over-lending" practices of the Japanese banks is quite important, and contrasted with the rather positive view on particular Japanese banking of the epoch. In fact, before this official Report, Garner had said in an unofficial speech in June 1953 at the New York Society for Foreign Affairs, that "Big banks are the safe of big companies" in Japan.[17]

16 – World Bank Group Archives (hereafter WBGA), Department of Operation, Asia and Middle East Division, "Japan: Economic Situation and Prospects", June 18, 1953.

17 – "Press Statement Issued by Mr. Robert L. Garner, Vice-President", December 19, 1952, op.cit.

(5) Finally, the Report pointed at other technical but important issues. Tax reform, for example: "In order to release more resources for investment the rise in consumption will have to be restricted by tax policies and the curtailment of consumption outlays in the government budget". Shareholders policy: "Corporations have generally preferred to raise their money by borrowing, principally from the banks, because the interest rate on borrowing was substantially lower than the virtually fixed dividend rate which stockholders demanded". Unlike the American policy suggestions after the 1980s, the World Bank "economists" criticized the lower tax and also shareholders' strong ownership. They rather favored planned economy and corporate control over shareholders to bring about price equilibrium.

In November 1953, the second World Bank Mission was sent to Japan, this time headed by Russell Dorr, the Chief of the Asia and the Middle East Division belonging to the Department of Operations. This Mission focused more on an industrial analysis, rather than on an overall observation of the Japanese economy. The Mission report, released in May 1954, described the Japanese situation as follows:[18]

(1) The Dorr Mission Report maintained a strong demand on the Japanese economy as expressed in the Garner Report. After the Report, "a considerable degree of inflation" occurred, "partly due to Government expenditures and rising wages", but "principally [due to] the result of a 29 per cent increase in bank credit". "Domestic inflation", according to the Mission, "contributed largely to the payments problem by swelling the demand for imports while increasing prices and reducing the availability of export goods".

(2) On the other hand, the Dorr Report focused more on the industries of Japan. As for agriculture, the Report stated: "Despite the high efficiency of Japanese agriculture, there is some reason to believe that more could be done to increase agricultural production". The Mission put one of the highest priorities for the steel industry, "both as a direct exporter and as a supplier of basic raw materials to export industries"; on the contrary, the coal industry was criticized for its "High cost" which "handicaps the Japanese industry".

(3) As for the hydro- and thermal-power plant, which was a competing project with the steel industry projects, the Mission recommended the World Bank "to diversify its investment in Japan" and therefore "would rather not undertake a further major commitment in the power field until it has fully appraised opportunities for useful investment in other top priority industry".

To conclude, the Dorr Mission, sharing a hard-looking view on the Japanese economy with the former Garner Report, paved the way to further World Bank lending, giving priority to the steel industry.

18 – WBGA, Department of Operation, Asia and Middle East Division, "Japan: Report of 1953 Mission", May 1954.

Japanese government's reply to the Garner-Dorr Report: attempt to "translate" the World Bank views

How did the Japanese Government respond after the publication of the Missions' views, followed by official statements by the World Bank?

The Government welcomed the Missions' view: in the early 1950s and particularly in 1954 and 1955, the Japanese conservative government pursued the austerity policy causing a steep deflation. The policy was unpopular, but the World Bank's praise of deflation in order to cope with the trade deficit problem supported the government's policy. One commentator gave a further hint on the World Bank's suggestion and the Japanese deflation policy: "Of course, our deflation policy had been started prior to the critics of the Japanese economy by the World Bank Mission, but the policy aimed mainly at tightening the financial side of economic policy. It must be noted that the Japanese Government's view to strengthen the deflation policy on the fiscal-treasury side was launched after the Dorr Mission's investigation".[19]

Although the causal relationship between the deflation policy and the World Bank's "economics" is not clear, deflation went along with the World Bank lending to Japan. During the meeting of the World Bank's Executive Board in 1958, which approved the second Loan to Kawasaki Steel (analyzed in the next section), the Board members paid high attention to the deflation policy: "Of more importance to the Bank, however, is the progress made by Japan toward improving its balance of payments since the adoption of the so-called tight money policy last summer".[20] The two figures below represent the Japanese deflation policy during the period of the World Bank lending.

More noteworthy was the division of opinion within the Japanese government over the World Bank lending. In July 1954, right after the Cabinet decision over the World Bank borrowing, the Japanese Finance Ministry asked the borrowing agencies to decrease the scale of the projects in order to reduce the additional government expenses.[21] The World Bank lending, as a rule, required the borrower country to supply additional budget spending on the project by the country's currency. For example, in the case of the Aichi irrigation project, planned as the most important projects adapted in 1954, 5/6 of total expenses were to be financed by Japanese yen by the government, and the rest 1/6 by the World Bank. The Finance Ministry publicized their view in the press, mentioning the following points:

19 – Shigeo Kurebayashi, "Sekai Ginkou no Nihon Keizai Hihan nitsuite" ["On the World Bank's Critics on Japanese Economy"] in Keizai Mondai Chousakai [Group for Economic Research], *Sekai Ginkou no Tainichi Toushi [World Bank Investment to Japan], op.cit.*, p.72.

20 – WBGA, One Hundred Forty-Sixth Special Meeting of Executive Directors, January 28, 1958.

21 – Ministry of Finances' view has been made public on the economic newspaper *Nihon Keizai Shimbun*, July 5, 1953.

FIGURE 4 **JAPANESE GENERAL BUDGET (GROSS FIGURE, 100 MILLION CURRENT \)**

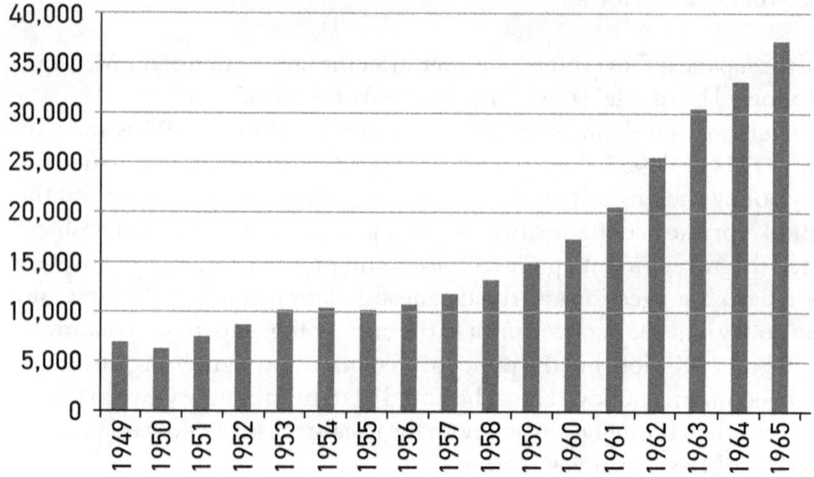

Source: Japanese Ministry of Finances

FIGURE 5 **JAPANESE GENERAL BUDGET (RATE OF ANNUAL INCREASE, %)**

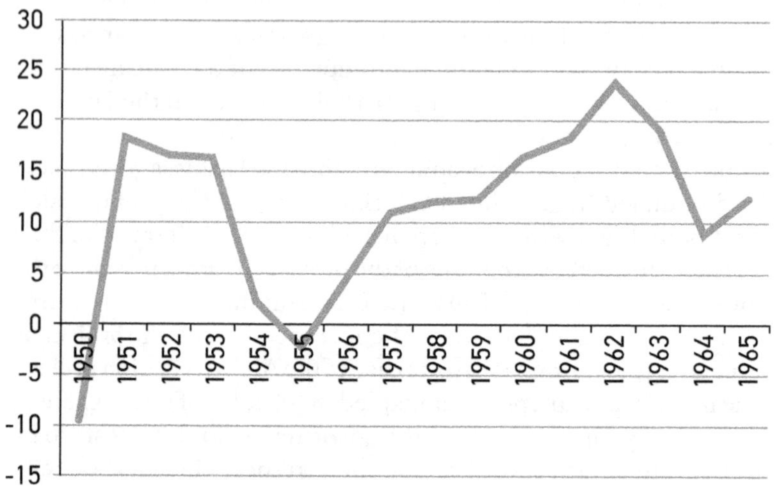

Source: Japanese Ministry of Finances

(1) "Considerable doubts are found" in the draft projects proposed by relating Ministries, "over their effects of the enterprises and possibilities of amortization".

(2) Government spending related to World Bank's lending "would easily cause inflation".

(3) Introducing foreign capital like that of the World Bank might lead to "interference in the management of the firm".

After the negotiation between the Japanese Government and the World Bank, the sum of the borrowing projects was reduced considerably to the level proposed by the Ministry of Finances. The initial projects were too much ambitious and the lack of priorities had already been critically mentioned by the Garner Report. In this context, the World Bank and the Ministry of Finances shared a common notion, to avoid the additional expenses and inflation. The rigid "economics" of the World Bank was thus translated into the debate in the Government, supporting the classical "treasury view" of the Japanese Ministry of Finances.

III. KAWASAKI STEEL'S BORROWING STRATEGY: PICKING UP A BIG SHARE IN THE WORLD BANK'S LENDING

As a managerial response to the above translation of the World Bank "economics", we shall consider Kawasaki Steel's Project launched in 1954. Kawasaki Steel Corporation originated in Kawasaki Shipbuilding Corporation, founded in 1878 by Shozo Kawasaki, formerly a marine merchant. Responding to the economic boom after the Russo-Japanese War, Kawasaki Shipbuilding established a steel division in 1906. During WWII, Kawasaki Shipbuilding launched steel production for military demand, and the company transformed into Kawasaki Heavy Industry in 1939. After the Japanese surrender, Kawasaki Heavy Industry was divided into a shipbuilding division and a steel division, following the initiative of the American occupation force General Headquarters to dissolve huge enterprise groups and in order to eliminate the Japanese military complex. Kawasaki Steel was thus founded in 1950 as a result of the American occupation policy.[22]

Kawasaki Steel was the focus of post-war Japanese reconstruction. The Japanese steel industry experienced an exceptional growth triggered by the "Kawatetsu [Kawaski Steel] paradigm" which "(...) induc[ed] one investment after another investment".[23] This ambitious strategy was that of Yataro Nishiyama, the CEO of Kawasaki Steel above mentioned. Recently, the above "Kawatetsu paradigm" history has been criticized and more nuanced images have been proposed,[24] although Kawasaki Steel still stands at the center of academic interest in Japanese growth.

22 – *Kawasaki Seitetsu 25 Nenshi [25 Years History of the Kawasaki Steel]*, 1976, p. 3-65; Seiichirou Yonekura, "Tekkou: sono Renzokusei to Hirenzokusei" ["Steel Firms: its continuity and discontinuity"] in *Sengo Nihon Keieishi [Postwar History of Japanese Businesses]*, Vol. 1, Toyo, Keizai Shimpousha, 1991, p. 290-298.

23 – See Seiichirou Yonekura, *The Japanese Iron and Steel Industry, 1850-1990: Continuity and Discontinuity*, Macmillan, 1994.

24 – Tetsuji Okazaki, "Tekkougyou: Tekkou Gourika Keikaku to HIkaku Yuui Kouzou no Henka" ["Steel Industry: Steel Production Modernization Plan and the Change in Comparative Advantage Structure"]

Why was Kawasaki chosen out of six major steel makers? Kawasaki Steel's Unique Strategy

In the course of the negotiation with the World Bank, the six major steel companies were competing to get lending on favorable terms. As shown in Figure below, tKawasaki steel was exceptionally favored by the World Bank's lending to the Japanese steel industry: Kawasaki was the only steel company that benefited from World Bank's lending three times; the total amount lent to Kawasaki ($34,000,000) was smaller than that of Sumitomo ($40,000,000), but the first lending signed on 19 December 1956 was impressive at the early stage of the World Bank's involvement in Japan.

Why was Kawasaki selected by the World Bank? It was the uniqueness of Kawasaki's plan which attracted the World Bank mission: Kawasaki's aim was to construct a full scale hot spring mill and cold strip mill at a seashore plant in Chiba, near Tokyo. Kawasaki's CEO, Yataro Nishiyama, invited Chester Case, a member of the Dorr mission, to inspect Kawasaki's Chiba factory in November 1953, and was successful in persuading this steel industrial consultant. Nishiyama's point was that his plan to construct a brand new factory in Chiba was more competitive than other companies' projects aiming at improving existing plants.[25] In this sense, the World Bank's "reconstruction" idea, backed by banker-minded "economics", was persuaded by Kawasaki's idea of "development".

FIGURE 6 **WORLD BANK LENDING TO THE JAPANESE STEEL INDUSTRY**

date of signature	firm	project	lending rate	amount lent (1000 USD)
25-Oct-55	Yahata	Thick Plate Rolling	4 5/8	5300
21-Feb-56	Nihon Kokan	Seamless Pipe	4 3/4	2600
19-Dec-56	Kawasaki	Hot and Cold Strip Mill	5	20000
29-Jan-58	Kawasaki	Blast Furnace and Coke Oven	5 5/8	8000
11-Jul-58	Sumitomo	Blast Furnace	5 5/8	33000
18-Aug-58	Kobe	Blast Furnace	5 5/8	10000
10-Sep-58	Nihon Kokan	Rotary Furnace	5 3/4	22000
12-Nov-59	Fuji	Blast Furnace and Rotary Furnace	6	24000
12-Nov-59	Yahata	Blast Furnace	6	20000
20-Dec-60	Kawasaki	Thick Plate Rolling	5 3/4	6000
20-Dec-60	Sumitomo	Combined Mill	5 3/4	7000

Source: Mitsuji Kashiwadani, *Nihon to Sekai Ginkou [Japan and the World Bank]*, World Bank Tokyo Office, 1985, p. 18-19.

in Haruto Takeda, Ed., *Nihon Sangyou Hatten no Dainamizumu [The Dynamism of the Japanese Industrial Development]*, University of Tokyo Press, 1993; Etsuo Abe and Yoshitaka Suzuki, eds., *Changing Patterns of International Rivalry: Some Lessons from the Steel Industry*, University of Tokyo Press, 1991.

25 – Hamada, "Kawasaki Seitetsu no Senkou Ikkan Keikaku to Segin Shakkan" ["Kawasaki Steel's Integrated Iron Steel Project and the World Bank Lending"], *op.cit.*, p. 59.

Nishiyama's plan was ambitious. The initial plan presented in 1950 aimed at producing 500,000 tons of crude steel per year and 350,000 tons of pig iron per year in one big factory. In 1950, the Japanese crude steel production per year totaled 2,500,000. As a consequence, Nishiyama's new factory meant to add 1/5 of national production capacity by one factory only.[26] Finally, Kawasaki's project was approved by the World Bank's Board thanks to Dorr and the member of the Mission Ripman's strong support in front of the Board.[27]

Kawasaki's favored plan fueled a harsh debate between Kawasaki and the other three major steel companies (Yahata, Fuji, Nihon Kokan). In fact, Kawasaki's initial plan represented 70% of the total request to the World Bank made by all steel producers in Japan.[28] The debate, although partly a result of jealousy, made clear the context of the World Bank's lending to Japan of the period.

The three major companies called into question Kawasaki's proposal of the producing system: "It is doubtful if perfectly modernized equipment could achieve considerable cost cut"; another negative comment focused on the process and cost to construct a thorough system, compared with "Fuji and Yahata which could establish the similar system with renovation in part"; finally, the three majors were alarmed that Kawasaki's plan would supply too much steel in excess of demand: "Modernized equipment is of no use with scarce demand; even the UK has only 3 strip mills which is the same as the Japanese steel industry; Germany and France have only two". Kawasaki replied: "It is natural for the Japanese steel industry to own one super-modernized model factory", "the strip equipment is a revolutionary technology to make a remarkable cost cutting", "Chiba plant is planned to be completed in 5 years and the demand for thin steel plate will not stay as present level".[29] In a letter sent to Robert McNamara, the President of the World Bank in 1975, when Kawasaki had fully repaid the loan, Kawasaki's president Ichiro Fujimoto revealed that the aim of the Chiba project was "to redeploy itself [Kawasaki] as an integrated steelmaker and get rid of its dependence on other steel firms for the supply of pig iron".[30] Finally, the project was accepted putting Kawasaki at the top, and the debate ceased without any conclusion. Up to the 1960s, the World Bank appraised Kawasaki's proposal, along with another big project by Sumitomo.[31]

26 – Yonekura, "Tekkou: sono Renzokusei to HIrenzokusei" ["Steel Firms: its continuity and dis- continuity"] *op.cit.*, p.292.

27 – The Board discussion over the Kawasaki's first project is now available online at the World Bank Group Archives website: WBGA, One Hundred Twenty-First Special Meeting of Executive Directors, December 14, 1956. In the discussion, Dorr and Ripman bluntly took up the weak points in the Japanese economy and the steel industry, while appraising Kawasaki's excellent management and technical superiority.

28 – *Kawasaki Seitetsu 25 Nenshi [25 Years History of the Kawasaki Steel], op.cit.* p. 559.

29 – "Deru Kugi wa Utareru: Segin Yuushi de Sainen shita Kawatetsu Mondai" ["The Nail which sticks out gets hammered down: Kawasaki Steel Issue refueled by the World Bank Lending"], 25 July 1954, *The Nihon Keizai Shimbun.*

30 – WBGA, 1377617-169519B, Kawasaki (03)-Japan-Loan 0272-P037439, correspondence, Ichiro Fujimoto to Mr. Robert McNamara, December 2, 1975.

31 – WBGA, 1878772-182722B, Kawasaki(03)/Kawasaki Steel III-Japan-Loan 0272- P037439-Negotia- tions, volume 1, correspondence, Akira Sasaki, Deputy Chief, Foreign Division, to Mr. Hugh Ripman, Chief, Industry

The World Bank's Criticism over Kawasaki: corporate governance questioned

The World Bank highly appreciated Kawasaki's project, but still had some important reserves before signing the loan. The World Bank's view, contrary to the rival companies' rather jealous opinion, had a great impact on Kawasaki's management.

First of all, the World Bank cast doubt on the fact that Kawasaki had paid over-generous dividends to its shareholders, and place too little profit in reserve for future investment. In reply to the World Bank's comment, Kawasaki stopped distributing dividends in 1953 and accumulated the reserve. Figure 7 below represents Kawasaki's dividends compared to the annual net profit from October 1950 to October 1955. We can observe the clear impact of the World Bank's loan on the dividend policy of this steel producer.

FIGURE 7 **KAWASAKI STEEL'S DIVIDENDS AND THE ANNUAL NET PROFIT (1950-60): IN 1000 CURRENT \, %**

	Oct-50	Apr-51	Oct-51	Apr-52	Oct-52	Apr-53	Oct-53	Apr-54	Oct-54	Apr-55	Oct-55
net profit	709,164	1,313,599	1,977,726	1,406,665	871,832	879,580	965,026	928,191	241,741	394,844	788,990
dividends	36,500	87,500	87,500	175,000	195,000	200,000	234,000	200,000	0	0	0
capital	500,000	500,000	500,000	1,000,000	2,000,000	2,000,000	4,000,000	4,000,000	4,000,000	4,000,000	4,000,000
annual rate of dividend (%	15	35	35	35	20	20	12	10	0	0	0
dividend payout ratio (%	5.1	6.7	4.4	12.4	22.4	22.7	24.2	21.5	0.0	0.0	0.0

	Apr-56	Oct-56	Apr-57	Oct-57	Apr-58	Oct-58	Apr-59	Oct-59	Apr-60	Oct-60
net profit	1,057,654	1,973,938	2,528,205	1,561,114	1,128,456	813,726	1,027,346	2,252,279	3,262,937	4,153,164
dividends	0	100,000	137,580	180,947	240,330	299,979	309,000	318,270	502,000	1,049,700
capital	4,000,000	4,000,000	6,100,000	9,378,750	9,613,219	10,000,000	10,300,000	10,609,000	16,731,770	17,500,000
annual rate of dividend (%	0	5	5	4	5	6	6	6	6	12
dividend payout ratio (%	0.0	5.1	5.4	11.6	21.3	36.9	30.1	14.1	15.4	25.3

Source: Kawasaki Seitetsu 25 Nenshi [25 Years History of the Kawasaki Steel], 1976, pp.764-775.

Secondly, the World Bank's criticism targeted not only the shareholders' ownership but also the banks' weak concern over the steelmaker's management. Kawasaki's shareholders, after the World Bank's loan, abandoned the old shareholder model and were changed into the newly established banker-supremacy. This process was spurred by the World Bank in the 1960s. The event which provoked this change was a recession in the steel industry from 1962. Nishiyama confessed the situation to the World Bank director: "Japan's steel market is, at present, in the extreme aggravation, and collection of sales accounts is also in the worst state... Being no exception to this, the Company [Kawasaki] has experienced deterioration of its financial position...".[32]

Division, May 21, 1960; Japan Development Bank, Kawasaki Steel Corporation, Appraisal of Proposed Project for IBRD Loan, Report no.S-2887.

32 – WBGA, 1878768-182722B, Kawasaki(03)/Kawasaki Steel III-Japan-Loan 0272- P037439, Admini- stration, volume 2, correspondence, Yataro Nishiyama to Mr. I.P.M.Cargill, Director, Department of Operation-Far East, October 24, 1962.

Under the recession, the World Bank required Kawasaki to maintain the debt/equity ratio of 50/50, in order to strengthen the financial structure of the company. In order to satisfy the ratio requirement, Kawasaki repeatedly issued new shares in the 1960s. The World Bank auditors, appreciating that "with a 1 for 2 share issue before April 30, 1964, Kawasaki was able to satisfy the required debt/equity ratio" but the steel price and the company's profit decreased due to the excess capacity of the steel industry. The World Bank inspectors forecast that Kawasaki would make "a 1 for 3 issue in the next 15 to 18 months if the 50/50 debt/equity ratio [was] not to be violated".[33] The World Bank demanded a strict policy from Kawasaki, as well as from the other rival steel makers, to maintain the debt/equity ratio on the one hand, and to gain more profit in order to increase the share capital on the other one.[34] The transformation of Kawasaki's shareholders, as shown in Figure 8, thus resulted in banker-supremacy, which was witnessed in other companies as well.

Concluding Remarks

The history of the World Bank's lending to Japan incarnated, from our point of view, a process of particular "translation" of economic paradigm among three actors: the World Bank, the Japanese Government and the Japanese firms. The World Bank in the 1950s experienced a drastic shift of "economics", from the development-friendly view inspired by the prewar Good Neighbor Policy to the banker-oriented austerity in the context of the post WWII reconstruction. The strict policy of lending by the World Bank under McCloy's and Black's presidency was expressed in neo-classical thinking. In relation to the Japanese case, this "economics" was translated into several Mission reports criticizing the Japanese economy. In the Cold-War context, Japan was surely a favored country of the World Bank's lending as shown in Figure 9 below, but it must be noted that the World Bank as a banker carefully watched the Japanese economy, and did not seek unlimited growth per se.

The Japanese Government welcomed the critics by the World Bank. The Japanese economy in the 1950s suffered from poor exports, lack of foreign reserves and repeated inflation. Under the fixed exchange rate system, the Government had to introduce a harsh deflation policy, which was unpopular but necessary. In these circumstances, the Government "translated" the World Bank's suggestion as if it were the prerequisite to obtain lending. Although the causal relation between the World Bank's Mission reports and the Government's deflation policy was not clear, as demonstrated in this article, the "translation" supported the Government view. Postwar growth, especially in the case of

33 – WBGA, 1878768-182722B, Kawasaki(03)/Kawasaki Steel III-Japan-Loan 0272-P037439, Administration, volume 2, Kawasaki Steel Corporation, Supervision Mission Report, March 9-April 21, 1965.

34 – WBGA, 1878768-182722B, Kawasaki(03)/Kawasaki Steel III-Japan-Loan 0272-P037439, Administration, volume 2, Situation, Prospects and Common Problems of the Six Japanese Steel Companies, April 20, 1964.

Japan, was often referred to as the Government's priority, but our study on the 1950s suggests a different view: the Government was deflation-minded, and taking care of foreign reserves instead of financing a high-rate growth. Price stability and not growth was their priority goal.

Japanese firms, finally, made good use of the World Bank's conditions in many ways: in the case of Kawasaki Steel, the "development" idea to construct a full-scale hot and cold strip mill factory won over the "reconstruction" projects of the rival companies; the demanding financial requirements of the World Bank led to repeated capital increase and a dramatic change for shareholders, from former ownership to banker supremacy.[35] The neo classical "economics" of the World Bank was "translated" into the Rhein-model Japanese type of capitalism. It is widely accepted in business history that Japanese corporate governance in the 1950s and the 1960s was under managerial control by the related companies and the banks, rather than by private shareholders' ownership. It is also a conventional view that the Japanese firms aimed at long term planning rather than at short term dividends. We have nothing to add about the above views, but one thing we could find was that the above structure was, partly at least, a product of the World Bank's lending policy, namely a particular "translation" led by the Japanese firms.

To add a future perspective, the three actors' thinking changed in the 1960s and the 1970s: the World Bank faced the revival of development economics and strengthened their lending policy under president Robert McNamara; the Japanese Government, backed by huge trade surplus and foreign reserves, implemented a high-growth policy, which led to unprecedented growth with inflation; Japanese steel firms, released with the World Bank's financial regulation, put more priority on investment and finally went into a huge M&A.[36] Every actor thus "re-translated" the change originated in the global context of development and business environment.

35 – In this sence, our article shares a fact found by Hamada's article, stressing Nishiyama's leadership in introducing the World Bank lending, although our understanding is that Nishiyama made a good use of the World Bank's opinion. As for the change in the corporate governance, it was out of Nishiyama's control. Our view on Nishiyama's personal leadership is, unlike Hamada's appraisal, relatively prudent. Cf. Hamada, Hamada, "Kawasaki Seitetsu no Senkou Ikkan Keikaku to Segin Shakkan" ["Kawasaki Steel's Integrated Iron Steel Project and the World Bank Lending"], op.cit.

36 – Our article differs on this point with Hidaka's excellent work, which does not pay attention to the contextual change that took place in the lending policy and borrowing strategy of the steel firms. Cf. Hidaka, Hidaka, "Tekkougyou no Setsubi Toushi to Segin Shakkan"["Equipment Investment in the Steel Industry and the World Bank Lending"], *op.cit.*

FIGURE 8 **KAWASAKI STEEL'S TEN LARGEST SHAREHOLDERS (1950, 1955, 1960, 1965): %**

	Oct-50	(%over total)
Kawasaki Heavy Industry	1,681,080	16.81
Yamamoto Trading Co.	950,000	9.50
Shinjo Steel material Co.	850,000	8.50
Kokura Trading Co.	600,000	6.00
Izuo Steel Plate Cutting Co.	500,000	5.00
Maya Trading Co.	450,000	4.50
Aoyama Special Steel Co.	350,000	3.50
Tokyo Marine and Fire Insurance Co.	150,000	1.50
Nippon Marine and Fire Insurance Co.	120,000	1.20
Daiichi Bank	100,750	1.00
Total 10 shareholders	5,751,830	57.51
	Apr-55	(%over total)
Kawatetsu Trading Co.	4,225,200	5.28
Yamaichi Securities Kobe Branch	2,154,700	2.68
Yamamoto Trading Co.	1,974,740	2.47
Kokura Trading Co.	1,649,920	2.06
Sumitomo Trust Bank Tokyo Branch	1,580,100	1.98
Izuo Steel Plate Cutting Co.	1,524,600	1.91
Mitsubishi Trust Bank	1,390,500	1.74
Yamaichi Securities	988,600	1.23
Tokyo Marine and Fire Insurance Co.	960,000	1.20
Nippon Life Insurance Co.	900,000	1.13
Total 10 shareholders	17,348,360	21.68
	Apr-60	(%over total)
Daiwa Bank	16,269,507	4.86
Mitsubishi Trust Bank	14,487,629	4.33
Sumitomo Trust Bank	12,152,499	3.63
Daiichi Bank	6,950,690	2.08
Kawatetsu Trading Co.	6,423,598	1.92
Tokyo Marine and Fire Insurance Co.	5,679,837	1.70
Diawa Securities	4,625,633	1.38
Nippon Life Insurance Co.	4,251,320	1.27
Mitsui trading Co.	3,829,633	1.14
Kawasaki Shipping Co.	3,499,524	1.05
Total 10 shareholders	78,169,870	23.36
	Apr-65	(%over total)
Daiichi Bank	42,896,275	3.21
Toyo Trust Bank	38,969,186	2.91
Daiwa Bank	34,865,500	2.61
Mitsubishi Trust Bank	32,067,952	2.40
Nippon Kyodo Securities	29,169,000	2.18
Mitsui Trust Bank	27,323,058	2.04
Nippon Securities Association	25,730,000	1.92
Sumitomo Trust Bank	25,148,297	1.88
Nippon Long Term Credit Bank	20,000,000	1.47
Nippon Life Insurance Co.	19,500,054	1.46
Total 10 shareholders	295,669,322	22.08

Source: Kawasaki Seitetsu 50 Nenshi [50 Years History of the Kawasaki Steel], 2000, p.391.

FIGURE 9 **WORLD BANK'S CUMULATIVE LENDING BY COUNTRIES: AS OF 1960 AND 1971 ($)**

	As of June 1960
India	517,060,000
Japan	313,276,000
France	259,397,000
Australia	237,399,000
Italy	227,821,000
Brazil	219,853,000
Mexico	158,816,000
UK	137,580,000
Belgium	130,819,000
Pakistan	129,472,000

	As of June 1971
India	2,558,288,975
Pakistan	1,130,650,101
Mexico	1,053,446,438
Brazil	998,291,274
Columbia	891,377,840
Japan	857,041,004
Iran	612,146,457
Yugoslavia	565,490,547
Argentina	509,102,049
Australia	417,730,000

Source: IBRD *Annual Report*, 1961, 1972.

SAMSUNG : LE MODÈLE DE CROISSANCE ENTRE EXEMPLARITÉ ET ORIGINALITÉ (1938-2007) [1]

Dominique Barjot
Professeur émérite d'histoire économique moderne, Sorbonne Université et Renmin University of China
Rang-Ri Park-Barjot
Docteur en histoire économique, Sorbonne Université

Introduction

Samsung ou la société « trois étoiles » a été créée en 1938 par Lee Byung Chull (1910-1987) [2]. Son sens des affaires associé à une réelle intuition confèrent au

1 – Cet article se fonde sur une recherche d'archives. Il en a résulté un livre : Rang-Ri Park-Barjot, *Samsung. L'œuvre d'un entrepreneur hors pair, Lee Byung Chull*, Paris, Economica, 2008, 266 p. Une première version de ce travail a été présentée au 17th WEHC de Kyoto (3-7 August 2015) sous le titre : "Samsung : the Model of Growth between Exemplarity and Originality", session S10080 *Multinationals from emerging and developing countries*: historical roots (Judith Clifton and Pierre Lanthier co-organizers).
2 – Rang-Ri Park-Barjot, « L'ascension d'un entrepreneur exceptionnel : Lee Byung Chull », in Dominique Barjot, Rang-Ri Park-Barjot, eds, « Aux origines du miracle coréen », *Conflits Actuels*, n° 22, 2008-2, p. 38-53.

groupe son originalité dans le monde des *chaebols* coréens (conglomérats)[3] où Samsung devient le symbole et l'archétype de tous les autres[4].

3 – Myung-Hun Kang, *The Korean Business conglomerate. Chaebol then and now*, Institute of East Asian Studies, University of California, 1996; Seung-Ho Kwon, Michael O'Donnell, eds, *The Chaebol and Labour in Korea: The Development of Management Strategy in Hyundai*, London, Routledge, 2001.

4 – Dominique Barjot, « Le miracle économique coréen (1953-2013). Réalités et limites », in *Outre-Terre. Revue européenne de géopolitique*, n° 39, avril-mai-juin 2014, p. 37-65. Voir également : Dominique Barjot, Rang-Ri Park-Barjot, dir., « Aux origines du miracle coréen », *Conflits Actuels*, n° 22, 2008-2; The Korean Overseas Information Service, *Handbook of Korea*, Jung Moon Sa Printing Co. Ltd., Seoul, Korea, 1978, 12th edition 2003; Byung-Nak Song, *The rise of the Korean Economy*, Oxford, Oxford University Press, 1997 ; Hyng-Koo Lee, *The Korean Economy. Perspectives for the Twenty-First Century*, New York, State University of New York Press, 1996; Byung-Nak Song, *The Rise of the Korean Economy*, Hong Kong, Oxford University Press, 1997 ; In-Joung Whang, *Economic Transformation of Korea, 1945-95: Issues and Responses*, Séoul, The Sejong Institute, 1997.

ABSTRACT

SAMSUNG: THE MODEL OF GROWTH BETWEEN EXEMPLARY AND ORIGINALITY

Of all Korean groups, Samsung is by far the best known in the world. Founded in 1938 by Lee Byung Chull (1910-1987), if it remains by far the most important one in South Korea, it imperfectly reflects the canonical model of the chaebol. As a matter of facts, it offers a good example of path dependency. In a first phase of its history, from 1938 to 1969, it was first interested in trade, before taking advantage of the massive reconstruction, which resulted from the Korean War, to enter industry (textiles and the food industry). While achieving a great breakthrough in international trade, the group successfully fitted in the successive priorities of economic development in South Korea, based on exports (petrochemical, shipbuilding, automotive, construction, engineering, electronics). Thanks to electronics, but also to engineering, it broke into the international market between 1969 and 1987. On the death of Lee Byung Chull, his son Lee Kun Hee made it a powerful American-style corporation, benefiting from an intense R & D effort and a growing competitive edge in electronics. This success rests, among other things, on an original social system, which draws largely on the sources of Neo-Confucianism. At the same time, the group was able to synthesize Japanese and American technologies and management methods.

RÉSUMÉ

De tous les groupes Coréens, Samsung est, de loin, le plus connu dans le monde. Créé en 1938 pat Lee Byung Chull (1910-1987), s'il reste de loin le plus important de Corée du Sud, il ne répond qu'imparfaitement au modèle canonique du chaebol. Il offre en effet un bon exemple de path dependency. Dans une première phase de son histoire, de 1938 à 1969, il s'est d'abord intéressé au commerce, avant de mettre à profit la reconstruction massive, qu'a entraîné la Guerre de Corée, pour se lancer dans l'industrie (textile et agroalimentaire). Tout en réalisant une belle percée dans le commerce international, le groupe s'inscrit avec succès dans les priorités successives du développement économique sud-coréen, basé sur les exportations (pétrochimie, constructions navales, automobile, BTP, ingénierie, électronique). Grâce à l'électronique, mais aussi à l'ingénierie, il s'impose, entre 1969 et 1987, sur le marché international. À la mort de Lee Byung Chull, son fils Lee Kun Hee en fait une puissante corporation à l'américaine, bénéficiant, grâce à un intense effort de recherche-développement, d'un avantage compétitif croissant dans l'électronique. Cette réussite repose, entre autres, sur un système social original, qui puise largement aux sources du néoconfucianisme. En même temps le groupe a su réaliser une synthèse entre les technologies et les modes de management japonais, américains et allemands.

JEL Classification: **D22, L63, N15, N65, N85**

Key words: **Korean economic miracle, electronics industry, export-oriented strategy, innovation, research development, chaebols, neo-Confucianism**

Mots clés: **Miracle économique coréen, industrie électronique, stratégie export-oriented, innovation, recherche développement, chaebols, néoconfucianisme**

TABLEAU 1 **LES PLUS IMPORTANTS GROUPS CORÉENS EN 2010**

		Chiffre d'affaires TTC (milliards de wons)	Total des actifs (milliards de wons)
1	Samsung Group	221	317,5
2	LG Group	115	69,5
3	Hyundai Kia Automobile Group[5]	107	128,7
4	SK Group[6]	105	85,9
5	GS Group[7]	49,8	39,0
12	LS Group[8]	20,5	14,5

Source : *The Bank of Korea's*, 2010 Report.

Malgré son attitude de diversification, son succès dans les domaines de l'électrotechnique et de l'électronique est dû à sa filiale la plus importante, Samsung Electronics.

TABLEAU 2 **LE TOP 10 DES SOCIÉTÉS CORÉENNES EN 2010**

		Chiffre d'affaires TTC (milliards de wons)	Total des actifs (milliards de wons)
1	Samsung Electronics	121,3	105,3
2	LG Holdings	90,2	64,7
3	SK Holdings	88,8	68,9
4	Hyundai Motors	79,7	103,2
5	LG Electronics	63,3	42,3
6	SK Energy	52,6	24,9
7	GS Caltex	34,4	18,0
8	Hyundai Heavy Industries	31,3	42,8
9	Samsung Life[9]	25,3	121,6
10	SK Networks[10]	22,2	25,5
15	LG Display[11]	16,3	17,3
18	LG Chem[12]	14,5	11,0
30	LG International[13]	11,3	3,7

Source : *The Bank of Korea's*, 2010 Report.

5 – Moteurs, acier et stocks.
6 – Énergie, télécommunications, négoce et construction.
7 – Énergie, commerce et construction.
8 – Acier, câbles et énergie.
9 – Assurances
10 – Négoce
11 – LCD
12 – Chimie
13 – Négoce

En utilisant les archives internes de la société, il est possible d'expliquer comment le succès de Samsung, comparé à ses concurrents coréens et étrangers, est le fruit de deux générations d'activité familiale. De plus, il est permis d'explorer l'influence culturelle du confucianisme sur le groupe. Sous la direction de Lee Byung Chull (et plus tard de son troisième fils, Lee Kun Hee), la société a été en mesure de s'adapter aux changements de la demande mondiale et aux goûts de la société coréenne, de réaliser une fusion entre le capitalisme néo-confucéen asiatique et le modèle américain de société. Entreprise pluridisciplinaire et managériale, elle a investi dans le capital humain pour combler le fossé technologique existant entre les États-Unis et l'Europe de l'Ouest, puis continue à assumer le *leadership* du flux d'innovations qui caractérise « l'ère numérique »[14]. L'histoire du groupe Samsung se divise en trois périodes. La première correspond à l'apprentissage de l'entreprise. La deuxième partie explique comment le groupe Samsung a bénéficié des activités de Lee Byung Chull sur les marchés intérieurs et extérieurs. La troisième partie examine l'héritage de Lee Byung Chull aujourd'hui, et les changements introduits sous la direction de Lee Kun Hee.

1/ "LEARNING BY DOING" (1938-1969)

La première période correspond à l'apprentissage de l'entreprise, étayé par les théories de l'économiste américain Kenneth J. Arrow. La société, à ce stade, « apprend par la pratique » (*learning by doing*) selon le plan évolutionniste décrit par Richard R. Nelson, selon une « dépendance de sentier » (*path dependency*).

1.1 / Création de Samsung (1938-1953)

L'histoire de Samsung débute pendant l'occupation japonaise, période d'exploitation économique et de modernisation forcée[15]. Né en 1910, Lee Byung Chull a reçu une solide éducation confucéenne. Devenu un chef de file dans le secteur du polissage du riz, en 1936, il s'intéressait également beaucoup au transport et à l'immobilier. L'entreprise Samsung Sanghoi (Samsung General Store) fut créée en 1938. Plus tard, après l'indépendance du pays, a été fondé Samsung Moolsan Gongsa (Samsung Corporation), vite devenue l'une des premières du pays.

14 – « Clin d'œil : Samsung, un nouveau modèle de gestion pour faire face à la mondialisation », *Entreprise et Histoire*, n° 32, 2003, p. 177.

15 – Dominique Barjot, Rang-Ri Park-Barjot, La société coréenne face à l'impérialisme japonais (1875-1945) : entre exploitation économique, modernisation forcée et assimilation », in Jean-François Klein, Claire Laux, *Les sociétés coloniales à l'âge des empires : Afrique, Antilles, Asie (années 1850-années 1950)*, Paris, Ellipses, 2012, chapitre 7, p. 96-104.

TABLEAU 3 **POSITION DE SAMSUNG PARMI LES ENTREPRISES CORÉENNES DU COMMERCE INTERNATIONAL EN 1950** (sur 543 entreprises enregistrées auprès du Ministère du commerce et de l'industrie)

1	CheonU Sa
2	DongA Sangsa
3	Hwashin Saneop
4	Miju Sangsa
5	Namyang Muyeok
6	Samsung Moolsan Gongsa

Source : Samsung Group, *Samsung, fifty years of history* (in Korean), Seoul, Samsung printing office, p. 97.

1.2 / Reconstruction et substitution aux exportations (1950-1960)

Les années 1950 ont été marquées par la reconstruction et la substitution des exportations (1950-1960). Les lourdes conséquences de la guerre de Corée (dans le sud du pays, 450 000 personnes sont mortes ou ont disparu, la plupart des villes ont été détruites et le pays divisé) ont obligé Samsung à tout recommencer[16]. La reconstruction, puis la stabilisation de l'économie à partir de 1957, ont créé de nouvelles conditions pour l'activité de l'entreprise. Parvenue au seuil de la faillite, Samsung Moolsan s'est redressée grâce à la politique nationale de substitution des importations. Cette stratégie a permis à Samsung de réaliser des investissements dans divers secteurs tels que le sucre (Cheil Jedang) et le textile (Cheil Mojik). En effet, le 1er août 1953, Lee Byung Chull crée à Busan la société à responsabilité limitée Cheil Jedang (Cheil Sugar) au capital de 20 millions de wons[17]. La société Cheil Jedang connaît dès lors une forte croissance : sa production est multipliée par 3,8 entre 1954 et 1959. Elle est toutefois confrontée à une concurrence croissante : sur 100 % de la production nationale d'origine, sa part est tombée à 63 % en 1959. C'est pourquoi l'Association coréenne du sucre est née en mars 1956. Elle a pour but de contrôler une concurrence excessive. Cette entente regroupe sept sociétés dominantes. Au cours de la période, la rentabilité d'exploitation a diminué, ainsi que celle du capital. C'est pourquoi Samsung tente l'aventure de l'industrie textile.

Bien que la production de l'industrie textile ait fortement augmenté en 1951 et 1952, la production ne peut pas satisfaire la demande nationale[18]. Lee Byung Chull décide alors de diversifier ses activités dans le secteur du textile. À cette époque, la prospérité caractérise ceux que nous appelons les « trois blancs » (tissus de coton, farine et sucre). Cependant, c'est l'industrie cotonnière qui offre les meilleures perspectives internationales. Cheil Mojik naît le 15 septembre

16 – Rang-Ri Park-Barjot, "Les conséquences économiques de la guerre : la Corée du Sud de 1950 à 1979, de l'économie assistée au Take-off", in Pierre Journoud, dir., *La Guerre de Corée et ses enjeux stratégiques de 1950 à nos jours*, paris, L'Harmattan, 2013, p. 303-318.

17 – Samsung Group, *Samsung, fifty years of history*, *op. cit.*, p. 120-121.

18 – *Ibid.*, p. 129.

1954 à Daegu. Lee Byung Chull établit trois principes : s'appuyer sur le capital national ; obtenir des devises étrangères afin d'assurer le développement de la société ; offrir de meilleures conditions de travail aux travailleurs. Contrairement à l'opinion générale des chefs d'entreprise coréens, Lee Byung Chull estime qu'il lui est nécessaire de posséder une grande usine de niveau international afin de produire des articles de qualité au meilleur prix. Lee réunit les fonds nécessaires au moyen d'un emprunt contracté auprès de la Banque coréenne pour l'industrie, puis de l'aide de la Foreign Office Administration (FOA) pour le solde de l'emprunt.

Reste à commander des machines. Cheil Mojik s'adresse aux Japonais. Ceux-ci traînent les pieds. En effet, avec Cheil Jedang, ils ont perdu le marché du sucre coréen. Les machines importées sont donc allemandes et non japonaises. Cette commande constitue le premier transfert de technologie effectué volontairement par une entreprise privée coréenne depuis le début de l'industrialisation coréenne. Grâce à sa marque Golden Tex, les textiles étrangers perdent des parts de marché. En effet, la production de Cheil Mojik a rapidement augmenté. En conséquence, la part de Cheil Mojik dans la production nationale passe de 15,1 % en 1956 à 35 % en 1959. Pendant trois ans, la gestion demeure déficitaire. Mais, grâce à l'amélioration de la qualité des fils de laine et des tissus, la société rééquilibre ses comptes à partir de 1958. À l'origine, l'entreprise n'employait que 62 personnes. Mais elle recrute un personnel important. Au début de 1957, la société compte déjà 995 employés contre 3 645 en 1986.

La société commence à se diversifier dans les secteurs de la banque et de l'assurance, ce qui ouvre la voie à la reconstitution du groupe et à la mise en place de ses principes de gestion de base. En 1958, le groupe de Lee Byung Chull contrôle environ la moitié du capital des banques commerciales coréennes, grâce au rachat, en 1957, de la State Bank Heung Eup Bank, première banque commerciale coréenne. Dans le même temps, Samsung a de plus en plus besoin d'être présent dans l'assurance maritime. C'est la raison pour laquelle le groupe rachète Ahnkook Fire Insurance le 21 février 1958. En fait, Samsung a commencé à créer un groupe à partir du milieu des années 1950. Le groupe s'est développé tantôt par des créations de sociétés, tantôt par des acquisitions, tantôt par des prises de participation. Après le rachat en bourse de Cheon Il, en août 1957, le groupe acquiert successivement Sambo Cement en janvier 1958, puis Korea Tire (pneumatique) et en décembre Dongil Bangjik (industrie textile). Ce succès prématuré du groupe Samsung se comprend notamment par l'importance accordée aux ressources humaines. Il reposait sur différentes pratiques:

1 / examen d'entrée dans l'entreprise ;

2 / cours de formation obligatoires pour tous les employés ;

3 / évaluation des compétences et de la qualité des employés pour toutes les promotions à un niveau hiérarchique supérieur ;

4 / récompenses à l'innovation technologique sous forme de prix ;

5 / institution d'un prix du mérite, afin de récompenser les meilleurs employés.

1.3 / Se démarquer dans le monde des affaires mondial (1960 -1969)

De 1960 à 1969, le groupe commence à se distinguer réellement dans le monde des affaires mondial. Grâce à une stratégie d'exportation active, il atteint sa maturité au cours de cette période. Face aux nouvelles stratégies de développement définies par le président coréen Park Chung-Hee, Samsung lance une production d'engrais chimiques (la société Hanbi). C'est un échec. L'intérêt de Samsung pour le secteur des engrais artificiels datait de la fin des années cinquante[19]. À cette époque, la Corée dépensait chaque année 70,1 millions de dollars pour importer ce type d'engrais. Lee Byung Chull souhaitait construire une usine dernier modèle capable de concurrencer les étrangers et de satisfaire ainsi la demande nationale. Mais la plus grande difficulté réside dans la réunion des fonds nécessaires, trop importants pour seulement Samsung. Pourtant, le groupe ne pouvait pas demander d'aide au gouvernement, car le taux de change n'était pas favorable au pays. Il n'y avait pas d'autre solution que d'emprunter à l'étranger. Mais le projet a été retardé par les réticences américaines ainsi que par les difficultés économiques, sociales et politiques de la Corée. Le 27 août 1964, Hanguk Bilyo (engrais artificiels de Corée, Korea Fertilizer Co., Ltd.) est enfin né. Le gouvernement n'accorde plus son soutien, car les Américains s'y opposent. Lee Byung Chull réussit cependant à les convaincre de le laisser acquérir les brevets, alors que la Corée et le Japon rétablissent leurs relations diplomatiques. Le 20 avril 1967, Park Chung Hee inaugure l'usine Hanbi. L'euphorie ne dure pas, car éclate une « affaire Hanbi ». Elle a commencé le 16 septembre 1966 et implique directement le fils aîné de Lee Byung Chull. Le 18 octobre, Lee Byung Chull cède 51 % du capital de Hanbi au gouvernement. Clôturée de manière définitive, cette affaire laisse une image négative de Samsung.

À l'époque de Park Chung-Hee, depuis 1961, l'exportation est devenue le principal objectif du développement économique coréen[20]. C'est une forme de réponse à l'interruption de l'aide américaine. Dans les années 1950, Samsung a opté pour l'industrialisation par substitution des importations. Mais désormais, il faut produire à la fois pour les masses et l'exportation, en adaptant l'organisation de l'entreprise à ces nouveaux objectifs. Par conséquent, le groupe se réorganise de manière rationnelle en vue d'exporter. La Samsung Moolsan Corporation est devenue un élément important de la stratégie coréenne d'exportation. En conséquence, le groupe Samsung réalise une percée spectaculaire à l'étranger.

19 – Samsung Group, *Samsung, fifty years of history*, *op.cit.*, p. 164-171.

20 – Myung-Soo HWANG, "The creation of Samsung Corporation and the entrepreneurial activity of HoAm, Lee Byung Chull", in "Byung Chull Lee, founder of Samsung", *Business History*, The Korean Academy of Business Historians, Special Issue, 4, 1989, p. 1-24.

TABLEAU 4 **PERCÉE DU GROUPE SAMSUNG À L'ÉTRANGER (IMPLANTATION D'AGENCES)**

1964	Suède et Royaume-Uni
1965	Danemark, Canada et Suisse
1966	Allemagne, États-Unis, Éthiopie, Norvège et Pays-Bas

Source : Samsung Group, *Samsung, fifty years of history*, *op.cit.*, p. 185.

Le groupe Samsung occupe une place importante dans le processus coréen d'industrialisation. Il est très présent dans le secteur de la consommation, grâce aux usines de Cheil Mojik (textile), de Cheil Jedang (sucre) et de Cheonju Jeiji (papier). En effet, Lee Byung Chull n'a pas abandonné les industries qui avaient permis son succès initial. Dans le cas de Cheil Mojik (Cheil Woolen Fabrics Industries), la production se trouve entravée par la confrontation employeurs-syndicats, par des difficultés financières et de vente, ainsi que par la procédure visant l'accumulation de propriétés par voies illicites, à partir du 19 avril 1960. Néanmoins, grâce à l'activité de son département études et recherches, la société est en mesure de réagir rapidement à toute transformation du marché. Cheil Mojik obtient le label Woolmark en 1965 : elle est la première société coréenne à en bénéficier. Entre 1961 et 1970, Cheil Mojik lance douze nouveaux produits et obtient, en mai 1969, le prix de l'invention qui récompense pour la première fois une entreprise textile.

Au début des années 1960, l'industrie sucrière se heurtée à des difficultés tant internes qu'à l'exportation[21]. C'est ainsi que Cheil Jedang a commencé à fabriquer des composants chimiques, d'où l'acquisition, dès le 28 décembre 1963, de la société Wonhyeong. Sous la marque Mipoung, Cheil Jedang a souhaité produire des constituants de qualité. En mai 1969, Lee Byung Chull est autorisé par le gouvernement coréen à opérer un transfert de technologie depuis Ajimonoto, une société japonaise. De plus, à partir d'octobre 1965, Samsung acquiert le papetier SaeHan. En effet, le groupe vient de lancer JoongAng Broadcasting Corporation, qui produit un journal, un magazine et dispose d'un bureau d'édition. De plus, Samsung a opté pour l'exportation de biens à forte valeur ajoutée : c'est ainsi que Samsung Electronics est fondée en 1969. La société répond ainsi aux besoins croissants du marché national.

Celui-ci pousse Samsung à s'intéresser au secteur des services : assurances, distribution (Shinsegae), activités de santé, immobilier (Donghwa Real Estate à partir de 1963, puis JoongAng Development en 1968), mais aussi aux médias, notamment à la télévision. Sans renoncer à sa spécialité initiale, l'assurance incendie Ahnkook a diversifié ses activités vers l'assurance maritime et l'assurance automobile. Samsung poursuit son implantation dans le secteur des assurances, avec les acquisitions successives des sociétés Ahnbo, en novembre 1962, puis Dongbang, en juillet 1963. Samsung opère également une percée dans le commerce de détail, avec le grand magasin Shinsegae Grand magasin,

21 – Samsung Group, *Samsung, fifty years of history*, *op.cit.*, p. 197-200.

successeur du grand magasin Mitzcoshi, créé en 1930 pendant l'occupation japonaise en Corée. C'est une réussite. Samsung lance aussi le journal *JoongAng Ilbo*, définitivement fondé par Lee Byung Chull le 17 mars 1965. Grâce à une gestion rationalisée et à une modernisation de la rédaction, *JoongAng Ilbo* connaît désormais une croissance soutenue.

En outre, Samsung soutient le développement de la radio et devient un pionnier de la télévision privée. À cette époque, en 1965, Lee Byung Chull manifeste déjà depuis un certain temps son intérêt pour la radio : fondateur de Radio Séoul le 25 juin 1963, puis de JoongAng Broadcasting Corporation le 15 novembre 1965, l'entreprise est présente au même moment dans l'édition (*JoongAng Ilbo*), la radio et la télévision. À partir du 11 février 1963, Byun Chull Lee crée la télévision Dongyang. Peu de temps après son lancement, Dongyang Television rejoint JoongAng Broadcasting Corporation. Cependant, le gouvernement demande un changement de nom en raison d'une possible confusion avec la chaîne publique KBS JoongAng. JoongAng a donc adopté le nom de la société Dongyang : TBC. Malgré la création, en août 1969, d'une nouvelle chaîne privée coréenne, MBC, TBC apparaît alors comme l'antenne bénéficiant du plus fort auditoire. En dépit de relations parfois difficiles avec le gouvernement de Park Chung Hee, ou peut-être à cause de celles-ci, le *chaebol* Samsung assume des responsabilités sociales toujours plus grandes : par exemple, création de bourses Samsung pour étudiants en 1964, création de Samsung Culture Fondation et acquisition de l'université Sungkyunkwan en 1965, création de l'hôpital Koryeo en 1966. Samsung redistribue ses gains à la société coréenne à travers des universités et des fondations.

2 / ACCÈS À L'ENTREPRISE MULTINATIONALE (1969-1987)

Le groupe Samsung bénéficie des activités de Lee Byung Chull, tant sur le marché intérieur qu'à l'étranger[22].

2.1 / Rôle croissant sur le marché international (1953-1986)

De 1953 à 1986, Samsung joue un rôle important sur le marché international. Le groupe offre un exemple de croissance très rapide.

22 – Rang-Ri Park-Barjot, « Mondialisation et avantage concurrentiel. La percée internationale de Samsung (1953-1986) », *Revue Économique*, vol. 58, n° 1, janvier 2007, p. 231-258.

TABLEAU 5 **CROISSANCE DU CHIFFRE D'AFFAIRES TTC DU GROUPE SAMSUNG (1953- 1986)**
(taux de croissance annuels moyens en % et en wons constants).

1953-86	+ 15,5
1953-60	+ 12,1
1960-65	+ 8,3
1965-72	+ 14,0
1972-78	+ 19,4
1978-86	+ 14,7

Source : Samsung Group.

Cette forte croissance des ventes est portée, de 1953 à 1986, par les exportations.

TABLEAU 6 **CROISSANCE DU CHIFFRE D'AFFAIRES TTC DU GROUPE SAMSUNG EN MÉTROPOLE ET À L'EXPORTATION** (1953-1986, en % et en wons constants)

	Ventes intérieures	Ventes à l'exportation
1953-1986	+ 14,6	+ 20,8
1953-59	+ 20,1	0
1960-65	+ 5,4	+ 56,3
1966-72	+ 14,2	+ 12,4
1973-78	+ 17,1	+ 24,5
1979-86	+ 12,9	+ 15,8

Source : Samsung Group.

Toutefois, le marché national cesse de peser très lourd dans le développement du groupe, en particulier de 1966 à 1972, années où il constitue l'élément le plus dynamique.

TABLEAU 7 **POIDS DES DIFFÉRENTES RÉGIONS EN TERMES DE CHIFFRE D'AFFAIRES TTC**
(en % du total par période et en wons constants)

	Ventes intérieures	Ventes à l'exportation	Total
1953-86	50,1	49,9	100
1953-59	99,9	0,1	100
1960-65	91,9	8,1	100
1966-72	78,9	21,1	100
1973-78	57,6	42,4	100
1979-86	49,6	50,4	100

Source : Samsung Group.

En longue période, les ventes nationales dépassent de peu les exportations. Les premières restent cependant très largement dominantes jusqu'en 1972.

Quant aux exportations, elles gagnent beaucoup en importance relative de 1973 à 1978, et deviennent majoritaires à partir de 1979.

L'une des caractéristiques du groupe Samsung, correspondant au modèle du *chaebol*, réside, jusqu'en 1986 au moins, dans son degré élevé de diversification (Tableau 8).

TABLEAU 8 **POIDS RELATIF DES DIFFÉRENTS SEGMENTS D'ACTIVITÉ EN TERMES DE CHIFFRE D'AFFAIRES TTC** (en % du total et en wons constants)

	1975	1986
Industries textiles et alimentaires	35	7
Électronique et industries lourdes (chimie)	15	30
Activités d'import/export	33	29
Services et assurances	13	33
Activités culturelles (philanthropiques)	4	1

Source : Samsung Group.

Face à la double pression d'un marché en mutation et à une augmentation constante des coûts, Samsung définit une stratégie de croissance efficace. Cette croissance est favorisée par une main-d'œuvre plus productive, des investissements importants pour améliorer l'efficacité de la production et une forte volonté d'acquérir de nouvelles technologies. Cette réorientation des activités s'opère sans doute en fonction de choix stratégiques délibérés, mais également sous la pression des coûts de production. Sur l'ensemble de la période, les charges d'exploitation représentent en effet une part du chiffre d'affaires toutes taxes comprises supérieure à 85 % (Tableau 9).

TABLEAU 9 **STRUCTURE DU COMPTE D'EXPLOITATION DU GROUPE SAMSUNG** (% par période, en wons constants)

	Chiffre d'affaires TTC	Charges d'exploitation	Résultat d'exploitation
1953-1986	100	86,6	13,4
1953-1959	100	84,7	15,3
1960-1965	100	76,1	23,3
1966-1972	100	78,2	21,8
1973-1978	100	72,6	27,4
1979-1986	100	87,4	12,6

Source : Samsung Group.

Le groupe semble cependant avoir maîtrisé la hausse des coûts, comme le montre l'évolution du résultat brut d'exploitation (Tableau 10).

TABLEAU 10 **TAUX DE CROISSANCE ANNUEL MOYEN DU CHIFFRE D'AFFAIRES TTC, DES COÛTS D'EXPLOITATION ET DU RÉSULTAT OPÉRATIONNEL DU GROUPE SAMSUNG** (en % par période et en wons constants)

	Chiffre d'affaires TTC	Charges d'exploitation	Résultat d'exploitation
1953-86	+ 15,5	+ 15,5	+ 15,7
1953-59	+ 20,0	+ 20,2	+ 23,1
1960-65	+ 8,3	+ 7,4	+ 13,7
1966-72	+ 11,2	+ 14,0	+ 4,5
1973-78	+ 19,4	+ 18,5	+ 22,1
1979-86	+ 14,2	+ 14,3	+ 10,8

Source : Samsung Group.

Au cours des années 1953 à 1986, le groupe mobilise des quantités croissantes de facteurs de production physiques, réalise des gains de productivité substantiels et favorise l'innovation. En fait, le groupe emploie plus de 147 000 personnes en 1986 contre à peine plus de 250 en 1953. Les effectifs ont progressé, tout au long de la période, à un rythme soutenu. Néanmoins, leur croissance est presque deux fois moins rapide en moyenne que celle des ventes (Tableau 11).

TABLEAU 11 **TAUX DE CROISSANCE ANNUEL MOYEN DU CHIFFRE D'AFFAIRES TTC, DES EFFECTIFS MOYENS ET DE LA PRODUCTIVITÉ ANNUELLE DU TRAVAIL DU GROUPE SAMSUNG** (en % par période et en wons constants)

	Chiffre d'affaires TTC	Effectifs moyens employés	Productivité annuelle du travail
1953-86	+ 15,5	+ 8,3	+ 7,2
1953-60	+ 19,6	+ 12,1	+ 7,5
1960-65	+ 8,3	+ 8,2	+ 0,1
1965-72	+ 14,0	+ 5,4	+ 8,6
1972-78	+ 19,4	+ 10,3	+ 9,1
1978-86	+ 14,7	+ 6,1	+ 0,6

Source : Samsung Group.

Le groupe Samsung connaît, entre 1953 et 1986, de spectaculaires gains de productivité du travail. Ces gains de productivité du travail entraînent toutefois des investissements importants. Loin de la stratégie de conglomérat des autres *chaebols* coréens, le groupe Samsung donne la priorité à la croissance organique, en s'efforçant d'autofinancer autant que possible ces investissements.

TABLEAU 12 **RÉPARTITION DES INVESTISSEMENTS ENTRE CROISSANCE INTERNE ET CROISSANCE EXTERNE DE 1954 À 1986** (en % par période et en wons constants)

	Formation brute de capital fixe productif	Investissements financiers	Formation brute de capital fixe totale
1954-86	88,1	11,9	100
1954-59	60,8	39,2	100
1960-65	89,2	10,8	100
1966-72	76,6	23,4	100
1973-78	87,7	12,3	100
1979-86	86,9	13,1	100

Source : Samsung Group.

Cette priorité dans la croissance organique est en fait imposée par la demande et les nécessités de la compétitivité. L'option choisie en faveur de l'exportation nécessite notamment un effort constant et massif d'investissement (Tableau 13).

TABLEAU 13 **EFFORT DE FORMATION DE CAPITAL TOTAL (1) DU GROUPE SAMSUNG DE 1954 À 1986** (en % par période et en wons constants)

1954-1986	17,5
1954-1959	11
1960-1965	25,9
1966-1972	28,9
1973-1978	23,1
1979-1986	17,1

(1): Formation brute de capital fixe total /chiffre d'affaires TTC

Source : Samsung Group.

À partir de 1973, se produit un ralentissement de l'effort d'investissement. Il est corrélatif d'une reprise du taux d'autofinancement des investissements (Tableau 14).

TABLEAU 14 **ÉVOLUTION DU TAUX D'AUTOFINANCEMENT (1)** (en % par période et en wons constants)

1954-1986	56,9
1954-1959	42,4
1960-1965	59,0
1966-1972	27,2
1973-1978	51,1
1979-1986	57,6

(1) Défini par le rapport autofinancement brut / formation brute de capital fixe

Source : Samsung Group.

Avec un taux moyen d'environ 57 %, le groupe Samsung fait plutôt bonne figure. Il se situe sur toute la période, à un niveau sensiblement supérieur à celui des autres chaebols.

Dans sa quête du contrôle technologique, le groupe Samsung à la fois engage d'importantes dépenses de recherche et développement et de formation. En effet, l'effort de recherche et développement augmente de façon spectaculaire, notamment à partir de 1983 (Tableau 15).

TABLEAU 15 **ÉVOLUTION DE L'EFFORT DE R & D (1) DE 1975 À 1986**
(en % par période et en wons constants)

1975-78	3,6
1979-82	4,1
1983-86	9,6

(1): défini par le ratio dépenses de R & D / chiffre d'affaires TTC.
Source : Samsung Group.

Ces dépenses s'accroissent de plus en plus rapidement au cours de la période et, à partir de 1978, à un rythme supérieur à celui des ventes. D'une logique d'imitation, le groupe Samsung passe ainsi de plus en plus dans une stratégie d'innovation.

Une rentabilité élevée qui assure l'indépendance crée une base solide pour l'entreprise. Samsung enregistre une forte hausse de ses bénéfices et, malgré la levée tardive des contraintes financières, le groupe maintient son objectif de maintenir un équilibre entre autofinancement et bénéfice distribué (Tableau 16).

TABLEAU 16 **RÉPARTITION DES BÉNÉFICES DU GROUPE SAMSUNG**
(en % par période et en wons constants)

	Marge brute d'exploitation	Bénéfices distribués	Autofinancement brut
1954-86	100	26,7	73,3
1954-59	100	40,5	59,5
1960-65	100	29,3	70,7
1966-72	100	53,9	46,1
1973-78	100	15,7	84,3
1979-86	100	27,2	72,8

Source : Samsung Group.

L'équilibre financier mondial ayant été atteint, le groupe peut se concentrer sur son objectif le plus important : atteindre une rentabilité élevée afin de mettre fin à la dégradation de l'indépendance financière. Cette stratégie efficace entraîne une progression régulière du rendement des capitaux propres dans le groupe (Tableau 17).

TABLEAU 17 **ÉVOLUTION DU RATIO DE RENDEMENT DU CAPITAL**
(Résultat brut d'exploitation / immobilisations brutes totales , en % et en wons constants)

1953-1986	59,1
1953-1959	64,4
1960-1965	77,3
1966-1972	39,0
1973-1978	112,4
1979-1986	56,0

Source : Samsung Group

2.2 / Le défi du commerce international et de l'industrie lourde (1970-1979)

Dans les années 1970, le groupe Samsung a relevé le défi du commerce international et de l'industrie lourde. La Corée du Sud opte alors pour une croissance auto-induite et Samsung s'adapte à un nouveau contexte. Samsung Moolsan se transforme en une société de négoce, sur le modèle japonais, tandis que Samsung Construction réalise une croissance spectaculaire sur le marché international. Le groupe axe ses efforts sur les industries lourdes et chimiques (pétrochimie, construction navale et défense). En effet, les années 1970 sont contrastées, à la fois en raison de facteurs favorables et défavorables : deux crises pétrolières et trois crises monétaires majeures. Dans ce contexte, Samsung prend la tête du développement économique coréen en investissant dans l'industrie électronique, l'industrie lourde et la chimie. Tout d'abord, Samsung Moolsan atteint le premier rang des grandes entreprises commerciales coréennes. Samsung Moolsan se transforme, à partir de mai 1975, en société de commerce en général, ouvrant la voie à une dizaine d'autres. Désormais cotée en bourse, la société procède, entre 1975 et 1978, à quatre augmentations de capital, celui-ci étant multiplié par huit au cours de la période. Le groupe Samsung continue d'exporter des tissus. Ils sont produits par sa filiale Cheil Hapseom (Cheil Synthetic), spécialisée dans les matériaux synthétiques, qui s'est séparée en juillet 1972 de Cheil Mojik. La société renforce sa puissance de marché à l'intérieur, tout en exportant, grâce à Samsung Moolsan, dans quarante pays.

L'exportation ne se limite pas aux produits manufacturés. En février 1977, le groupe se dote d'une filiale de génie civil et d'ingénierie : Samsung General Construction. Il s'agit de faire face, selon le principe de l'entreprise générale, au *boom* de la construction que connaît alors le Moyen-Orient. À cet égard, l'élément déterminant est le rachat de la société Shinweon Gaebal (Développement), née en juillet 1978. Au moment de son rachat, elle est installée en Irak, en Iran et en Libye, pays n'ayant pas établi de relations diplomatiques avec la Corée. Samsung continue à développer l'activité de Shinweon. Déjà installé en Irak, en Iran et en Libye, le groupe s'établit à Londres en septembre 1978, à Riyad en Arabie saoudite en décembre. Parallèlement, Samsung envoie à l'étranger un certain nombre d'employés pour se familiariser avec les technologies de pointe. D'importants contrats ne tardent pas d'ailleurs, notamment en Libye : le groupe Samsung s'engage donc dans une réorientation à grande échelle vers l'ingénierie et le génie civil, et plus encore, l'industrie lourde et les industries de haute technologie.

Cette réorientation s'applique dans une double direction : l'ascension des industries lourdes et chimiques ; la percée dans l'industrie électrique et électronique. À la fin de 1972, Lee Byung Chull fait de l'industrie lourde une priorité pour le groupe. Il s'agit de stimuler les exportations : entre 1972 et 1977, la part de la production exportée passe de 15 à 37,4 %. Cette volonté s'exprime par la création de quatre grandes filiales : Samsung Petrochemistry, le 10 juillet 1974 ; Samsung Heavy Industries, le 5 août 1974 ; Samsung Shipbuilding, en avril 1977 ; Samsung Defence Industrie, en août 1977. Samsung Petrochemistry naît de la volonté de Samsung de se distinguer dans le secteur des tissus synthétiques. Dans ce but, Samsung crée une *joint-venture* avec le groupe américain Amoco Chemicals (35 % du capital) et des intérêts japonais (15 %). Malgré les effets encore perceptibles de la deuxième crise pétrolière, Samsung dépasse de 30 % en décembre 1980 ses objectifs de production.

Dans son troisième plan de développement économique (1972-1976), le gouvernement coréen a désigné la construction navale comme principale industrie à développer. En mars 1974, un accord de coentreprise est signé avec le groupe japonais IHI en vue du rachat de Woojin Shipbuilding, qui connaît des difficultés financières. Il en résulte la création de Samsung Heavy Industries, dont le capital est divisé entre Samsung (75 %) et IHI (25 %). Le développement de l'activité du chantier de construction conduit dans un deuxième temps à la fondation, le 22 avril 1977, de Samsung Shipbuilding Co, aujourd'hui Samsung Heavy Industries Co., Ltd. Au mois de mai suivant, Samsung acquiert Daesong Heavy Industries. En octobre 1979, le quai n°1 de GeoJe est construit, ce qui permet à Samsung de devenir l'un des plus grands acteurs de la construction navale coréenne, après Hyundai et Daewoo. Lee Byung Chull, après de nombreuses hésitations, a aussi décidé de s'intéresser aux industries de la défense. 1er août 1977, av. J.-C. Lee a créé Samsung Jeongmil (Société Samsung Precision Industries Co., Ltd), désignée par le gouvernement comme société spécialisée dans les équipements de haute précision, les équipements électroniques et la construction de missiles.

Samsung se distingue dans les secteurs de l'électricité et de l'électronique. Grâce à Samsung Electronics, l'entreprise acquiert une excellente réputation dans les secteurs de l'électronique, des semi-conducteurs et des télécommunications. Le défi est relevé avec l'exportation du premier poste de télévision. L'usine de Suwon entre en construction le 10 octobre 1969. Au départ, il ne s'agit que d'une *joint-venture* avec le japonais Sanyo Electric. Mais Samsung Sanyo souffre d'une insuffisance majeure : il lui est interdit de vendre des articles sur le marché coréen. C'est pourquoi Samsung Electronics construit sa propre usine. À partir de janvier 1972, la société fabrique ses propres téléviseurs puis, en avril, des ventilateurs et des radiateurs à huile. De son côté, Samsung Sanyo exporte des appareils radio à transistor ainsi que divers articles électriques. En outre, la société poursuit la fabrication de téléviseurs. Samsung Electronics se prépare à relever le défi de la vente de récepteurs noir et blanc sur le marché coréen. Le mouvement ZD (Zero Defect) associe trois sociétés productrices du groupe Samsung : Samsung Electronics, Samsung Sanyo, Samsung NEC.

Le 31 août 1979, Samsung Electronics déménage son siège de Séoul à Suwon, afin de rationaliser sa gestion et de renforcer son système de production. La stratégie de Samsung consiste dès lors à augmenter la valeur en améliorant constamment la qualité et le design et en visant le haut de gamme. À partir de février 1973, grâce à un transfert de technologie avec Sanyo Electric, Samsung Electronics fabrique aussi des réfrigérateurs. Mais Samsung est également intéressé par les ordinateurs. En juin 1974, Samsung Electronics implanté une usine *ad hoc* à Suwon. C'est un spectaculaire succès. Il incite Samsung Sanyo Electric à modifier le nom de sa société : le 23 mars 1974, elle devient Samsung Electric Ltd. En janvier 1975, Samsung met au point le tube cathodique Econo capable de stabiliser l'écran en résolution à cinq tubes cathodiques. Cette technologie est l'œuvre de Philips en 1975, mais Samsung est le troisième groupe, au plan mondial, à adopter cette technologie avec succès et le premier en Corée. Samsung Electronics développe également la télévision couleur. En effet, le 17 juin 1974, la firme signe un accord de licence avec l'Américain RCA. Samsung Electronics ne limite pas sa production aux téléviseurs. Samsung Electronics tente d'élargir son éventail d'activités. En 1976, l'entreprise conclut un accord avec Hewlett Packard en vue de la vente exclusive d'articles HP en Corée du Sud. Deux ans plus tard, il en va de même pour Ohio Nuclear Inc. (ONI, aujourd'hui Technicare), société américaine ayant pour objectif la vente exclusive de matériel médical. En dehors de ce secteur d'avenir, Samsung tente de se démarquer dans la production d'ordinateurs, et de la transmission photographique par phototélégraphie, mais aussi de caisses enregistreuses. Samsung essaie de plus en plus de se démarquer en tant que société mondiale. C'est la raison de la fusion entre Samsung Electronics et Samsung Electric. En juillet 1978, Samsung Electronics fonde une filiale à New York, Samsung Electronics America Inc., dans le but d'exporter ses propres marques aux États-Unis. À cette époque, sauf aux États-Unis, la Corée du Sud a supplanté ses principaux concurrents mondiaux dans la production de téléviseurs en noir et blanc. Une autre façon de répondre à l'expansion du groupe a été la création de filiales : sociétés Samsung NEC, Samsung Sanyo Parts et Samsung Corning. Dès 1978, grâce à une politique systématique de transfert de technologie, Samsung Electronics a rapidement acquis son indépendance technologique.

À partir des années 1970, grâce à Samsung Electronics, le groupe s'impose comme le principal pôle de développement de l'industrie électronique. L'objectif est de parvenir à l'autonomie totale en matière de fabrication de composants. La première crise pétrolière a convaincu Samsung de la nécessité absolue de faire son entrée dans l'industrie des semi-conducteurs afin de garantir une expansion durable de l'industrie électronique. Avec l'acquisition, en décembre 1974, de 50 % de la partie coréenne de Hanguk Bandoche, qui se heurtait à de grandes difficultés de financement, Samsung pénétre en force dans l'industrie des semi-conducteurs. À partir de ce rachat, Samsung s'engage totalement dans l'industrie des semi-conducteurs, avec pour objectif de fabriquer des puces électroniques pour montres, micro-ondes, horloges et transistors. En 1978, Samsung Semi-conducteurs acquiert Fairchild à l'occasion d'un conflit social. Samsung domine désormais 25 % du marché national des composants électroniques, devenant ainsi le *leader* national. Samsung opère également une percée spectaculaire dans le secteur des télécommunications grâce au rachat en 1979 de la Korea Telecommunication Company Ltd. (KTC), privatisée par la Banque de Corée. Parallèlement, les activités d'autres services augmentent. Les médias (JoongAng Broadcasting Corporation), le tourisme (Shilla Hotels), les assurances, les magasins (Shinsegae), l'immobilier, l'urbanisme, l'action sociale et le mécénat jouent tous un rôle important dans cette expansion.

2.3 / Samsung est devenu un *leader* mondial (1980-1987)

Entre 1980 et 1987, Samsung devient un *leader* mondial. Les crises politiques de 1979 en Corée du Sud, suivies de "adoption d'une politique de stabilisation économique (1980-1987), entraînent un ajustement du système des *chaebols*. Ils doivent investir dans le secteur financier, s'adapter à l'évolution du secteur de la haute technologie, internationaliser leurs activités et ajuster la localisation géographique de leurs filiales. Pionnier dans le secteur des hautes technologies, le groupe Samsung donne la priorité au secteur de la recherche et développement. Le monde entre alors dans l'ère des hautes technologies : informatique, semi-conducteur, technologie génétique, nouveaux matériaux, fibres optiques, technologie spatiale, chimie de haute précision. La Corée du Sud manque de ressources naturelles, mais pas de cellules grises. D'où l'investissement réalisé par Samsung : en 1983, lorsque Samsung invente le semi-conducteur 64K Dram, le retard de la Corée est de dix ans sur les pays les plus développés. Mais, en 1987, l'écart ne dépasse pas un an. Grâce à sa maîtrise des composants électroniques, Samsung se distingue comme l'un des grands de l'industrie électronique. Particulièrement compétitif dans la production d'enregistreurs vidéo, Samsung permet de nationaliser à 100 % la production coréenne de tubes cathodiques. Le marché des fours à micro-ondes s'avère un débouché important. Samsung commence aussi à produire des fibres optiques. En janvier 1984, Samsung crée une *joint-venture* avec Hewlett Packard : elle permet la poursuite du transfert de technologie. La société lance de nouveaux produits dans différents domaines tels que les biotechnologies, les équipements médicaux, les nouveaux matériaux, l'aviation et la robotique.

Samsung devient une multinationale grâce à sa production électronique. Au cours des années 1980, Samsung se démarque en tant que *leader* de la croissance des exportations. Les établissements de Samsung à l'étranger ne cessent pas de se développer. Sur les 340 établissements répertoriés en 1995, 17 % le sont au cours de la décennie 1970 et 33 % au cours de la suivante . Les installations des années 1970 concernaient surtout le secteur commercial, en particulier les entreprises, qui sont alors les principaux acteurs de l'expansion sur les marchés d'outre-mer. Ensuite, ce sont les filiales productives, forme dominante dans années 1980, qui sont considérées comme l'essentiel, avant de voir la montée en puissance, dans la première moitié des années 1990, du secteur financier et des secteurs connexes. Cette stratégie résulte de deux grandes tendances. La première tient au rôle dominant joué par Samsung Corporation. Devenue, dès 1975, la société de commerce la plus importante de Corée, elle concentre, de manière progressive, toutes les fonctions d'exportation du groupe. En 1987, 55 % des exportations et 65 % des importations du groupe Samsung dépendent de Samsung Corporation. De plus, dans les années 1980, Samsung Corporation assure environ 10 % du total des exportations coréennes.

La deuxième tendance majeure réside dans une percée dans les hautes technologies. Pour compenser un retard technologique, il existe trois méthodes : le transfert de technologie par acquisition (de licence d'exploitation ou de brevet), le rachat d'une entreprise ou la croissance organique. À cet égard, Samsung préfère procéder aux transferts de technologie nécessaires par le biais de coentreprises avec des sociétés américaines ou japonaises. Créé en 1985, Samsung Data Systems s'associe par exemple à IBM pour développer et produire des logiciels. En effet, le secteur des hautes technologies constitue l'axe majeur du développement du groupe. Les exportations de produits électroménagers sont spectaculaires. Ces exportations augmentent en moyenne de 21 % par an en moyenne de 1982 à 1985. Même si Samsung rencontre des difficultés avec le protectionnisme (en mai 1983, aux États-Unis, Samsung et deux autres fournisseurs coréens sont poursuivis pour *dumping*), Samsung poursuit sa percée : vente de réfrigérateurs aux États-Unis et en Asie du sud-est, téléviseurs VTR au Royaume-Uni et au Japon. Le succès n'est pas moindre pour le matériel de télécommunications et la vente d'ordinateurs. Surtout, grâce à Samsung Semiconductor and Telecommunication, la Corée du Sud devient, en 1984, le troisième exportateur mondial de solutions VLSI après les États-Unis et le Japon.

Les produits d'exportation traditionnels résistent toutefois, en intégrant rapidement les innovations technologiques. Samsung Moolsan, Cheil Mojik et Cheil Hapseom innovent sans cesse. Grâce à ses recherches sur les nouveaux tissus, entre 1980 et 1986, Samsung exporte par exemple 10 % de sa production. Samsung est également un exportateur de navires et de gros équipements. Au début des années 1980, la construction navale continue de bénéficier du plan d'encouragement en faveur des industries lourde et chimique. En conséquence, la création de gigantesques chantiers de construction permettent à la Corée de se démarquer sur les marchés internationaux au plus fort de la crise des années 1980 : devant les Japonais qui refusaient d'augmenter leurs capacités de production, les Coréens ont réussi à conquérir 30 % du marché mondial. En réalité, les chantiers coréens de construction navale anticipent les baisses de prix, sacrifiant leurs marges bénéficiaires à la conquête de nouveaux marchés. Dans ce jeu, c'est Hyundai qui l'emporte devant Daewoo, moins rentable, Hanjin et Samsung, qui n'est arrivé qu'en 1980. L'écart entre les deux groupes, Hyundai et Samsung, était bien moindre dans le secteur de l'ingénierie et du génie civil. Samsung s'est fait une spécialité de l'installation d'usines clé en main. Samsung Heavy Industries met à son crédit la construction de l'aéroport de Riyad (1980), l'installation de Bali Tank en Indonésie (1982), celle de Petrol Tank of Kuwait (1983) et le pont « Gramerey » à Mississippi aux États-Unis. De son côté, Samsung Construction travaille en Libye (247 km d'autoroute, une aciérie) et en Arabie Saoudite (aéroport de Dammam) et livre également des usines et des autoroutes en Indonésie et en Irak.

La multinationalisation du groupe Samsung l'oblige à s'implanter à l'étranger, mais aussi à rechercher le soutien de la capitale internationale et à développer des coopérations techniques. Néanmoins, c'est sur les plans financier et technologique que les changements sont les plus importants. À partir de mars 1982, Samsung Moolsan émet pour 25 millions de dollars d'obligations du Trésor à la Bourse de New York: c'est la première société coréenne à en faire autant. En décembre 1985, Samsung Moolsan pénètre sur l'Euromarché. En novembre 1984, le gouvernement coréen accepte l'introduction du capital étranger en Corée. Samsung Electronics ouvre la voie en émettant pour 20 millions de dollars d'obligations convertibles à Londres. La coopération technologique internationale constitue une autre conséquence essentielle de la multinationalisation. Elle se développe dans le domaine de l'informatique (Samsung HP en 1984, Samsung Data System en 1985, puis partenariat avec IBM en 1987) et de l'équipement médical (*joint-venture* avec General Electric). Cette coopération ne se limite pas à la technologie et aux finances. Elle existe dans les domaines de l'assurance et de l'hôtellerie. Enfin, l'aide au développement constitue un autre élément de la coopération internationale. Le 3 août 1987, juste avant de décéder de Byun Chull Lee, le magazine *Fortune* classe Samsung au 35ème rang des sociétés mondiales.

3 / SAMSUNG ENTRE TRADITION ET RENOUVEAU : LEE KUN HEE

Le succès de Samsung s'explique à la fois par l'héritage de Lee Byung Chull aujourd'hui et l'action spécifique de son fils Lee Kun Hee.

3.1 / Lee Byung Chull, inventeur du système Samsung

En tant que fondateur, il a pu réaliser un vrai système. L'éthique confucéenne est au cœur du capitalisme coréen et exerce une forte influence puisque le néoconfucianisme a inclus la valeur du progrès. Dans l'entreprise, les relations hiérarchiques sont fortement marquées par le confucianisme. Dans le domaine de l'éducation, le confucianisme exerce une profonde influence sur la hiérarchie sociale, les relations de travail et les modes de communication. Le résultat est une culture d'entreprise forte, basée sur une philosophie de gestion originale. Partant de l'idée de retour d'expérience, l'activité de l'entreprise s'articule autour de trois principes : contribuer au développement social et économique de la Corée, donner la priorité aux ressources humaines et poursuivre la rationalisation. Le travail s'effectue de manière pragmatique, en adoptant une gestion par les départements et dans une atmosphère de confiance. La réalisation du *leadership* repose sur deux aspects spécifiques : la croissance du département R & D et l'efficacité du réseau de sous-traitants. Lee Byung Chull met au point un modèle spécifique de l'entreprise associant paternalisme et philanthropie. Sous sa direction, le groupe est devenu un *leader* dans le domaine du mécénat d'entreprise, d'abord avec la Samsung Foundation of Culture, puis avec la création du Museum HoAm et la création du Samsung Electronics History Hall. Lee Byung Chull décède le 19 novembre 1987 à l'âge de soixante-dix-huit ans.

3.2 / La deuxième fondation de Samsung : Lee Kun Hee (1987-2007)

La mort de Lee Byung Chull provoque un changement de génération. Après la mort de Lee Byung Chull, les présidents des filiales ont décidé à l'unanimité de laisser son fils Lee Kun Hee à la présidence du groupe. C'est la « deuxième génération » de Samsung. Troisième fils de Lee Byung Chull, Kun Hee naît à Gyengnam, le 9 janvier 1942. En raison de la guerre de Corée, ses études scolaires se font dans des conditions difficiles. Au terme de cinq années d'école, il entre au collège japonais puis, à son retour, achève ses études au collège et au lycée de Séoul. Inscrit à l'université Yonsei, il effectue ses études à Waseda puis à l'université Georges Washington aux États-Unis, où il se forme à la gestion. En octobre 1966, ses études terminées, il est recruté par Dongyang Bangsong. Promu au conseil d'administration de cette société à partir de 1968, il devient dix ans plus tard vice-président de Samsung Moolsan, avant d'accéder à la vice-présidence du groupe Samsung en 1979.

Une fois nommé président du groupe, il lui donne un nouvel élan. En juillet 1988, Samsung met en place un programme permettant au groupe de relever les nouveaux défis et d'atteindre le *leadership* mondial. Il traduit l'esprit de la deuxième création à travers trois principes: liberté de gestion, importance accrue accordée à la technologie, respect des hommes. Ce programme est relancé en 1993 autour de la personne du « Samsung Man » (schéma 1).

SCHÉMA 1 **LE SYSTÈME DE LA PENSÉE MANAGÉRIALE ET L'ESPRIT DE « SAMSUNG MAN »**

Source : *Samsung, cinquante ans, op. cit.*, p. 217.

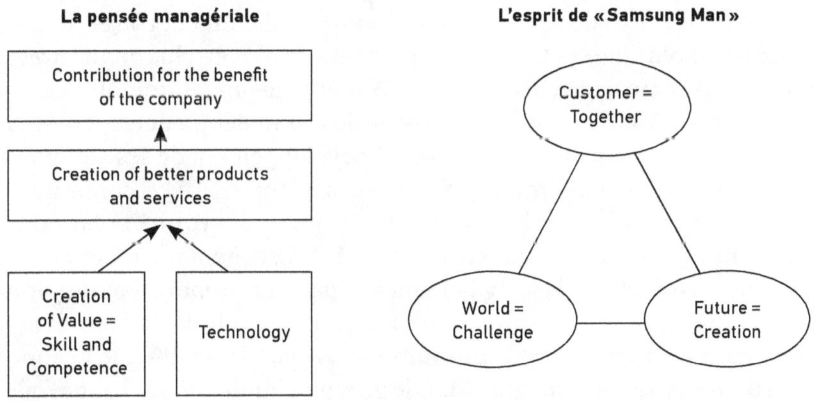

Défini dans la déclaration de Francfort du 24 juin 1993, la nouvelle direction de Samsung obéit à des orientations nouvelles (présentées dans le schéma 2). Elle donne une impulsion renouvelée à l'entreprise : priorité est donnée à la qualité, au service à la clientèle, à l'esprit d'entreprise et à l'innovation. Dans cette perspective, elle poursuit sa politique sociale et son patronage artistique, culturel et scientifique. Mais le nouveau responsable entame aussi une réorganisation du groupe en quatre secteurs, suivie de la création de sièges sociaux à l'étranger et enfin du financement en tant que partie croissante des activités de services. La stratégie industrielle et financière place le groupe dans une dépendance croissante vis-à-vis des grands programmes d'investissement nationaux.

Il s'agit de passer d'un conglomérat familial à une entreprise multinationale sur le modèle américain, avec Samsung Electronics en train de devenir un *leader* mondial. En 1988, lors de la deuxième création du groupe, Samsung présentait toutes les caractéristiques des grands *chaebols* coréens : il était présent dans l'électronique, l'industrie lourde et la chimie, l'industrie légère, mais aussi le bâtiment et le génie civil, les travaux, l'import-export, les services et la finance. Le tournant des années 1990 marque le début d'une nouvelle politique. Samsung commence à se séparer de ses filiales : en novembre 1991, Shinsegae (grands magasins) et Cheonju Paper Manufacturing ; en juin 1993, division de Cheil Jedang et de quatorze filiales. En juillet 1995, Cheil Hapseom quitte à son tour le groupe Samsung pour devenir la filiale de Saehan Media. Cette stratégie de filialisation s'accompagne d'une réorganisation autour de quatre grands secteurs : l'électronique, les constructions mécaniques et la finance. Deux exemples semblent particulièrement significatifs de cette restructuration : la chimie fine et l'automobile. Le groupe, toujours très présent dans la chimie générale (pétrochimie, engrais artificiels, caoutchouc) opte pour la chimie fine (médecine, chimie agricole, cosmétique, additifs et catalyseurs). En effet, à l'avenir, c'est la chimie fine qui pourrait créer le plus de valeur ajoutée. À la recherche d'un nouveau secteur d'investissement, le groupe décide, au terme d'une longue étude, de se lancer dans l'automobile. En effet, avec le développement économique, les Coréens demandent de plus en plus de voitures automobiles. C"est ainsi que, le 28 mars 1995, naît Samsung Automobile. Engagés en septembre 1995, les travaux de l'usine de Busan débutent en octobre 1996.

Le Groupe parie de plus en plus sur le développement de ses activités stratégiques à l'étranger. Il s'intéresse d'abord aux (anciens) pays communistes, à commencer par la Chine : le 4 avril 1991, Samsung ouvre un bureau commercial à Pékin, puis, en 1993, construit une usine d'éléments de magnétoscope à Tianjin. Le groupe s'adresse également aux pays d'Europe orientale (Hongrie, Pologne, Yougoslavie, Kazakhstan). L'activité mondiale de Samsung ne se limite pas aux anciens pays communistes. À partir de 1992, le groupe s'est établi dans l'est de l'Allemagne. Mais le groupe s'implante aussi dans l'ouest de l'Allemagne, au Brésil, au Chili, en Italie, au Japon et en Suisse. C'est toutefois aux États-Unis que le groupe Samsung s'établit le plus fortement : 1 nouvelle filiale en 1992, 3 en 1994, 4 en 1995. Une autre caractéristique majeure de cette avancée internationale est l'activité accrue de Samsung Construction en Asie du Sud-Est, en particulier en Thaïlande et en Malaisie. En février 1993, Samsung construit le centre-ville de Kuala Lumpur. Il y réalise un bâtiment de 92 étages d'une hauteur de 452 mètres.

Tout en renforçant son caractère de puissant groupe industriel, Samsung se diversifie, récoltant ainsi les bénéfices de « la nouvelle direction ». Le groupe relève en effet le défi international, grâce au dynamisme de son secteur électronique. Samsung se distingue dans le domaine des semi-conducteurs, en créant, à partir de 1984 et en lançant le mythique 64K Dram. Entre cette date et le développement du 1G Dram en octobre 1996, le premier au monde, Samsung obtient 169 brevets en Corée et dans le monde. Le groupe atteint ainsi le *leadership* mondial. Cette percée spectaculaire n'empêche pas Samsung de connaître encore des succès dans le secteur des industries mécaniques. Après les Jeux olympiques de Séoul, Samsung Heavy Industries -SHI- tente de s'imposer dans le top 10 des industries lourdes mondiales. Après avoir livré ses premières tonnes d'acier en 1988, puis ses premières machines-outils

SCHÉMA 2 **LA NOUVELLE GESTION (NEW MANAGEMENT) DE SAMSUNG**

Source : Samsung Group.

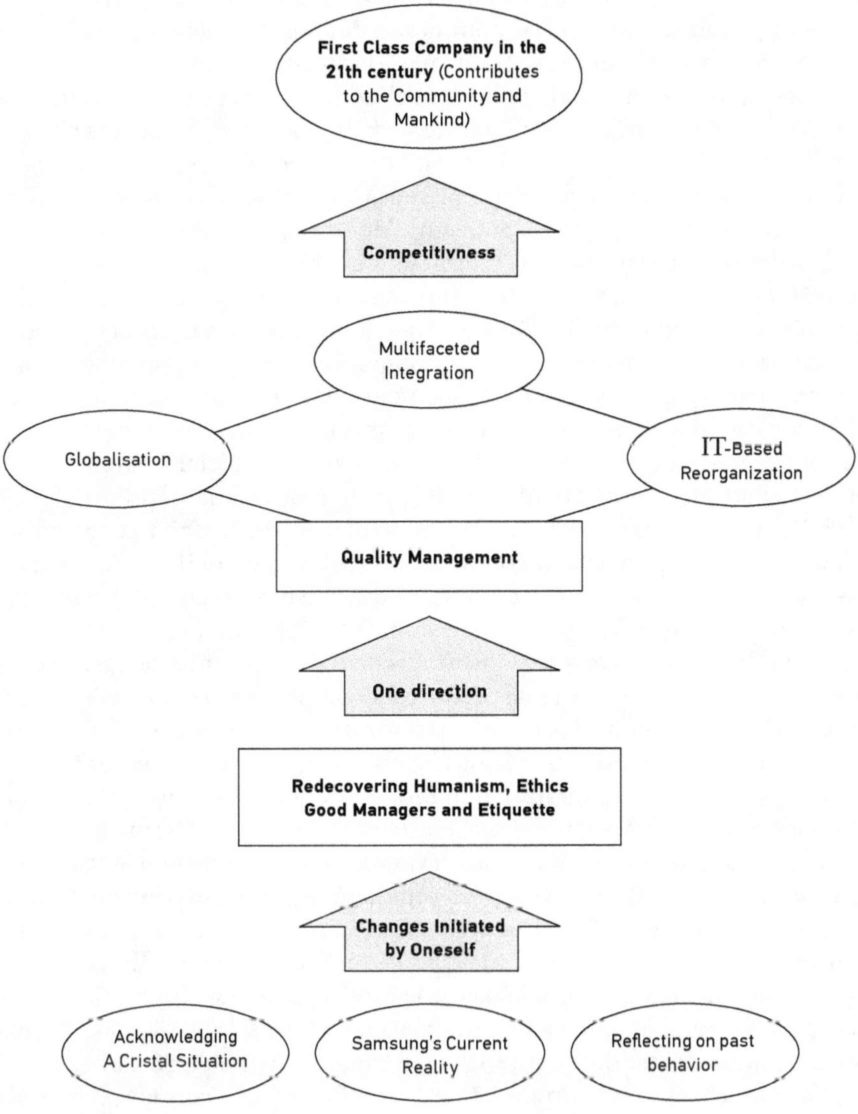

une année plus tard, le groupe se lance en 1992 dans l'équipement lourd du bâtiment et des travaux publics ainsi que dans la production de camions, avant de s'intéresser à la construction navale en 1994. Samsung Heavy Industries n'a pas cessé d'innover en matière de produits (Samsung Aerospace Industries). Le 19 mai 1988, Lee Kun Hee crée Samsung Chemical et inaugure un puissant complexe chimique complètement mécanisé. Samsung Chemical conquiert le marché national : nettement déficitaire en 1992, la société est devenue rentable en 1995. En outre, Samsung Petrochemical - SP - produit la matière première (PTA) pour la fabrication du polyester à partir de 1980. Profitant de ce secteur, Samsung a continué à investir pour la satisfaction du client là-bas. Mais la diversification du groupe ne se limite pas à l'industrie.

Samsung profite en effet de positions solides dans le secteur financier, mais aussi dans les nombreuses activités de services. Samsung reste très présent dans le domaine des assurances. L'internationalisation de ce secteur et la financiarisation du groupe Samsung aboutissent à la constitution de Samsung Card et de Samsung Change (1992). Samsung Moolsan (Samsung Corporation) a été l'un des acteurs essentiels de la croissance coréenne dans les années 1960, en 1970 et 1980. Mais, à la fin de cette décennie, son expansion s'essouffle : les entreprises industrielles développent leur propre marketing et en Corée. les industries textiles ont perdu leur compétitivité avec l'augmentation des salaires au profit des pays en développement. Abandon ou réduction des activités non rentables, consolidation de l'organisation horizontale, percée dans de nouveaux secteurs (médias, télécommunications, logiciels), extension des projets à l'étranger, en particulier dans le secteur des matières premières. En 1988, Lee Kun Hee fixe à Samsung Moolsan l'objectif de devenir une entreprise générale : elle doit parier sur les ventes de véhicules automobiles et des médias, mais aussi de matières premières. À partir de la fin des années 1980, Samsung Moolsan s'intéresse à l'*offshore*. En décembre 1995, le groupe Samsung fusionne Samsung Moolsan et Samsung Construction. Il s'agit de renforcer les activités commerciales à l'étranger et de prendre en compte l'internationalisation et la complexité croissante de la construction du secteur. Avec ses 118 filiales ou bureaux, la nouvelle entité, Samsung Corporation, ressemble à une entreprise générale à vocation mondiale. Cheil Mojik poursuit ses activités. Devenue elle aussi une entreprise mondiale, elle s'intéresse aux différents textiles et matériaux à la mode, en se développant vers des secteurs à forte valeur ajoutée.

Cependant, les activités de service semblent le plus en expansion. C'est le cas du tourisme (Sylla Hostel) et des loisirs (Samsung Everland). Les médias continuent d'intéresser Samsung. Cheil Communication est un complexe publicitaire présent dans la télévision, la radio et la presse. En 1996, la firme occupe le 23e rang mondial alors qu'elle n'était que 43e en 1988. Son internationalisation ne cesse de se renforcer : création, à partir de 1988, de bureaux à Tokyo, puis à New York, San José, Londres et Francfort. Dans le secteur de la presse, Samsung reste très présent grâce à *Joong Ang Ilbo*. Le groupe Samsung investit en effet dans les ressources humaines. Samsung Engineering se démarqué au début des années 1990, dans l'industrie lourde et la chimie, en particulier la pétrochimie : ses principaux succès sont obtenus en Chine, en Indonésie et en Thaïlande. Mais le groupe s'intéresse également à la science : son centre de recherche sur les technologies complexes, créé en octobre 1987, a mis au point et développé des techniques de pointe (la puce MLCC, essentielle au succès de la chaîne TV COLOR et Magnétoscope, dans le téléphone mobile et dans les appareils électroménagers). Entre 1995 et 1997, le Centre de recherche dépose 4704 brevets, dont 505 à l'étranger.

La stratégie industrielle et financière place le groupe dans une dépendance croissante vis-à-vis des grands programmes d'investissement nationaux[23]. Le groupe Samsung, comme tous les *chaebols*, a subi le choc brutal de la crise des années 1997-1998. Mais, mieux que ses concurrents, il s'adapte grâce à une réorganisation en profondeur de son mode de gestion. Dès la période de crise, le groupe trouve le chemin de la croissance : non seulement les exportations continuent de croître, mais aussi la productivité et, plus encore, les profits.

TABLEAU 18 **TAUX DE CROISSANCE ANNUELS MOYENS DU GROUPE SAMSUNG**
pour chacune des périodes considérées (en%)

	1994-1996	1996-1998	1998-2000
Chiffre d'affaires TTC	+ 8,1	- 5,5	+ 4,4
Résultat net	- 50,5	+ 4,4	+ 78,0
Effectifs employés	+ 5,1	- 6,5	- 2,3
Productivité annuelle du travail	+ 3,0	+ 1,0	+ 6,7
Exportations	+ 4,5	+ 2,0	+ 7,9

Source : Samsung Group, *Samsung, sixty ears of History* (en coréen), Seoul, Samsung Printers, 1998.

Entre 1994 et 2000, le groupe Samsung réussit ainsi à rétablir un niveau de rentabilité satisfaisant. Il doit plus que doubler ses niveaux de productivité. En revanche, les exportations ne dominent qu'en 1998, au plus fort de la crise. Il existe deux raisons principales à cette bonne résistance. La première tient à la compétitivité de Samsung Electronics. La crise affecte moins la firme que l'ensemble du groupe. Certes, la crise de 1997 et 1998 se traduit par un affaiblissement marqué par la demande métropolitaine, mais les exportations résistent à la baisse. Le résultat net progresse fortement, soutenu par une reprise plus marquée encore avec des bénéfices opérationnels. Quant à la période 1998-2000, elle voit un retour dans l'expansion généralisée, déplacée par l'exportation, mais aussi par la demande intérieure.

Deuxième raison : la réaction de Samsung consiste à introduire un style de gestion occidental. Cette « nouvelle direction » de Samsung définit trois priorités : la gestion de la qualité totale grâce à une vaste campagne d'information auprès de ses collaborateurs et de ses sous-traitants, une mise aux normes 150 de ses produits et procédures, des mesures marketing en faveur de la qualité ; la globalisation de son champ stratégique, par une délocalisation de ses activités dans soixante-cinq pays ; la recherche systématique de synergie entre ses processus, ses systèmes et ses compétences. Le changement de conglomérat familial au sein d'une société institutionnalisée à l'américaine nécessite la mise

23 – Dominique Barjot, « De la mondialisation, hier et aujourd'hui », in Dominique BARJOT, dir., « Globalization-La Mondialisation », *Entreprise et Histoire*, n° 32, 2003, p. 5-14.

en œuvre d'un vaste programme d'adaptation des personnels de tous niveaux. Sont remises en question les anciennes pratiques néo-tayloriennes justifiées par la poursuite d'objectifs de volume dans un environnement standardisé. Ces évolutions touchent particulièrement Samsung Electronics, l'entité la plus dynamique du groupe. L'adoption d'un système unifié dans l'ensemble du groupe passe d'abord par le développement du mouvement «Sin Ba Lam» (ou libre responsabilité). Introduit pour la première fois chez Samsung Electronics en février 1993, il vise à instaurer une nouvelle culture de groupe. La recherche d'un dialogue avec les syndicats aboutit, à partir d'avril 1995, à la déclaration dite « famille proche ». La doctrine du groupe réside dans la création des meilleurs articles et des meilleurs services, grâce aux qualités des hommes et des technologies, afin de contribuer à l'amélioration du sort de l'humanité. « Samsung man » doit donc être au service du client, répondre aux défis du monde et vouloir créer l'avenir.

Dans cette perspective, le processus d'innovation semble essentiel. C'est pourquoi Samsung se tourne vers Ernest et Young ainsi que vers IBM pour l'instaurer. Samsung doit se concentrer sur l'innovation de procédé, avec pour objectif secondaire l'harmonisation de sa communication. La nouvelle culture d'entreprise « Smart and Soft » (schéma 3) cherche à imposer Samsung comme « la meilleure entreprise mondiale ». Elle est lancée le 1er novembre 1995, jour du 26e anniversaire de Samsung Electronics.

SCHÉMA 3 **LE SYSTÈME SMART & SOFT**

Source : Samsung Group.

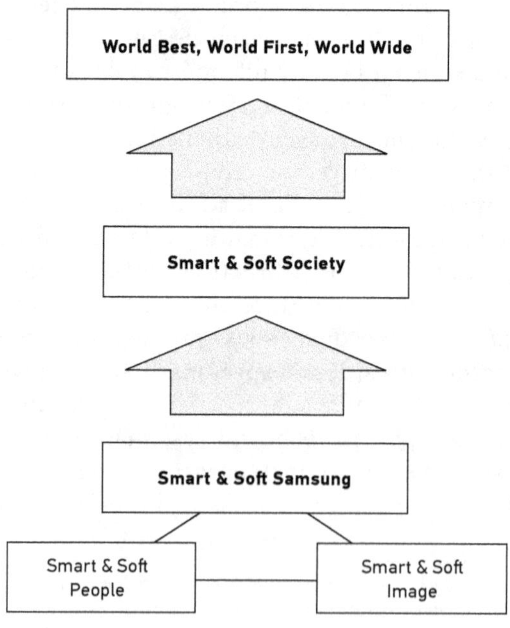

3.3 / Le résultat: la relance de Samsung par Lee Kun Hee (1987-2007)

En effet, Kun Hee Lee relance le groupe grâce à la priorité absolue donnée à la technologie. Samsung renforce sa spécialisation, développe de nouveaux produits et renforce les collaborations technologiques. Après la crise financière, le modèle de croissance change. Malgré une dépendance croissante vis-à-vis du marché national et des difficultés d'autofinancement pour financer des investissements plus importants, le groupe retrouve sa rentabilité. Dans la croissance du groupe, une inflexion nette marque les années 1997-1998. Il s'agit de contrecarrer l'affaiblissement du groupe par un triple effort d'autofinancement, d'indépendance financière et de rentabilité. Le ralentissement de l'expansion semble évident, en particulier depuis la crise financière de 1997.

TABLEAU 19 **CROISSANCE DU CHIFFRE D'AFFAIRES HT DU GROUPE SAMSUNG (1986- 2006)**
(taux de croissance annuel moyen, en millions de wons)

1986-1996	+ 7,1
1996-2006	+ 3,1
1986-2006	+ 5,1

Source : Samsung Group.

Contrairement aux années 1953 et 1986, ce sont désormais les ventes nationales qui tirent la croissance du groupe. En longue période, entre 1986 et 2006, celles-ci représentent en effet un peu plus de 60 % des points de vente du groupe Samsung. Cet essor est explicable, dans une large mesure, par la répartition technique des ventes du groupe. En effet, la part des activités industrielles au sein du groupe est passée de 31,5 % en 1986 à 38,5 % en 1996. Certes, dans ces activités, l'électronique prend de de plus en plus le dessus, mais les autres secteurs industriels, beaucoup moins exportateurs, restent importants. De plus, le groupe Samsung se caractérise, à partir de 1986, par une très forte ascension des activités de services : 68,5 % du total des ventes en 1986, 61,5 % en 1996. Cependant, sauf dans l'import-export, le commerce et la construction, ces secteurs n'exportent que faiblement. Avec la percée poursuivie par l'électronique, l'augmentation de la partie relative de la construction constitue la clé du maintien d'une croissance des exportations à partir de 1997. Il est vrai que le groupe parvient à freiner la hausse de ses coûts de production. Sur la période, la croissance du résultat brut d'exploitation est au moins aussi rapide que celle des charges d'exploitation et donc du chiffre d'affaires.

En effet, le groupe Samsung accorde une priorité accrue aux gains de productivité du travail, à condition de fournir un effort d'investissement constant. Les effectifs augmentent de manière régulière jusqu'en 1997. Ils passent à un peu plus de 140.000 personnes en 1986 à 267.000 au moment du déclenchement de la crise financière asiatique, celle-ci entraînant une réduction drastique du personnel. Le groupe a ensuite réembauché, mais il a fait preuve de prudence :

avec 254.000 employés en 2006, le groupe Samsung n'a toujours pas retrouvé son effectif de 1997. Dans un contexte de lente expansion des ventes, le groupe maintient un rythme toujours soutenu, bien que plus faible, des gains de productivité du travail. En réalité, les investissements se poursuivent à un rythme soutenu au cours de la période. Cette évolution s'accompagne d'une inversion de priorité. Les années 1997 à 2006 sont marquées par la priorité accordée à la croissance organique, alors qu'auparavant c'était la croissance externe. Entre 1986 et 1996, les investissements de portefeuille ont représenté plus de 55 % du total, contre un peu plus du tiers au cours de la période suivante. La crise de 1997 marque le début d'une période d'investissements plus importants. Entre 1997 et 2006, le taux d'investissement passe d'un peu plus de 10 % à près de 17 %. En revanche, le taux d'autofinancement diminue fortement par rapport à la première moitié des années 80. Il se situe désormais en moyenne à 40 % seulement.

Peut-être est-ce dû au caractère de plus en plus *science based* de la croissance du groupe. Entre 1986 et 1996, le groupe a beaucoup augmenté ses dépenses de recherche et développement. Leur part dans les ventes augmente de façon spectaculaire : 0,7 % du total en 1987, mais 2,4 % en 2006. Les dépôts de brevets à l'étranger se sont également accrus à un rythme soutenu. Une telle évolution traduit l'effet bénéfique des premiers transferts de technologie. Le rapport brevets achetés / brevets déposés diminue de manière très visible à partir de 1995. L'indépendance technologique du groupe Samsung ne cesse de se renforcer. Dans le même temps, la forte internationalisation du groupe s'est probablement accompagnée d'un progrès technologique croissant. En effet, une part croissante des dépôts de brevets se réalise sur le sol coréen : c'est notamment le cas de Samsung Electronics, la filiale la plus dynamique du groupe.

Les années 1986-2006 sont toutefois caractérisées par une situation plus difficile pour le groupe Samsung : celui-ci doit nécessairement restaurer son autofinancement, son indépendance financière et sa rentabilité. Sur toutes les années 1986-2006, l'autofinancement progresse plus rapidement que les bénéfices distribués. En conséquence, l'indépendance financière du groupe progresse fortement après 1997. Deuxièmement, l'ajustement du financement est favorisé par le maintien à un niveau satisfaisant du taux de rendement du capital. Corrélativement, le taux de marge se redresse nettement : pour l'ensemble de la période 1986-2006, il atteint environ 7 %. La conséquence en est cependant une amélioration progressive d'une rentabilité totale inférieure à celle des années 1953-1986. Bien que toujours fragile, la situation financière du groupe s'améliore de façon incontestable.

C'était principalement le résultat du succès de Samsung Electronics. L'entreprise a réalisé une impressionnante percée à l'exportation, elle-même assurée à la fois par d'importants gains de productivité et par la recherche d'une plus grande rentabilité. En effet, Samsung Electronics connaît, entre 1986 et

2006, une croissance économique très soutenue. La firme se développe avec un rythme supérieur à celui de l'ensemble du groupe.

TABLEAU 35 **CROISSANCE DU CHIFFRES D'AFFAIRES HT DE SAMSUNG LECTRONICS (1986- 2006)**
(taux de croissance annuels moyens, en millions de wons)

1986-1996	+ 9,0
1996-2006	+ 7,3
1986-2006	+ 8,1

Source : Samsung Electronics.

Une des clés de la différence d'expansion entre Samsung Electronics et le reste du groupe réside dans le rôle moteur des exportations. Leur croissance dépasse celle des ventes totales de Samsung Electronics. En réalité, la crise économique et financière a entraîné une réorientation stratégique. En effet, les exportations représentaient en moyenne, entre 1996 et 2006, environ les trois quarts des ventes. Ce succès à l'exportation résulte dans une large mesure de la percée technologique de l'entreprise. Entre 2003 et 2006, Samsung Electronics partage son activité entre trois secteurs dominants (semi-conducteurs, supports numériques et réseaux de communication), représentant chacun environ 25 % des ventes, et trois autres (LCDS, appareils numériques, divers), oscillant autour de 7-9 % chaque. Les activités les plus rentables sont certainement les semi-conducteurs (près de 70 % du total) et les réseaux de télécommunication (entre 20 et 50 % selon les années).

Un autre facteur favorable à l'expansion réside dans une bonne maîtrise des coûts de production. Entre 1986 et 2006, Samsung Electronics améliore son taux de valeur ajoutée. En effet, les gains de productivité du travail demeurent soutenus : + 6 % par an en moyenne de 1986 à 2006. Mais leur rythme double de 1996 à 1997. C'est la conséquence d'une stratégie d'investissement plus efficace. Sur une longue période, les investissements productifs augmentent plus rapidement que le total des investissements. De fait, de 1986 à 2006, les investissements productifs l'emportent de façon nette sur les investissements en actifs financiers. Samsung Electronics fournit, de 1986 à 2006, un effort d'investissement supérieur à la moyenne de l'ensemble du groupe. Cet effort dépasse celui du groupe de quatre points en moyenne. L'effort est continu sur toute la période, autour de 19 %. L'importance de l'effort d'investissement s'accompagne d'un taux d'autofinancement croissant. Représentant environ les trois quarts du montant des investissements (73,5 % entre 1986 et 2006), il dépasse de manière nette celui du groupe Samsung en général. Un dernier facteur favorable renforce l'évolution : la recherche d'économies d'échelle. Un changement majeur intervient de 1996 à 1997. La productivité du capital connaît alors un renversement spectaculaire : réduction jusqu'en 1996, puis augmentation. Désormais, le capital productif devient plus efficace. S'exprime une volonté de contrôler les phénomènes de dés-économies d'échelle (ou d'efficacité décroissante) au profit d'une dynamique d'économies d'échelle (ou de rendements croissants).

Sur une longue période, de 1986 à 2006, Samsung Electronics améliore beaucoup son efficacité. La productivité globale des facteurs de production augmente en effet de 5 % par an en moyenne:

TABLE 51 **LES GAINS DE PRODUCTIVITÉ GLOBALE**
Taux de croissance annuels moyens comparés de la productivité annuelle du travail, de la productivité du capital fixe productif et de la productivité globale des facteurs de production entre 1986 et 2006 (en %, à partir des données en wons)

	Productivité du travail	Productivité du capital	Productivité globale
1986-1996	+ 4,3	- 5,5	- 1,2
1996-2006	+ 8,3	+ 0,7	+ 5,5
1986-2006	+ 6,2	- 2,5	+ 5,2

Source : Samsung Electronics.

Ces gains de productivité résultent, dans une certaine mesure, des efforts croissants de recherche et développement poursuivis par la firme. En pourcentage du chiffre d'affaires net, la part des dépenses de recherche et développement passe de 5,5 % à 6,5 % en quatre ans, avec un sommet de 6,8 % en 2005. En 2005, Samsung Electronics s'élève au cinquième rang mondial pour le nombre de brevets déposés aux États-Unis. La société se situe derrière IBM, Canon, Hewlett Packard et Matsushita, mais devant Intel, confirmant ainsi son caractère d'entreprise mondiale concurrentielle. Elle n'a pas pu l'atteindre sans la condition préalable d'une rentabilité élevée.

L'une des clés de cette rentabilité réside dans une plus grande priorité accordée à l'autofinancement. De 1986 à 2006, les flux de trésorerie progressent plus rapidement que les autres indicateurs de performance. Sa croissance dépasse celles du chiffre d'affaires hors taxe, mais aussi, de peu, du résultat d'exploitation. De plus, Samsung Electronics favorise, tout au long des années 1986-2006, l'autofinancement vis-à-vis des actionnaires. Il s'agit de contrecarrer le plus grand affaiblissement du groupe par un triple effort d'autofinancement, d'indépendance financière et de rentabilité. Sur toutes les années 1986-2006, l'autofinancement progresse plus rapidement que les bénéfices distribués. Cette évolution répond à une nécessité vitale. En effet, de 1986 à 2006, Samsung Electronics souffre d'un fonds de roulement net structurellement excédentaire. Néanmoins, une nette amélioration n'apparaît qu'à la fin de la période, en 2005 et 2006. À partir de cette date, la société dégage un solde créditeur positif.

Ces années sont donc caractérisées par une nette amélioration de la situation financière. De 1986 à 2006, l'autofinancement constitue la principale source de financement des investissements, avec environ 60 % du total, à comparer avec 12 % seulement pour les augmentations de capital et 28 % pour les émissions d'obligations. Une telle politique témoigne de la recherche d'une plus grande rentabilité. En effet, entre 1986 et 2006, Samsung Electronics maintient un haut niveau de rentabilité financière et de retour sur investissement. Le taux de retour sur investissement semble plutôt élevé. Mais il n'est égal qu'à celui du groupe Samsung en général (près de 32 %). D'autre part, Samsung Electronics se caractérise par un niveau d'indépendance financière beaucoup plus haut. De même, Samsung Electronics prend un avantage très net sur l'ensemble du groupe Samsung en termes de taux de marge : les marges moyennes de Samsung Electronics sont plus de deux fois supérieures (plus de 15,5 % au lieu de moins de 7 %). Si l'évolution est identique à celle qu'a connue le groupe, le taux de rentabilité totale atteint, entre 1986 et 2006, un niveau moyen très supérieur (19,1 %) à celui de l'ensemble du groupe (6 %). Samsung Electronics constitue bien le joyau du groupe.

Conclusion: quel est l'héritage de Lee Byung Chull aujourd'hui?[24]

Il est possible de distinguer trois conclusions importantes.

1/ En tant que fondateur, Lee Byung Chull a pu mettre en place un vrai système. L'éthique confucéenne reste au cœur du capitalisme coréen et exerce encore une forte influence puisque le néoconfucianisme a inclus la valeur du progrès. Dans l'entreprise, les relations hiérarchiques sont fortement marquées par le confucianisme. Dans le domaine de l'éducation, le confucianisme exerce une profonde influence sur la hiérarchie sociale, les relations de travail et les modes de communication. Le résultat en est une forte culture d'entreprise basée sur une philosophie de gestion originale. Partant de l'idée de retour d'expérience, l'activité de l'entreprise s'articule autour de trois principes : contribuer au développement social et économique de la Corée, donner la priorité aux ressources humaines et poursuivre la rationalisation. Le travail a été réalisé de manière pragmatique, en adoptant une gestion par départements et dans une atmosphère de confiance. La réalisation du *leadership* repose sur deux aspects spécifiques : la croissance du département R & D et l'efficacité du réseau de sous-traitants. Sous la direction de Lee Byung Chull, le groupe est devenu une référence dans le domaine du mécénat d'entreprise.

2 / La mort de Lee Byung Chull le 19 novembre 1987 entraîne un changement de génération. Lee Kun Hee, troisième fils du fondateur, prend sa place et assure la poursuite de l'œuvre de son père, préservant ainsi son esprit. À tous égards, Lee Byung Chull a créé un modèle. Comme le protestantisme a encouragé le développement du capitalisme occidental (la thèse fameuse de Max Weber), le néoconfucianisme a joué un rôle fondamental dans l'industrialisation de la Corée du Sud. Lee Byung Chull et Samsung en constituent un excellent

24 – Rang-Ri Park-Barjot, « Samsung : an original case of knowledge transfer in economic organizations », *in* Dominique Barjot, Harm G. Schröter, eds, La cirtulation de l'information et des connaissances", *Entreprises et Histoire*, n° 75, 2014, p. 91-101.

exemple. Lee Byung Chull a inséré les racines du confucianisme dans une culture d'entreprise forte que son fils a préservé et renforcé. Le premier a défini trois grands principes de gestion : contribuer au développement économique de la Corée du Sud, donner la priorité au capital humain et obéir à une rationalité économique à long terme. Même si le « Rockefeller coréen » appartenait à la culture nationale, il a adopté certains aspects du modèle paternaliste, tel qu'il se rencontre en Europe occidentale ou aux États-Unis. Lee Byung Chull a appris auprès de pays comme le Japon, l'Allemagne et les États-Unis. Grâce à ces connaissances, il a été en mesure de créer un modèle entrepreneurial capable de relever le défi de la mondialisation.

Sous la direction de Lee Byung Chull, le succès de l'entreprise ne s'explique pas seulement par un confucianisme omniprésent, mais également par une philosophie de gestion originale. Il est nécessaire de prendre en compte les concepts de retour d'expérience (planification de Tokyo en 1960), de travail de groupe, de s'appuyer sur un état-major réellement actif (la fonction du *staff* a été établie en 1959) et l'application de principes de management pragmatiques. Parmi les idées importantes de Lee Byung Chull, citons l'idée selon laquelle l'homme est plus important que le capital ou la technologie, la directive donnée aux employés de fixer eux-mêmes leurs propres objectifs et de les atteindre ensuite, ainsi que la nécessité de s'appuyer sur l'activité de l'entreprise et son image. La culture de Samsung repose sur quatre facteurs : l'esprit de création (fabriquer les meilleurs produits pour une culture ultramoderne), l'esprit d'éthique (toujours agir avec honnêteté, justice et rationalité), l'esprit d'ambition et l'esprit de coexistence (respect réciproque employés, consommateurs, clients et actionnaires). En intégrant tous ces concepts et cette philosophie originale, le dirigeant peut alors exercer un excellent *leadership*. S'appuyant sur cette vision, Lee Byung Chull a fait de Samsung un *leader* mondial bénéficiant des processus d'adoption, d'adaptation et d'hybridation soulignés par l'historiographie de l'américanisation économique et technologique. Samsung a ainsi réalisé la synthèse du néoconfucianisme coréen, de l'organisation japonaise en zaibatsu puis keiretsu, des méthodes de production allemandes et du management américain. C'est à partir de là que l'idée d'un modèle Samsung s'est développée, spécifique, mais en même temps partiellement transférable à l'Ouest.

3 / La mort de Lee Byung Chull en 1987 a entraîné un changement de génération. Avant sa mort, il a été capable de former son fils Lee Kun Hee à prendre sa place. C'est la « deuxième génération » de Samsung. La nouvelle direction donne une nouvelle impulsion à l'entreprise : priorité est donnée à la qualité, au service à la clientèle, à l'esprit d'entreprise et à l'innovation. Sans remettre en cause sa politique sociale active et son patronage artistique, culturel et scientifique, le groupe, après la crise financière de 1997, a été relancé par Lee Kun Hee et a pu se transformer en une entreprise multinationale sur le modèle américain, emmené par Samsung Electronics devenu un *leader* mondial. La

double ouverture vers la technologie et l'exportation a coïncidé avec des gains de productivité substantiels, une augmentation spectaculaire de l'indépendance financière, une rentabilité globale et une augmentation de l'autofinancement. Samsung Electronics a donné ainsi au groupe les moyens de consolider et d'accroître son *leadership* technologique mondial.

MULTINATIONALIZATION DURING THE GLOBALIZATION PERIOD: THE CASE OF INDIAN POWER COMPANIES AFTER 2007

Pierre Lanthier
Professor of Economic History, Université du Québec à Trois-Rivières

Introduction

Multinational firms (MNF hereafter) emerged in the third part of the 19th Century as a result of the intensification of international commerce as well as the advent of the Second Industrial Revolution. They flourished during the years preceding World War I and, after a setback due to political and economic crises from 1914 to 1945, they developed even more during the 1950s and 1960s.[1] Today, a new generation of MNFs is appearing: they come from emerging countries and many among them give priority to markets of other emerging and developing

1 – Amongst the voluminous bibliography on multinational firms, one may consult : Dominique Barjot (ed.), *International Cartels Revisited/Vues nouvelles sur les cartels internationaux (1880-1980)*, Centre de recherche d'histoire quantitative (Université de Caen- C.N.R.S), 1994. Peter Hertner and Geoffrey Jones (eds), *Multinationals - theory and history*, Gower, European Science Foundation, 1986; Harm G.Schröter, *Americanization of the European Economy. A compact survey of American economic influence in Europe since the 1880s*, Dordrecht, Springer, 2005; Alice Teichova, Maurice Lévy-Leboyer and Helga Nussbaum (eds), *Multinational Enterprise in Historical Perspective*, 2 vols, Cambridge, Cambridge University Press, 1986; Mira Wilkins, *The emergence of multinational enterprise: American business abroad from the colonial era to 1914*, Cambridge (Mass.), Harvard University Press, 1970; *Id., The Maturing of Multinational Enterprise: American Business Abroad from 1914 to 1970*, Cambridge (Mass.), Harvard University Press, 1974.

countries. Moreover, their growth occurs during the globalization period that began in the 1980s and persists till today. This means that they have to submit themselves to policies and practices that didn't exist previously. Too often, we tend to associate multinationalization with globalization. Although the two can characterize the activities of a firm, it is important to distinguish them and depict globalization as a phenomenon specific of our time.

With the example of four Indian power companies and groups that developed international activities, we would like to examine this hypothesis and draw some conclusions. Electricity in India has recently developed in a significant manner its production capacity. Among the factors explaining this surge, globalization is certainly to be taken into account.

1. THE INDIAN POWER INDUSTRY

Electricity in India grew tremendously after 2000, and more so after 2005. In 2001, India's generation of electricity ranked fifth in the world and its installed capacity was 144 GW. In 2012, this country reached third place, behind China and the United States, with a production of 1,128 TWh and a capacity

ABSTRACT

Is the presence of multinational firms enough to speak about globalization? We would like to differentiate between multinationalization and globalization with the case of four Indian electrical enterprises, two from the private sector and two from the public sector. From 2007 and 2015, these companies underwent a tremendous growth to which their international activities did contribute. Among these, some belong to multinationalization: extension of the national markets abroad, getting hold of foreign natural resources. Others are characteristic of globalization. This is the case when companies try to conform themselves to international models or when they finance their activities through banks and financial institutions. However, they also use another strategy linked to globalization: the recourse to indebtedness as the main source of financing. This plunged the two private firms into a delicate financial situation.

RÉSUMÉ

MULTINATIONALISATION DURANT LA PÉRIODE DE LA MONDIALISATION : LE CAS DES COMPAGNIES D'ÉLECTRICITÉ INDIEN APRÈS 2007
La présence de firmes multinationales suffit-elle pour parler de mondialisation ? Nous aimerions apporter une distinction entre multinationalisation et mondialisation avec l'exemple de quatre entreprises électriques indiennes, deux issues du secteur privé et deux du secteur public. Entre 2007 et 2015, ces entreprises ont connu une croissance foudroyante à laquelle ont contribué leurs activités internationales. Parmi celles-ci, certaines appartiennent à la multinationalisation : prolongement des marchés nationaux vers l'extérieur, acquisition de ressources naturelles à l'étranger. Puis, il y a celles que l'on peut ranger dans la mondialisation : tentatives de se conformer à des modèles internationaux, financement par le biais de banques et de maisons financières. Toutefois, les firmes ont également recouru à cette autre pratique liée à la mondialisation : l'endettement comme source principale de financement. Cela a plongé les deux sociétés privées dans une situation financière délicate.

JEL Classification: **D22, F23, L25, L94, N75, N85**
Key words: **multinationalization, globalization, Indian electrical enterprises, financing and indebtedness, getting hold of foreign natural resources, Tata Group**
Mots clés: **multinationalisation, globalisation, entreprises électriques indiennes, financement et endettement, acquisition de ressources naturelles à l'étranger, groupe Tata**

of 211 GW.[2] Since that year, the Indian installed capacity went up to 310 GW.[3] Such a growth is due, above all, to thermal power plants: in 2012, 60% of electricity production came from coal, 9% from gas, while hydro-electricity was responsible for 17% and renewable energy for 12%. The fossil industry has always predominated in India. This can be explained by the fact that the country is the third largest producer of coal, with 613 million tonnes in 2013.[4]

Another persistent character in the Indian electrical industry is the prevalence of the public over the private sector, in spite of the 1991 reforms and the 1998 and 2003 Acts liberalizing the power industry: 66% of electricity generation is provided by state owned enterprises (SOEs)[5], as against 34% by private companies.[6]

Consequently, one cannot say that the recent electricity development in India is due to a profound change in the industry's structure. Other factors must be taken into account. Among them, we can certainly include a better mutual understanding between the public and the private sectors as illustrated by the many joint ventures both have created together. And we must not forget the growing presence of international investment in the power industry and reciprocally the internationalization of its activities. All major Indian electrical companies and groups have contacts abroad financially as well as technologically. While electrifying India, they became MNFs as well.

Four Indian groups and companies have been chosen to illustrate this orientation. Two are private: Tata Power and Adani.[7] And two are public: National Thermal Power Corporation (NTPC) and PowerGrid Corporation of India (PG).

Tata Power Limited is part of a very diversified and decentralized family group headed by Tata Sons Limited. Tata is perhaps the best-known group of India. Its industrial beginning goes back to the 1870s and its interest in electricity dates from the turn of the century with the generation of energy near Bombay. Since then, the group has greatly diversified in sectors such as steel, motors, tea, chemicals, fertilizers, communication, information technology and many more. It consists of more than a hundred subsidiaries cumulating some 500-600 subsidiaries of their own, not to mention joint ventures. Tata Power Company Limited (TP) comes out as one of the leading subsidiaries of the group. It is the result of the merger in 2000 of the three Tata electricity companies. TP also has 24 subsidiaries and as many joint ventures. From

2 – International Energy Agency, *Key World Energy Statistics 2014*, Paris, OECD/IEA, 2014, p. 27; Government of India, Ministry of Power, *Annual Report* [AR hereafter] *2012-2013*, New Delhi, 2013, p. 6.

3 – Government of India, Ministry of Power *AR 2016-2017*, New Delhi, 2017, p. 3.

4 – Id., *AR 2012-2013*, *op. cit.* Moreover, India imported 178 million tonnes of coal in 2013.

5 – Indian SOEs are controlled either by the central government in Delhi or by those of the 29 regional states.

6 – Adani Power, *AR* 2013-2014, p. 14-15. In December 2014, the Government of India introduced an amendment to its electricity legislation in order to increase the efficiency of energy distribution through competition, with the intent of giving a bigger place to private companies (Government of India, Ministry of Power, *A R 2014-2015*, New Delhi, 2015, p. 37, and *Ibid.*, *A R 2016-2017*, *op. cit.*, p. 29).

7 – Taking into account the structural differences between the two private companies as described in the following lines, we will analyse the activities of Tata Power independently of the Tata group, while we will study the activities of both Adani Power and its consolidated parent company, Adani Enterprises Ltd.

1,778 MW in 2003, TP and its subsidiaries almost quintupled their installed capacity to 8,585 MW in 2014. More than 85% of the electricity they generate come from thermal sources, mainly coal. They operate nine power stations, including Maithon (1,050 MW), Trombay (1,580 MW) and Mundra (4,000 MW). TP is also vertically integrated, with investment in Indonesian coalmines and in electricity transmission.[8]

The Adani group is more recent. Like the previous one, it is a family business. It was launched in 1988 by Gautam Adani as an import/export firm with its headquarter in Ahmedabad. At first, it concentrated in agricultural products. Within a few years, however, it opened itself up to coal and oil as well as harbour, railways and energy development, following a typical vertical integration strategy. In 2014, the group's revenues were evaluated at 570.1 billion rupees (Rs), of which 37.2% originate from trading,[9] 28.9% from power, 6.5% from harbour operations and 27.4% from other activities. During the 1990s, the firm became a group, adding direct and indirect subsidiaries over the years; in 2014, the group had 73 of these, all vertically integrated. It is within this vertical integration process that Adani got interested in power generation and distribution. In 1995, the firm built its own oceanic harbour in Mundra (Gujarat) primarily to import coal to be used in part by a new subsidiary launched the following year, Adani Power Ltd. In 2006, 11 million metric tons of coal went through the harbour of Mundra; in 2014, 43.5 million. Part of this coal went to the generating stations of Adani Power Ltd. In 2011, this company had an installed capacity of 1,980 MW; but three years later, its capacity reached 9,250 MW. By 2020, the company expects to attain 20,000 MW. In 2014, it has three giant thermal power stations in Mundra, Tiroda and Kawai. With 4,620 MW, the Mundra station is the biggest thermal power station in India and the fifth in the world.[10]

The two state-owned enterprises (SOEs), NTPC and PG, were created in 1975 and in 1989 respectively by Delhi with the mission of taking over the development of electricity from the State Electricity Boards.[11] The latter were launched in 1948 to design and build electrical infrastructure locally but they have gradually become paralyzed by corruption and politics. NTPC and PG had to fulfill the objectives in electricity development as determined by the successive five-year plans. NTPC intervenes in the thermal power sector. This company cumulates the biggest thermal installed capacity, with 37,692 MW. It operates twenty-two power stations, of which fifteen are supplied with

8 – Tata Power *AR* 2014-15; Tata Power, *Corporate Profile 2014*, <https://www.tatapower.com/>, consulted in 29th June 2014); R.M. Lala, R.M., "Challenges and Opportunities of Economic Liberalization: The Tata Group", in Medha M Kudaisya, ed., *The Oxford India Anthology of Business History*, New Delhi, Oxford University Press, 2011, p. 445-448; Aman Nath and Jay Vithalani (in collaboration with Tulsi Vatsal), *Horizons. The Tata-India Century, 1904-2004*, Mumbai, India Book House, 2004.

9 – The biggest part of this activity consists of coal trading.

10 – Adani, *Thinking big, Doing better*, <www.adani.com>, consulted in 4th July 2015); Adani Enterprises Ltd, *AR* 2010-11, p.15 and 2013-14, p. 27 and 36.

11 – Other public companies with similar purposes made their appearance during the same years, like Rural Electrification Corporation and National Hydro-Electric Power Corporation.

coal, six with gas and one with liquid fuel. The most important of its power stations (4,260 MW) is located at Vindhyachal (Uttar Pradesh). The company produces around 25% of the Indian electricity. Horizontally integrated, it has only four subsidiaries and ten joint ventures with both public and private firms.[12] On its part, PG specializes in power transmission, with the specific goal of achieving a national grid (which became a reality in December 2013). In 2015, the company had a high voltage transmission network of 166,625 kms carrying energy generated by public as well as private power stations; it operated 195 sub-stations. Like NTPC, PG is horizontally integrated, with nine fully owned subsidiaries and twelve joint ventures, some of which with private groups such as Torrent and Tata.[13]

The comparison of the four companies shows a major difference between the private and the public firms. The first ones favour vertical integration and possess many subsidiaries. The two others are horizontally concentrated, with a few subsidiaries. These differences will have strategic importance. Nevertheless, be they private or public, these four companies and groups share the fact that, in addition to their activities within India, they have a significant presence abroad.

2. MULTINATIONAL ACTIVITIES

Throughout the world, many electrical companies, SOEs included, have become MNFs. Companies such as EDF or Hydro-Québec have done important investments in South American and African power companies during the 1990s.[14] Indian companies did not follow this trend. Instead, they undertook international activities directly linked with their domestic ones. In this sense, they behave like traditional multinational firms. These activities were twofold: to connect the neighbouring countries' networks to India's, and to provide their central stations with the necessary fuel.

India is at the centre of what we call the "sub-continent", including Pakistan, Nepal, Bhutan, Bangladesh and Sri Lanka. In many ways, extending India's grid to these countries would be advantageous. However, political tensions between Pakistan and India constitute a major obstacle to such a project. The trade among the Subcontinent countries represents a mere 5% of their total trade.[15] Nevertheless, for the last 15 years or so, Indian companies got in touch with electrical companies from the smaller countries to achieve interconnection. NTPC, Tata Power and PG took part in the construction of various stations and lines. Tata Power has invested in the neighbouring countries of the north,

12 – NTPC, *AR* 2014-15, p. 16 and 296-97.

13 – <http://www.powergridindia.com/> and <http://www.ntpcindia.com>, both consulted in July 2015.

14 – Judith Clifton, Francisco Comín and Daniel Díaz-Fuentes, eds, *Transforming Public Enterprise in Europe and North America. Networks, Integration and Transnationalisation*, London, Palgrave/Macmillan, 2007.

15 – Nisid Hajari, « Make Trade, Not War », in *Bloomberg/Businessweek*, 24-30 August 2015, p. 8-9.

such as Bhutan. Already in 2005, Powerlinks Transmission Limited, a joint venture created by TP (51%) and PG (49%), transported energy from Bhutan to New Delhi.[16] A few years later, TP participated in the launching of the Dagachhu hydroelectric power project in Bhutan that would benefit this country as well as India. The company responsible for this project, Dagachhu Hydro Power Corporation (DHPC), is a joint venture of Druk Green Power Corporation (59%), a SOE from Bhutan, Tata Power (26%) and National Pension & Provident Fund of Bhutan (15%), a finance company close to the Bhutanese Government. DHPC began the construction of a 126 MW power station in 2008 and started generating electricity by the end of 2015. Tata signed a 25-year power purchase agreement: TP would buy most of the power produced by DHPC in order to export it to India, while the Royal Government of Bhutan would receive the remaining energy.[17]

NTPC has similar projects in Bangladesh, Sri Lanka and Bhutan. The most systematic investor in these countries, however, continues to be PG, which is normal since this company specializes in energy transmission. PG intervened first as a consultant and more recently as a direct participant in various projects. The company has been negotiating to establish a sub-marine cable linking Sri Lanka to India. In 2014, it participated to the extent of 26%, along with two other Indian companies (23%) and the Nepal Electricity Authority (51%) in a joint venture, Power Transmission Company Nepal Ltd, which will erect a 400 Kv HVDC line linking Nepal to India. PG is also negotiating, through the South Asian Association for Regional Cooperation (SAARC),[18] the linking of the networks of India, Nepal, Bhutan, Bangladesh and even Pakistan.[19]

Importing coal is another reason for investing abroad. This is the case with the two private companies, who need a regular and important amount of coal that the main Indian producer, Coal India Ltd (an SOE), cannot guarantee. They decided to secure the supply of coal by investing in mines abroad. In 2007, Tata Power purchased, for 1.2 billion USD, 30% of the shares of five subsidiaries of an Indonesian mining group, PT Bumi Resources Tbk: PT Kaltim Prima Coal, PT Arutmin Indonesia, and three commercial companies, PT Indocoal Kaltin Resources, PT Indocoal Kalsel Resources and Indocoal Resources (Cayman) Limited. Kaltim Prima and Arutmin stand amongst the

16 – TP, *AR* 2005-06, p. 37.

17 – TP, *AR* 2009-10, p.23; 2013-14, p. 28; 2014-15, p. 68-9; Gregory Pointdexter, "Bhutan's 126-MW Dagachhu hydroelectric project begins generating power", <http://www.hydroworld.com/articles/2015/03/bhutan-s-126-mw-dagachhu-hydroelectric-project-begins-generating-power.html>, (consulted in 28th June 2017).

18 – Created in 1985, this association includes Afghanistan, Bangladesh, Bhutan, India, Maldives, Nepal, Pakistan and Sri Lanka. It wants to achieve "economic growth, social progress and cultural development" through self-reliance and through collaboration amongst partners. It gives a special attention to energy. In 2004, it set up a Working Group on Energy, leading to the formation, five years later, of Experts Groups, including an Expert Group on Electricity, lead by India. In November 2014, Bangladesh, Bhutan, India and Nepal ratified a Framework agreement for Energy Cooperation (Electricity).
<http://saarc-sec.org>, consulted on 13th June 2017.

19 – PG, *AR* 2013-14, p. 20 and *AR* 2014-15, p. 44 and 176.

biggest thermal coalmines in the world. Kaltim Prime and Tata Power signed an agreement according to which Tata would buy 10.1 million tons per year for its own needs. Finally, in 2013, TP, through a subsidiary, Khopoli Investments Limited, acquired 26% of the shares of another Indonesian mining company, PT Baramulti Suksessarana Tbk (BSSR) and signed a long-term agreement for coal supplying. [20]

Adani followed a similar strategy. While buying coal from countries such as South Africa, it purchased coalmines in Indonesia and in Australia. Through its subsidiary PT Adani Global, Indonesia, the group has acquired in 2007 rights on a 140 million-ton mine in the island of Bunyu. In 2013-14, this mine produced 3.13 million metric tons of coal. In the Queensland (Australia), Adani got hold of the Carmichael coalmine in the Galilee Basin (with a potential of 11.04 billion tons). The group intends to build a railway and a port to bring the coal to the sea. Initially, it expected to begin the operation of this mine by the end of 2015. Although a significant amount of this coal is kept aside for the group's power stations, a bigger amount is meant for trading in India and China. In 2009, the group has sold 18.2 million tons of coal worldwide; in 2014, 43.5. The group wants to extend its market to Vietnam, Taiwan and Korea.[21] However, there are clouds ahead since Indonesia intends to increase its domestic consumption of coal and to implement regulations that are more restrictive on exportation.[22] NTPC had also to import coal: out of 167.4 million of metric tons it bought in 2014-15, 16.4 million came from abroad.[23]

These operations outside India are part of the traditional activities of MNFs. One would meet them at any time since MNF began spreading worldwide. However, other international activities these companies accomplished must be linked to globalization.

3. GLOBALIZING ACTIVITIES

The companies and groups under study have made significant efforts to globalize their activities while becoming multinational. There is indeed a nuance separating multinationalization from globalization.[24] Multinationalization, as we have just seen, means investing abroad in order to expand domestic activities or in order to get the resources necessary to operate on the domestic market. Globalization goes further by updating the group's technology and

20 – TP, *AR*, 2006-07, p. 9; 2007-08, p.31, 48, 145; 2011-12, p. 22.

21 – Adani Enterprises Ltd, *AR* 2007-2008, p.25; 2010-11, p.15; and 2013-14, p.36.

22 – Adani Power Ltd, *AR* 2013-14, p.16-17.

23 – NTPC, *AR* 2014-15, p. 34-35.

24 – On globalization, one may consult: Frank J. Lechner, *Globalization: The Making of World Society*, Chichester, Wiley-Blackwell, 2009; Frank J. Lechner and John Boli, eds, *The Globalization Reader*, Chichester, Wiley-Blackwell, 2012; Jürgen Osterhammel and Niels P. Petersson, *Globalization: a Short History*, Princeton, Princeton University Press, 2005; Joseph E. Stiglitz, *Globalization and Its Discontent*, New York, W.W. Norton & Co., 2002.

management according to international standards and with the intent of ranking among the world's leaders. Globalization also implies a bigger and diversified international participation not only in the group's shares but also in its borrowings. One must differentiate the participation of a multinational firms in a local company, be it a subsidiary or a joint venture, from the participation of international investors or moneylenders (for instance, banks or insurance companies). The latter generally have requirements when they are investing, such as standardized accounting, managerial practices inspired by given models, and so on. The increasing presence of such investors does contribute in a significant way to the globalization of the world economy.

Many activities that are about to be examined could as well be described as typical of MNFs. However, the spirit behind them is no longer the same. Adani and PG are explicit about the new vision behind their motivation to go abroad: they rely on the fact that the Indian middle class has multiplied tenfold from 1995 to 2014, jumping from 19 to 200 million members. Consequently, it is urgent to meet their expectations with the best the world can offer, even more so that many Indians live or have close contacts abroad.[25] This middle class is rather heterogeneous, consisting of urban educated professional as well as shop owners and above average landowners. Nevertheless, they share common features such as promoting education and aspiring to a higher level of material well-being. They are generally young, urban and educated. Their number increases according to the growth of the Indian urbanization rate (estimated at 60% in 2051). Thanks to them, about 60% of the houses in India should be benefiting from air-conditioning by 2030. For the time being, they are responsible for the booming of the e-commerce in this country. In 2015, the sales in this sector were estimated at 16 billion USD; in 2020, some predict they will grow up to 110 billion USD.[26]

Globalization is consequently not only a system imposed by financial institutions from the developed countries to the rest of the world, but also a strategic element for companies from emerging countries to rapidly meet the technical and organizational requirements the local population expects from them.

25 – Adani website, op.cit., Corporate presentation, 2015. Actually, some scholars, not satisfied with the division of society according to income, prefer to use the term "new middle class", which includes some 150 to 250 million Indians. For a presentation of the discussion on this subject, see Dietmar Rothermund, *India. The Rise of an Asian Giant*, New Haven and London, Yale University Press, 2008, p. 196 ff.

26 – For an optimistic future of Indian economy, see Gurcharan Das, *India Unbound. From Independence to the Global Information Age*, New Delhi, Penguin Books, 2002. The statistical predictions originates from Jason Burke, "Demand for cooling hot topic", in *The Guardian Weekly*, 11th June 2015, p. 32-33; and "The great race", in *The Economist*, 5th March 2016, p. 19-21.

Becoming the head of the class

India has for a long time benefitted from international technological transfer. A group like Tata, for instance, has regularly invited (and still does) foreign engineers and consultants, notably from America and Germany. The other companies under study have adopted a similar policy. A common strategy consists in a joint venture with a non-Indian multinational firm through which transfer of knowledge could be achieved. Since 1999, for instance, NTPC has a 50:50 joint venture with Alstom Power Generation AG, NASL,[27] whose purpose is to renovate and modernize power plants in the SAARC countries.[28] In 2007-2008, Adani signed a contract with Sichuan Machinery and Equipment Import and Export Ltd, a Chinese SOE, and with Kowa Co Ltd from Japan, for the installation of its Mundra power station's boilers, turbine and super-critical generators.[29] This way, the Indian groups have access to state of the art technology.

With this strategy, it became possible to get a solid grip in developing countries. NTPC opened an office in Dubai to find new markets. In 2007-2008, the company was negotiating projects in Sri Lanka, Saudi Arabia and Nigeria.[30] PowerGrid benefitted the most from this strategy. In its objective to complete the national grid, the company sought the collaboration of 35 national and international companies and institutions to build up a 1200 KV UHVAC[31] line, which is the highest voltage in the world to date.[32] This policy gave PG the capacity of becoming a major consultant outside India in the field of electricity transmission. The company played such a role in Afghanistan, UAE, Nigeria, Kenya, Tajikistan, Senegal, China, etc. In Ethiopia, it created a subsidiary, Ethiopian Electric Utility, to act as a consultant to the Ethiopian Electric Power Co. In Nigeria, PG modernized substation equipment in 2007-2008. With the collaboration of Asian Development Bank and World Bank, PG participated in projects in countries like Vietnam and Uzbekistan in 2010-2011. Obviously, the part of consultancy activities in the total revenues is not high: in 2013-2014, it represented a mere 4%. However, it fulfills the company's purpose for going international.[33] In 2008, PG created an International Business Department and gave the following explanation for having done so:

> The objective of International Business is to continually leverage its capabilities with its USP of "Utility-turned Consultant" to generate superior value to its clients and stake holders and hence become the most preferred service provider across globally, to set superior global standards, to gear up for next competitive phase

27 – Which stands for "NTCP Alstom Power Services Pvt. Limited."
28 – NTPC, *AR* 2007-08, p. 54; 2011-12, p.31.
29 – Adani Ltd, AR, 2007-2008, p. 23.
30 – NTPC, *AR*, 2007-08, p. 27.
31 – Ultra High Voltage Alternative Current.
32 – PG, *AR* 2013-14, p.18.
33 – PG, *AR* 2007-08, p.16; 2014-15, p. 19.

and to learn international best practices, replicate the international learning experience for the benefit of domestic projects and successfully contribute to overall PowerGrid revenues.[34]

In other words, PG became a MNF so that it could compete and keep pace with technical and managerial progress. For this purpose in 2013-2014 and in the following year, the company has submitted its organization and practices to the examination of an American utility management consulting firm, UMS, and its "International Transmission Operation and Maintenance Study" program, along with 27 other companies elsewhere in the world. PG ranked itself in the first quadrant (low cost and high performance).[35] This determination of constantly comparing itself with other companies through competition or examination is a significant step from multinationalization to globalization.

TP also elaborated an international strategy of consulting and of building power stations, most of the time in joint venture with other MNFs, such as SN Power from Norway, or international financial institutions like the World Bank, BERD and Asian Development Bank (ADB). Along with Origin Energy Limited, an Australian energy supplier, and PT Supraco Indonesia, whose purpose is to facilitate international investment in Indonesian energy, TP launched in 2010 the Sorik Marapi Geothermal Project. Two years later, it set up a 50:50 joint venture with Exxaro Resources Limited, a South-African mining company, Cennergi in order to develop renewable energy and, eventually, other forms of energy. TP is involved in other projects in Georgia and Zambia and hopes to do the same in countries like Vietnam and Myanmar.[36]

Increasing and internationalizing investment

From 2008 to 2015, the four groups increased their investments. Most of the increase went in the groups' fixed assets in India, to which we must add Tata's and Adani's mining companies abroad.

The Indian financial institutions have significantly contributed to this massive and short-term effort. Banks and insurance companies, as well as public institutions are at the forefront of the investors. However, the foreign investors did also bring a sizeable participation. One can see it through the composition of the shareholders and of the moneylenders. Table 1 shows the number of shareholders and the percentage of the shares owned by each category of shareholders.

34 – <http://www.powergridindia.com> (consulted in July 2015).

35 – PG, *AR* 2013-14, p. 16; 2014-15, p.14. NTPC did the same thing by setting up its own "Business Excellence Model", inspired by Malcom Baldrige National Quality in the United States and by the EFQM (European Foundation for Quality Management) Excellence Model (NTPC, *AR*, 2014-15, p.36).

36 – TP, *AR*, 2010-11, p. 30; 2011-12, p. 18-19; 2015-16, p. 71.

TABLE 1 **THE NUMBER OF SHAREHOLDERS AND THE PERCENTAGE OF SHARES OWNED BY THE MAIN CATEGORIES OF SHAREHOLDERS**

	Adani Power		Adani Enterprises		NTPC		Powergrid		Tata Power	
	2008-09	2014-15	2007-08	2014-15	2007-08	2014-15	2007-08	2014-15	2007-08	2014-15
Number of shareholders	?	10,977	18,975	49,364	956,130	701,222	1,118,976	737,295	161,892	293,057
Promoter group	83,74%	75,00%	75,00%	75,00%	---	---	---	---	33,44%	33,02%
Government of India	?	---	---	---	89,50%	74,96%	86,36%	57,89%	0,06%	0,02%
Financial and corporate entities (1)	?	1,69%	3,13%	2,94%	2,89%	12,72%	4,47%	14,49%	26,95%	24,24%
FIIs (2)	?	7,43%	13,93%	17,95%	5,12%	10,34%	2,89%	23,89%	20,67%	25,89%
Foreign corporations	?	11,11%	---	2,29%	(3)	---	(3)	(3)	0,74%	2,86%
Indian public	?	4,57%	5,51%	1,31%	2,43%	1,93%	6,16%	3,45%	18,14%	13,77%
Non resident Indians	?	0,18%	2,43%	0,51%	0,06%	0,06%	0,12%	0,27%	---	0,95%

Notes : 1- Mutual funds, financial institutions, banks, insurance companies, bodies corporate, etc.
2- Foreign Institutional Investors
3- Not available. The foreign bodies may be included in the financial and corporate entities.

Sources: annual reports of the five companies.

If we examine the most important shareholders within each company or group, we see that the families (promoters) have been able to keep a predominant share of the private companies' capital. The Tata group holds a third of Tata Power's shares.[37] The Adani family managed to own 75% of the shares of Adani Enterprises Limited and the group had 75% of Adani Power. As far as the SOEs are concerned, the Indian government has significantly reduced its participation in NTPC's capital from 89.5 to 75%, and the one it has in PG's capital fell from 86.4 to 58% from 2008 to 2015. As we can see, the Government's participation diminishes quite significantly compared to those of the families in the private enterprises. Similarly, the Indian public (individual shareholders) recedes while the participation of the non-resident Indians remains negligible. As far as the financial and corporate entities are concerned, they have maintained their percentage in the private enterprises and they have increased by 10% the one they have in the SOEs. However, one must be cautious before concluding that the public enterprises are privatizing their ownership. In the case of NTPC, the second most important shareholder in 2015 after the Government is Life Insurance Corporation of India, with 9.92%. This corporation is actually a

37 – In 2015, the main holding of the group, Tata Sons Limited, owned 30.4% of TP's shares (TP, *AR*, 2014-15, p.100-101).

SOE and it even holds 11.07% of TP's capital, thus being the second biggest shareholder after Tata Sons.[38]

However, the part of international investors increased in a non-negligible way among the shareholders. In Tata Power's case, it went from 21% in 2008 to 26% in 2015, 14 to 18% in Adani Enterprises Ltd, 5 to 10% in NTPC and 3 to 24% in PG. Among the predominant foreign shareholders of Tata Power in 2014-15, we have Matthews Pacific Tiger Funds (4.72%) and National Westminster Bank plc (4.86%). Europacific Growth Fund (5.66%), American Funds Insurance Series International Funds (1.35%) and New World Fund Inc. (1.77%) appear among PG's major shareholders. Such investors are relatively new in the business and give priority to diversified portfolios, which means that they are not interested in taking control of the companies they invest in. Some will actually concentrate their operations in specific areas. For instance, Matthews Pacific is an American firm launched in 1991 and it invests all over Asia except Japan, while Europacific Growth Fund, established in 1984, is based in Los Angeles and manages a mutual fund it invests in Europe and around the Pacific Ocean (but not in the US). Both favor long-term investments.[39]

Nevertheless, capital does not play a major role in the total investments. Table 2 gives the relative importance of the various sources of financing in 2007-08 and 2014-15. Between these two years, the amount of the consolidated investment more than doubled in the case of NTPC; TP and PG quadrupled theirs while Adani Entreprises multiplied his by fifteen! This is a remarkable achievement for only seven years and it affected considerably the sources of financing. The share of the capital and of the minority interest, which was 9.9% on average in 2007-08, fell to 3.6% in 2014-15. Even the reserves and surpluses went down from 36 to 23% on average. Actually, the financing of the growth has been made through debts. Secured borrowing (mainly bonds) became the main source of financing, especially for AEL and PG. Unsecured borrowing remained high for NTPC while it diminished for AEL and PG. However, the other liabilities have also grown, adding immediate pressure on the companies' finance. The short-term liabilities of the two private companies in 2014-15 are proportionally more important compared to those of the SOEs. In the case of AEL, their part reaches 33%. This is a preoccupying situation considering that this percentage concerns the entire Adani group.

Here also, foreign investors take a large place. The companies do not give a complete list of all their moneylenders.[40] A very long research would be needed to draw up such a list. Nevertheless, it is obvious that the role of banks and other financial institutions, national as well as foreign, is far from being negligible.

38 – NTPC, *AR*, 2014-15, p.91; TP, *AR*, 2014-15, p.51.

39 – Matthew Asia, *A Singular Focus on Investing in Asia*, 2012, a 12-page pamphlet to be found in <https://us.matthewsasia.com/our-funds/f-5/matthews-pacific-tiger-fund/investor/overview.fs> (consulted on 5th July 2017); Bloomberg, *Company overview of EuroPacific Growth Fund*, <https://www.bloomberg.com/research/stocks/private/snapshot.asp?privcapId=28115176> (consulted on 5th July 2017).

40 – We do not possess accurate data on foreign borrowers for Adani in 2008 and 2015.

TABLE 2 **CONSOLIDATED EQUITY AND LIABILITY OF THE FOUR COMPANIES IN 2007-2008 AND 2014-2015**

	TP		AEL		PG (1)		NTCP	
	2007-2008	2014-2015	2007-2008	2014-2015	2007-2008	2014-2015	2007-2008	2014-2015
Crores (1 crore = ten million rupees)								
Capital and minority interest	1087,84	2763,07	382,6	4211,83	4208,84	5231,59	8369,7	9133,4
Reserve and surplus	7904,93	13428,41	2092,68	25617,83	9545,33	33207,14	44617,4	73848,52
Secured borrowings	8208,08	25774,97	2746	67648,16	17552,13	85677,38	10438,8	23017,83
Unsecured borrowings	905,54	12929,97	3465,15	7251,8	4711,35	6021,8	19875,9	70345,09
Other liabilities and provisions	486,78	20546,43	39,37	26128,95	2190,85	30626,37	1629	43231,31
Total	18593,17	75442,85	8725,8	130858,57	38208,5	160764,28	84930,8	219576,15
Short-term liabilities (2)		21111,12		42875,03		22790,15		35946,33
%								
Capital and minority interest	5,85	3,66	4,38	3,22	11,02	3,25	9,85	4,16
Reserve and surplus	42,52	17,80	23,98	19,58	24,98	20,66	52,53	33,63
Secured borrowings	44,15	34,16	31,47	51,70	45,94	53,29	12,29	10,48
Unsecured borrowings	4,87	17,14	39,71	5,54	12,33	3,75	23,40	32,04
Other liabilities and provisions	2,62	27,23	0,45	19,97	5,73	19,05	1,92	19,69
Total	100	100	100	100	100	100	100	100
		27,98		32,76		14,18		16,37

Sources: Annual reports

Notes: 1- In 2007-2008, PG had only a very small subsidiary; the company didn't present consolidated statements. Consequently, the standalone values stand for the consolidated ones.

2- Not available in 2007-2008.

In 2008, TP needed 170 billion rupees to build up its Mundra power station. The company gave this project to a subsidiary, Coastal Gujarat Power Limited, whose financing would be carried out at the rate of 25% for equity and 75% for indebtedness. In April of that year, TP signed an agreement with two consortiums to get investment. The first one was an international consortium made of Export-Import Bank of Korea, International Finance Corporation (a subsidiary of the World Bank and specializing in developing countries), ADB, Korea Export Insurance Corporation and BNP-Paribas. It provided a loan of 1.8 billion USD (69 billion rupees). The second consortium consisted in Indian banks led by the State Bank of India and brought 58.5 billion rupees to the project.[41]

The public enterprises did also resort to international borrowing. In 2007-08, NTPC and PG had a similar ratio of foreign money in their borrowings: 26.1% and 31.5% respectively. However, in spite of a comparable progress in their indebtedness, the two companies chose a different path: if PG's foreign lenders still represented 29.9%, NTPC's reduced his to 9.9%. In other words, while PG looked for international investment, NTPC turned itself more towards local lenders. Both received important loans from ADB and from World Bank. PG got further loans from European investors: Natexis Banque and Crédit Agricole IndoSuez in France; European Investment Bank in Luxemburg; Kreditanstalt für Wiederaufbau Bankengruppe in Germany; Enskilda Bank in Sweden; and Japan's Bank for International Cooperation Agency. If we go by PG's example, institutional investors form the bulk of the borrowers. In 2015, International Finance Corporation held a loan of 10.1 billion rupees, ADB of almost 70 billion and IBRD 110.2 billion.[42] It should be noted, however, that the Government of India brings its guarantee to the majority of these borrowings. In the context of globalization, SOEs possess a strong advantage over the private sector to attract foreign investment.

It is interesting to note that electrical groups such as EDF, which made headway in international investment during the 1990s, are absent from the predominant foreign investors in Indian companies two decades later. The present international investors are composed of an enormous variety of financial institutions putting their money in a wide range of commercial and industrial sectors all over the world. For sure, some institutions such as ADB and World Bank have a developmental agenda. Yet, the international investors increasingly belong to the category of those who diversify their portfolio, and expect security and clarity from the companies they invest in. Their growing presence is an explicit manifestation of globalization.

When globalization aggravates the difficulties of multinational firms

In the previous part, we have seen how the two private groups, Tata and Adani, invested in coalmines abroad in a vertical integration perspective. We considered this strategy as a traditional activity on the part of MNFs. However, their interest in Indonesian and Australian coal led the two groups to go beyond and to become major actors in coalmining and international coal trading. To achieve this goal, they borrowed heavily from international finance institutions. In doing so, they adopted globalization strategies. It did not work well.

41 – TP, *AR* 2007-08, p. 30.
42 – PG, *AR*, 2014-15, p. 199-200.

To finance his 1.2 billion USD investment in Indonesia in 2007, TP made a one-year bridge loan worth 950 million USD through two special purpose vehicles, Tata Power (Cyprus) Limited and Tata Power (Mauritius) Limited.[43] A year after, the company split this loan into three entities: 90 million USD have been reimbursed, 270 million have become a recourse loan and 509 million a non-recourse loan. TP has diminished its debt to 240 million in 2011 thanks to a hybrid issue of 450 million USD. The following year, TP increased its outstanding debt to 790 million USD in order to finance its new investments in Indonesia and in South Africa. However, the price of thermal coal, which kept increasing so far, began receding. For instance, the Japan Steam Spot CIF price went down from 100.30 USD in 2012 to 60.10 in 2015 only to partly recover to 71.66 the following year.[44] Meanwhile, the cost of renewable energy became more competitive due to technological improvement. For instance, the Indian company Azure Power brought down the cost of solar energy from 17.91 rupees per kWh in 2009 to 4.67 in 2016.[45] Consequently, investing in coalmining lost much of its profitability. In 2014, TP tried to sell its participation in PT Arutmin and its related commercial companies for 510 million USD. But in March 2017, the transaction was still pending and TP reduced the price from 510 to 401 USD.[46]

Adani also suffered from this negative situation. Moreover, its Carmichael coalmine project in Australia created an ecological controversy that intensified over the years, creating an unsecured climate. Adani has been forced to lessen its expectations: the mine concession has been reduced from 125 to 60 years; severe environmental rules have been put into effect; the Federal Court in Sydney cancelled the environmental clearance of the project but the Australian Government reversed this decision. Banks and financial institutions have become hesitant to lend money.[47] The situation forced the group to undergo a major restructuring in 2015: Adani Enterprises Limited (AEL), the group's holding, distributed to its own shareholders the shares it had in Adani Port and Special Economic Zone Limited, Adani Power Limited and Adani Transmission Limited. AEL concentrated its activities in the mining business while AP went ahead with the power generation sector. This reorganization had a fundamental purpose: to divide a consolidated net debt of almost 11 billion USD (in September 2014) in smaller units. For instance, 6.5 billion USD went

43 – TP have replaced these two entities in 2012 with Bhira Investments Limited, Khopoli Investments Limited (Mauritius) and Bhivpuri Investments Limited (Cyprus).

44 – *BP Statistical Review of World energy*, June 2017, 66th edition, p.36, to be found in <http://www.bp.com/en/global/corporate/energy-economics/statistical-review-of-world-energy.html>

45 – <http://www.azurepower.com/utilities/> (consulted 5th July 2017); see also "Up in Smoke?", in *The Economist*, 26th November 2016, p. 55-57.

46 – TP, *AR* 2010-11, p. 32-33; 2014-15, p. 144 and 172; 2016-17, p. 104-105.

47 – "Adani to go ahead with $16.5-b coal mine project in Australia", *Economic Times*, 7th June 2017, in <http://economictimes.indiatimes.com/markets/stocks/news/adani-to-go-ahead-with-16-5-b-coal-mine-project-in-australia/articleshow/59028898.cms?utm_source=contentofinterest&utm_medium=text&utm_campaign=cppst≥

to Adani Power and 2.1 billion to AEL. This way, AEL hoped to be in a better position to negotiate the financing of the Carmichael project.[48]

However, in 2015, the Government of India made public its intent to add 175 GW in renewable energy by 2022 and to give up the import of thermal coal. Moreover, in April 2017, the Supreme Court of India cancelled the decision made by the Appellate Tribunal for Electricity to go ahead with a compensatory tariff allowed to TP and Adani Power. These developments made the situation even more difficult for Tata and Adani.[49]

Is globalization to be blamed for this crisis? The answer is no. Politics and environmental concern are directly responsible. Even the vertical strategy of the two companies should be put forward as a factor. It is significant that the two SOEs, who are not vertically integrated, have not been affected by this situation. However, the size of the borrowing Tata and Adani made aggravated the situation, especially for the second one, whose short-term indebtedness is higher than the other enterprises. This dependency on loans is to be linked to globalization.

Concluding remarks

The experience of the four Indian power enterprises under study shows that globalization means a lot more than just behaving like a MNF. It consists in the convergence of two processes. The first one implies the uniformisation of business practices worldwide so that investors can feel at ease everywhere.[50] There has been, in the last two to three decades, an important growth of the international institutional investors, especially in the West, ready to buy shares or lend money. It matters a lot to them that the economic and legal environment be stable and friendly.

The second process originates from the emerging (and developing) countries. Their middle classes have become numerous enough to stimulate a valuable market economy and exercise pressure as consumers on the local enterprises. In other words, they want growth, and rapidly. The firms from these countries

48 – Adani, "For the attention of company's shareholders", a 2015 pdf document to be found in <www.adanienterprises.com/docs/download/DemergerCostApportionment> (consulted 12 July 2017); Saurabh Bansal and Nidhi Bansal, "Corporate Restructuring: A Case Study of Adani Enterprises, India", *International Research Journal of Management Sociology & Humanity*, Vol. 7, No 1, 2016, to be found in <http://www.academia.edu/27303178/Corporate_Restructuring_A_Case_Study_of_Adani_Enterprises_India> (consulted 12 July 2017); Tim Buckley, "IEEFA Briefing Note: An Overview of Adani Enterprises' Corporate Restructuring", May 2015, a pdf document to be found in <http://ieefa.org/wp-content/uploads/2015/05/Adani-Restructuring-2015-May.pdf> (consulted 12 July 2017).

49 – Tim Buckley, *op.cit.*; "Tata Power, Adani Power shares slump as SC sets aside tribunal order", *The Hindu Business Line*, 11 April 2017, to be found in: <http://www.thehindubusinessline.com/companies/setback-for-tata-power-adani-power-as-apex-court-sets-aside-tribunal-order/article9629222.ece>

50 – This article focused on the role played by enterprises. However, a lot could be said about the role of the states in the implementation of globalization, in particular by adapting the legislation to international standards and easing up the introduction of foreign investment in their country.

have adopted two strategies. Firstly, they seek both the technological and managerial know-how of the developed world not only to put them into application in their own market but in other emerging nations. They indeed hope to win over the MNF from the West in the conquest of emerging markets. The recourse to joint venture with a foreign multinational is part of their arsenal. Secondly, the electrical companies from emerging countries need, if we go by the prediction of organisms such as the International Energy Agency (OECD), tens of trillions of USD from today to 2030 to increase their installed capacity. International investment is, consequently, most welcome.

The majority of investment in the Indian power industry is still provided by national investors. There is plenty of room for international investment in India. However, the need for massive short-term financing has been tremendous these past years. The Indian power companies have made a good use of the availability of foreign institutional investors, both as shareholders and as moneylenders. This has been advantageous for companies with a financial security net under them. In this perspective, the SOEs, with the guarantee provided by the Government of India, have taken advantage of globalization. The private companies had to rely on their own resources and consequently face a riskier situation in their international venture.

EUROPE'S FINANCIAL CAPITALS SINCE THE EARLY TWENTIETH CENTURY

Youssef Cassis
Professor of Economic History, European University Institute

Introduction

Financial capitals are the nerve centres of international finance – what I have called in my book the 'Capitals of Capital'.[1] They can be defined as the grouping together, in a given urban space, of a certain number of financial services. They can also be defined, in a more functional way, as the place where intermediaries coordinate their transactions and arrange for payments to be settled. This concentration can chiefly be explained by what are usually called 'external economies', in other words the cost reductions that firms can achieve thanks to the size of the location in which they are operating. For a financial centre, what really matters is the liquidity and efficiency of markets, the diversity and complementarity of financial activities, the skills of the workforce, and access to high-quality information.

Financial centres have understandably been decried since the financial debacle of 2008. Yet they have proved, over the centuries, to be a source of great benefits to the cities hosting them, with spillover over a great number of industries. Significantly, hardly any country has attempted to divest itself

1 – Youssef Cassis, *Capitals of Capital. The Rise and Fall of International Financial Centres*, Cambridge, Cambridge University Press, 2010, 408 p.

from a leading international financial centre since the 2008 crisis. On the contrary, the slow pace of reshaping of the financial system can be explained, at least partly, by the fear that some financial institutions and markets might migrate from a more to a less regulated financial centre.

If we look at the geography of international financial centres over the last 100 years, it clearly appears that most of them have been located in Europe. In 1914, when Europe was the world's banker, London was the undisputed world's financial centre: the bulk of world trade was financed through the medium of bills of exchange drawn on London, and its financial markets provided capital worldwide. The City was the first truly modern financial centre, offering a diversity of financial services unavailable anywhere else.[2] Paris was a 'brilliant second', with its powerful banks and exports of capital.[3] In third position, Berlin was mainly but in no way solely concerned with domestic growth.[4] In

2 – Youssef Cassis, *La City de Londres, 1870-1914*, Paris, Belin, 1987, 235 p.; Ranald C. Michie, *The City of London. Continuity and Change, 1850-1950*, Basingstoke and London, Macmillan, 1992, 238 p.; David Kynaston, *The City of London. Volume II: Golden Age, 1895-1914*, London, Chatto & Windus, 1995, 688 p.

3 – Alain Plessis "When Paris Dreamt of Competing with the City...", in Y. Cassis and E. Bussière, eds, *London and Paris as International Financial Centres in the Twentieth Century*, *op. cit.*, p. 42-54.

4 – Hans Pohl (Hg.), *Geschichte des Finanzplatzes Berlin*, Frankfurt, Knapp, 2002, 321 p.

ABSTRACT

This article considers the position of Europe's leading financial centres, its 'financial capitals', since the early twentieth century. Particular attention is paid to the development of Europe's international financial position, from the height of the pre-1914 days, when it was the 'banker of the world'; to the lows of the late 1940s, when it required American assistance; and to the resurgence of its financial power at the turn of twenty-first century in an increasingly multipolar financial environment. The article addresses three main issues. First: how to explain the rise, persistence and fall of Europe's financial capitals? Second: What has been the degree of competition, cooperation and integration of Europe's financial capitals, at both global and European levels? And third, what can the past tell us about the likely development of Europe's financial capitals in the twenty-first century, in the wake of the Global Financial Crisis and Brexit?

RÉSUMÉ

LES PLACES FINANCIÈRES EUROPÉENNES DEPUIS LE DÉBUT DU VINGTIÈME SIÈCLE

Cet article traite de la position des principales places financières européennes depuis le début du vingtième siècle. Il étudie plus particulièrement l'évolution de la position financière de l'Europe, de son apogée durant la période d'avant 1914, lorsqu'elle faisait office de « banquier du monde », au déclin à la fin des années 1940, lorsqu'elle bénéficie de l'aide américaine, puis au rétablissement de son pouvoir financier au tournant du vingt-et-unième siècle, dans un environnement financier de plus en plus multipolaire. L'article aborde trois grandes questions : premièrement, comment expliquer l'essor, le déclin et la chute des capitales financières européennes ? Deuxièmement, quel a été le degré de coopération, concurrence et intégration de ces capitales financières ? Et troisièmement, quelles indications le passé peut-il nous donner en ce qui concerne l'évolution des capitales financières européennes au vingt-et-unième siècle, à la suite notamment de la crise financière globale et du Brexit.

JEL Classification: **N23, N24, N43, N44**

Key words: **Europe's Financial Capitals, London Stock Exchange, New York Stock Exchange, Europe's international financial position, competition, cooperation and integration**

Mots clés: **Places financières, Bourse de Londres, Bourse de New York, position financière de l'Europe, coopération, concurrence, intégration**

fourth place, New York had emerged as a financial centre of major significance, though more as an entry point into a capital importing country than as an exit point from a capital exporting country. But Brussels, Amsterdam, and Zurich and Geneva, the financial capitals of small but rich European countries, also ranked amongst the world's leading centres – offering secondary markets and specialized services. These were the financial capitals of the day.[5] There were of course other financial centres in Europe and the world, but they only played a role at regional or local level.

Fifty years later, by the mid-twentieth century, when Europe required American assistance,[6] there were more financial centres in Europe than anywhere else in the world. New York had now established itself as the world's leading financial centre, but in a period of national or imperial withdrawal and much reduced international capital flows.[7] But London, in second place had not abandoned its international ambitions. Despite the constraints imposed by state intervention and regulation, the City could rely on its age-old institutions, mechanisms and expertise.[8] It could also rely on the sterling area – the world's largest currency bloc.[9] It enabled the City and the pound to resume, in a more limited way, the role they had played before 1914. Switzerland had moved to third place, thanks to its neutrality during the War, the convertibility of the Swiss franc –the only fully convertible currency apart from the US dollar– and its role as a refuge for flight capital.[10] Paris's international influence after 1945 was a mere shadow of what it had been only some thirty years earlier. And yet it retained some of the attributes of a financial capital, mainly of an institutional nature, with the expansion of French banks abroad and the presence of foreign banks in the French capital.[11] Berlin had been erased from the map of international financial centres and was still in the process of being replaced by Frankfurt. There was no centre of any significance in emerging economies.

Another fifty years later, at the turn of the twenty-first century, Europe was still, or again, a financial power and had its fair share of international financial centres – in a financial world whose level of globalization was higher than in 1913. London shared the top spot with New York. London came first for

5 – Youssef Cassis, *Capitals of Capital*, *op. cit.*

6 – Between April 1948 and December 1951, the Marshall Plan provided Europe with $12 billion, mostly in kind. See : Michael J. Hogan, *The Marshall Plan: America, Britain, and the reconstruction of Western Europe, 1947-1952*, Cambridge, Cambridge University Press, 1987, 482 p.; René Girault et Maurice Lévy-Leboyer, *Le Plan Marshall et le relèvement économique de l'Europe*, Paris, Comité pour l'histoire économique et financière de la France, 1993,

7 – Marcus Nadler, Sipa Heller, Samuel S. Shipman, "New York as an International Financial Center", in id. (eds), *The Money Market and Its Institutions*, New York, Ronald Press, 1955, p. 283-302; Charles R. Geisst, *Wall Street. A History*, Oxford, Oxford University Press, 1997, 488 p.; Richard Roberts, *Wall Street. The Markets, Mechanisms and Players*, London, The Economist Series (Book 49), 2002, 288 p.

8 – Ranald C. Michie, *The City of London. Continuity and Change, 1850-1950*, *op. cit.*; David Kynaston, *The City of London. Volume IV: A Club No More 1945-2000*, London, Chatto & Windus, 2001, 896 p.; Youssef Cassis, *Capital of Capitals*, *op. cit.*.

9 – Catherine Schenk, *Britain and the Sterling Area. From devaluation to convertibility in the 1950s*, London, Routledge, 1994, 176 p.

10 – Max Iklé, *Die Schweiz als internationaler Bank- und Finanzplatz*, Zurich, Orell Füssli, 1970, 187 p.

11 – Laure Quenouëlle-Corre, *La place financière de Paris au XXe siècle. Des ambitions contrariées*, Paris, Comité pour l'histoire économique et financière de la France, 2015, 500 p.

international financial transactions but was easily outpaced by New York if one adds domestic financial activities.[12] Tokyo enjoyed a meteoric rise in the 1970s and, especially, the 1980s, challenging New York for world primacy. But it suffered from the long depression that followed the burst of the property and stock market bubbles in 1989-1990, and was no longer one of the 'big three' global centres. Frankfurt had become Germany's financial capital, as well as the leading financial centre in continental Europe. It clearly benefitted from the decision, in 1992, to establish the headquarters of the new European Central Bank on the banks of the Main.[13] Paris somewhat struggled to properly reassert itself, having been overtaken by Frankfurt and fallen further behind the two Anglo-Saxon centres. But it still held some aces, primarily in assets management.[14] In terms of overall size, Zurich, together with Geneva, dropped back in the international hierarchy and concentrated on certain niches, above all private wealth management. One of the most striking differences with the globalization prior to 1914 was the presence of Asia-Pacific centres amongst the leading international financial centres. After Tokyo in the 1970s, Hong Kong and Singapore emerged in the 1980s, enjoyed rapid growth in the 1990s and were challenging Europe's historical centres by the early twenty-first century.[15]

This brief survey of the development of international financial centres in the twentieth century raises a number of questions. This chapter will address three of them, in connection with Europe's financial position. The first question concerns the development of Europe's financial capitals over the long-run: how to explain their rise, the persistence of some of them, but also the decline and even fall of others. The second question concerns the relationships between international financial centres: how much competition and how much cooperation, at both European and global levels? But there is also the question, especially as far as Europe is concerned, of the degree of integration and centralisation of financial services. And the third question concerns the lessons of history -if there are any. What can the past tell about Europe's international financial position in the twenty-first century?

12 – Richard Robert, *Inside International Finance*, London, Orion Business, 1999, 224 p.; Youssef Cassis, *Capitals of Capitals, op. cit.*

13 – Carl-Ludwig Holtfrerich, *Frankfurt as a Financial Centre. From medieval trade fair to European banking centre*, Munich, Beck, 1999, 366 p.

14 – André Strauss, "The future of Paris as an international centre from the perspective of European integration", in Y. Cassis and E. Bussière, eds, *London and Paris as International Financial Centres in the Twentieth Century*, Oxford, Oxford University Press, 2005, p. 313-325.

15 – Yu Ching Jao, Hong Kong as an international financial centre: evolution and prospects and policies, Kowloon, City University of Hong Kong Press or the Hong Kong Centre for Economic Research and the Hong Kong Economic Policy Studies Forum, 1997, (First Edition 1983) 170 p. Donald R. Lessard, "Singapore as an International Financial Centre," in Richard Roberts, ed., Offshore Financial Centres, vol. 4, International Financial Centres, Aldershot, Edward Elgar Publishing Limited, 1994, (First Edition 1984).

RISE, PERSISTENCE, AND FALL

There are both long-term and more proximate causes of the rise and decline of financial centres. The business and finance and literature has identified a number of conditions that are necessary, if not sufficient, for their development. They include the stability of political institutions; the strength of the currency; sufficient savings that can easily be invested abroad; powerful financial institutions; firm but not intrusive state supervision; a light tax burden; a skilled workforce; efficient means of communication; and reliable and widely accessible information. There is no doubt that all or at least some of these conditions can be found at some stage in the history of the major international financial centres. However, they only provide short-term explanations. They do not convey the underlying causes of the relative success or failure of the main international financial centres.

A long-term historical analysis reveals that the rise of a major centre is very closely linked to the economic power of the country that hosts it. This may seem an obvious thing but it is often overlooked. In 1913, London, Paris, Berlin and New York were the financial capitals of the world's leading economies and the same was true of New York, London, Tokyo, Frankfurt and Paris at the turn of the twenty-first century. The rankings of the centres and that of the economies do not exactly match. This is because the emergence of a major financial centre follows, with some degree of time lag, a nation's rise to being a major economic power. Britain had already overtaken the Netherlands when London replaced Amsterdam as the world's financial centre at the turn of the nineteenth century. And the United States were largely ahead of Britain when New York started challenging London in the 1920s. Similarly, it took Tokyo about twenty years to transfer the feats performed by Japanese industry in the postwar period on to the level of international finance. This time lag can be explained in terms of stage of economic development, and simply of the force of inertia of entrenched positions.

Before 1914, and until the 1960s, capital exports were a prerequisite for the rise of an international financial centre. In 1913, the three leading centres, London Paris and Berlin, were also the financial capitals of the three largest capital exporting countries. In addition Brussels, Amsterdam and Zurich were the financial capitals of three small countries which, taken together, exported nearly as much capital as Germany.[16] New York seems to have been the exception, as it was the financial capital of the world's largest capital importing country. However, even if the United States remained a net debtor until the end of First World War, it also held the fourth largest stock of foreign

16 – In 1913, Britain's share of foreign investment amounted to 18. 3 per cent, France's to 8.7 per cent, Germany's to 5.6 per cent and, taken together, Belgium's the Netherland's and Switzerland's to 5.5 per cent -ahead of the United States with 3.5 per cent (United Nations, 1949). See also Maurice Obstfeld and Alan M. Taylor, *Global Capital Markets: Integration, Crisis and Growth*, Cambridge, Cambridge University Press, 2004, 374 p.

investment, mainly direct investments, in 1913.[17] Other large capital importing countries, such as Canada, Russia, Austria-Hungary, Argentina, Brazil, China, India, or South Africa only produced regional financial centres, whose importance stemmed from the presence of foreign banks, mainly in order to finance international trade.

Another requirement was a strong currency -understood here in a generic sense and meaning not only a stable and convertible currency, as was anyway the case under the classical gold standard, but also a reserve currency. The pound, of course, but also the French franc and the German Mark were the 'key currencies' of the pre-1914 international monetary system - a status that the dollar only acquired after the First World War.[18]

Things changed with the advent of the Eurodollars in the 1960s. Eurodollars are dollars held outside the United States, free of American regulation. They started to accumulate in Europe, especially in London, for a combination of political, economic and regulatory reasons -the cold war, which led the Soviet Union to deposit its assets in dollar in Europe rather than in the United States; American overseas investments, mainly by multinationals, in addition to foreign aid; the growing American balance of payments deficit; and 'Regulation Q', introduced in 1933 as part of the New Deal, which limited the interest rate paid on bank deposits within the United States. As British banks were able to offer a higher rate, funds were attracted to Britain, especially those earned overseas by American multinationals.[19]

The Eurodollar market came into being when these funds were actually used. This happened for the first time in 1957, following a sterling crisis, when the British government imposed a ban on the use of sterling instruments for financing third party trade. British banks, unwilling to lose customers, began to use these dollars instead.[20] The Eurodollar market, a short-term interbank market, quickly gave birth to the Eurobond market - a long-term capital market. The idea was to use Eurodollars not only for bank loans but also for issuing dollar-denominated bonds in London rather than in New York. The first Eurobond issue took place in July 1963, under the aegis of Siegmund Warburg, the scion of the famous Hamburg banking dynasty who had immigrated to London in 1934. The loan was on behalf of *Autostrade Italiane*, a subsidiary of IRI, the Italian state holding company.[21] A third form of Euro credit - medium-term this time, lasting from three to ten years - developed in the mid-sixties, in the form of international bank loans wholly financed by resources in Eurodollars

17 – Lance E. Davis, Robert J. Cull, *International Capital Markets and American Economic Growth 1820-1914*, Cambridge, Cambridge University Press, 1994, 178 p.

18 – Peter H. Lindert, *Key Currencies and Gold 1900-1913*, Princeton, Princeton University Press, 1969, 85 p.

19 – Carla E. Altamura, *European Banks and the Rise of International Finance. The post-Bretton Woods era*, London, Routledge, 2017, 294 p.

20 – Catherine Schenk, "The Origins of the Eurodollar Market in London, 1955-1963", *Explorations in Economic History*, Vol. 35, Issue 2, 1988, p. 221-238.

21 – Ian M. Kerr, *A History of the Eurobond Market. The first 21 years*, London, Euromoney publications, 1984. 166 p.; Niall Ferguson, *High Financier, The Lives and Times of Siegmund Warburg*, London, Allen Lane, 2010, 576 p.

and generally granted on the basis of floating interest rates.[22] They fuelled the loans to developing countries in the 1970s, leading to the International debt Crisis of 1982.The Euromarkets grew rapidly: Eurodollars from approximately $1.5 billion from their beginnings in 1958 to $130 billion in 1973; Eurobonds from about $250 million in 1963 to a yearly average of over $4 billion ten years later; and Eurocredits from barely $2 billion dollars in 1968 to more than $20 billion in 1973 – more than four times the amount of Eurobonds.[23]

The rise of the Euromarkets, which quickly made London their natural home, signaled the return of the City to the top rank amongst international financial centres. London was certainly well-equipped for taking charge of these new financial activities – because of the age-old experience of its bankers, their expertise in international finance, and the diversity and complementarity of its institutions and markets. However, the positive attitude of the British monetary authorities, in contrast to that of their European counterparts, also made a difference. What is important, however, is that the rebirth of the City and then its formidable rise were based on transactions in dollars and other foreign currencies much more than in pounds. Until the end of exchange controls in 1979, domestic financial activities, denominated in sterling, were highly regulated, whereas international activities in foreign currencies on behalf of foreign residents enjoyed far greater freedom.

The fact that there was no longer any connection between a strong currency and a leading international financial centre (the City prospered in the midst of recurrent sterling crises) reflected the globalization of capital under a floating exchange rate system. This offered opportunities not only for the City of London, but for other financial centres. Singapore followed this route and took off by developing the Asian dollar market –the Asian equivalent of the Eurodollar market, which reached $86 billion in 1982 and $350 billion in 1990. The government also encouraged the emergence of a bond market. Syndicated Eurocredits, for their part, found a home in Hong Kong, with loans on behalf of government and enterprises in the region's main economies: Japan, Taiwan, South Korea, and even Australia and New Zealand, joined by Thailand, the Philippines and, above all China. However, other centres continued to rely on their national currency, first of all Zurich, given the strength of the Swiss franc, but also Frankfurt, which benefitted from the strength of the Deutsche Mark.

Two more points must be discussed in connection with the rise, persistence and fall of international financial centres. The first concerns their persistence and has to do, amongst other explanatory factors, with path dependency. This is particularly true of European centres. Once established, international financial centres have on the whole experienced remarkable longevity, in spite of the phases of boom and bust in the course of their existence. Frankfurt, for example, returned to the limelight after some eighty years of obscurity. Amsterdam

22 – Richard Roberts, *Take Your Partners. Orion, the Consortium Banks and the Transformation of the Euromarkets*, Basingstoke, Palgrave, 2001, 359 p.

23 – OECD, *International Capital Markets Statistics, 1950-1995*, Paris, OECD, 1996, 293 p.

regained an appropriate position during the course of the twentieth century. Brussels, admittedly, lost a lot of ground but never entirely disappeared.

The second point concerns their decline and fall. It is rarely, if ever caused by a financial crisis -whatever its severity. The Great Depression weakened New York more than London and even Paris, but did not cause any upheaval in the hierarchy of international financial centres.[24] The decline and occasional fall of financial centres are closely linked to the long-term decline, or relative decline, of an economic power. However, this is a very slow process. In fact, the fall of an international financial centre is usually triggered off by a military cataclysm -irrespective of the outcome, whether victory or defeat. Amsterdam's demise during the Napoleonic Wars is a classic example of such a path, but there are others. After the 1870 defeat, Paris marked time before beginning its long decline after the First World War, aggravated by the 1940 defeat and German occupation. The City came out of the First World War weakened, and its decline seemed irreversible after the Second. A variation on this theme, owing to its mainly national dimension, was Frankfurt's eclipse following Austria's defeat by Prussia in 1866 and Berlin's rise within a newly unified Germany. As for Berlin's fall, this was a direct consequence of the German defeat in 1945.

COMPETITION, COOPERATION, INTEGRATION

There has always been a certain amount of competition between the leading financial centres, sometimes motivated by political authorities. On the whole, competition has been stronger between financial actors *within* and *across* financial centres than between financial centres themselves. Nevertheless, there have been instances of strong rivalries between two or more centres. It has mainly been a matter of capturing certain markets, but occasionally also of establishing an overall dominant position. The best known episode is probably the rivalry between London and Paris during the Second Empire, between 1852 and 1870. France actually exported more capital than Britain during this period, but far more issues were floated in London.[25] Interestingly, Paris's ambitions took the form of a proposal made by France in December 1866 to introduce a universal currency, based on the franc, a year after establishing the Latin Monetary Union with Italy, Belgium and Switzerland. But it came

24 – London somewhat regained the top spot, but Paris did not overtake New York. In any case, international financial transactions had nearly come to a halt, with London and to a lesser extent Paris withdrawing into their host country's colonial empire. Youssef Cassis, *Capital of Capitals*, *op. cit.*

25 – Albert H. Imlah, "British Balance of Payments and the Export of Capital, 1816-1913", *Economic History Review*, vol. 5, Issue 2, 1952, p. 208-239; Maurice Lévy-Leboyer, « La balance des paiements et l'exportation des capitaux français », *in id.* (dir.), *La position internationale de la France. Aspects économiques et sociaux*, Paris, Editions de l'EHESS, 1977, p. 75-142.

to nothing, as Britain and Prussia refused the plan.[26] And France's defeat by Prussia in 1871 put an end to Parisian ambitions.

With the outbreak of the First World War, the United States saw an opportunity to overtake Britain as the world's leading financial power. The emergency measures taken by Treasury Secretary William McAdoo to check the dollar crisis clearly had this objective in mind. A *Washington Post* headline announced in January 1915 "the Eventual Shift of the World's Financial Center from the English Capital to New York".[27] In the late 1920s, the pound's weakness and the franc's strength altered temporarily the balance of power between Paris and London. France's current account surplus enabled it to amass a vast amount of sterling claims and put pressure on the Bank of England. The Banque de France was determined to use the situation to promote Paris as a financial centre.[28] For a few years, Paris recovered its glory of the Belle Époque and the hope of supplanting the City. However, it was above all a matter of financial diplomacy. Its prosperity, essentially founded on the inflow of short-term capital, remained fragile and did not survive the shock of the thirties.

Long-standing rivalries were rekindled in the 1990s. In Europe, Frankfurt and Paris had been endeavouring to supplant London, while also competing against each other. The creation of 'Paris Europlace' in 1993 and 'Finanzplatz Deutschland' in 1996 - organisations each aiming to promote its centre of origin, were signs of that determination. In Asia, both Hong Kong, itself challenged by the rise of Shanghai, and Singapore, were trying to take advantage of Japanese deflation to compete with Tokyo. In the early twenty-first century, following the collapse of Enron and World.Com and the passing of Sarbanes-Oxley Act, New York became increasingly worried about the rise of London. The mayor of New York, Michael Bloomberg, commissioned a $600,000 study by McKinsey to consider the matter.

Publications of rankings of financial centres, which have become more frequent in recent years, have reinforced this sense of competition. A recent influential ranking has been the 'Global Financial Centres Index' published since 2007 by Z/Yen first for the City of London and then for the Qatar Financial centre Authority. Interestingly, it is not based on the size or influence of financial centres, but on their competitiveness. In March 2015, for example, New York came first, ahead of London, Hong Kong and Singapore, but there were more bizarre results: Frankfurt was only 19th, behind Riyadh and Vancouver, and Paris 37th, behind Tel Aviv, Calgary and Stockholm! Another ranking, the 'Xinhua-Dow Jones International Financial Centers Development Index', published between 2010 and 2015, provided more realistic results, with Paris in

26 – Luca Einaudi, *Money and Politics. European Monetary Unification and the International Gold Standard (1865-1873)*, Oxford, Oxford University Press, 2001, 256 p.

27 – William L. Silber, *When Washington Shut Down Wall Street. The Great Financial Crisis of 1914 and the Origins of America's Financial Supremacy*, Princeton, Princeton University Press, 2007, 240 p.

28 – Paul Einzing, *The Fight for Financial Supremacy*, London, Macmillan, 1931, 144 p.; Emile Moreau, *Souvenirs d'un gouverneur de la Banque de France: Histoire de la stabilisation du franc (1926-1928)*, Paris, M.-T. Génin, 1954, 624 p.

seventh and Frankfurt in eighth position in 2014 – behind New York, London, Tokyo, Hong Kong, Singapore and Shanghai.

Even more than competition, cooperation took place between financial actors in the major financial centres. These actors originally included central banks. Before 1914, the cooperation between the Bank of England and the Bank de France was essential for the smooth running of the gold standard.[29] Whereas the Bank of England was the 'conductor', to use Keynes's word, of the international monetary system, in many respects the Banque de France maintained regulation and stability by allowing its gold to flow to Britain when the need arose or by voluntarily making it available to the Bank of England on a temporary basis.[30] Central bank cooperation was less successful in the 1920s, not least because of the deep antipathy between Emile Moreau, the governor of the Banque de France, and Montagu Norman, the governor of the Bank of England; and it failed lamentably to prevent the depression of the 1930s.[31] This led to its institutionalisation after 1945, with the creation of the International Monetary Fund as part of the Bretton Woods agreements, while the Bank for International Settlements, in Basel, acted as an informal club of central bankers.[32]

Cooperation also took the form of multinational banks being represented in several centres. While this has become the norm, even for medium-sized banks, since the 1980s, it remained fairly limited in earlier periods.[33] There were 37 foreign banks in London in 1913, and 18 Paris.[34] The reason is that, with the exception of London and to a certain extent Paris before 1914, as well as New York after the First World War, multinational banks opened foreign branches in developing economies rather than in established financial centres.

In the 1960s and 1970s, banking clubs were the main form of cooperation between European banks, partly as a reaction to the American challenge, and brought financial centres closer to one another. They were coalitions among big commercial banks, in which each preserved its independence, and whose primary goal was to enable their members to offer their services in different European countries without having to be represented there directly. By the early 1970s four such clubs had been established: Associated Banks of Europe Corporation (ABECOR), Europartners, European Banks International Company (EBIC), and Inter Alpha. They included most leading European banks, each

29 – Barry Eichengreen, *Globalizing Capital. A History of the International Monetary System*, Princeton, Princeton University Press, 1996, 280 p.

30 – Marc Flandreau, "Central bank cooperation in historical perspective: a sceptical view", *Economic History Review*, Vol. 50, No 4, 1997, p. 735-763.

31 – S.V.O. Clarke, *Central Bank Cooperation 1924-31*, New York, Federal Reserve Bank of New York, 1967, 234 p.; Barry Eichengreen, *Golden Fetters. The Gold Standard and the Great Depression 1919-1939*, Oxford, Oxford University Press, 1992, 480 p.

32 – Harold James, *International Monetary Cooperation since Bretton Woods*, New York and Oxford, Oxford University Press, 1996, 768 p.; Gianni Toniolo, *Central Bank Cooperation at the Bank for International Settlements, 1930-1973*, Cambridge, Cambridge University Press, 2005, 768 p.

33 – Geoffrey Jones, Ed., *Banks as Multinationals*, London, Routledge, 1990, 288 p.

34 – Youssef Cassis, *Capitals of Capital, op. cit.*

with no more than one bank per country. But they collapsed at the beginning of the 1980s, when European banks started their own multinational expansion.[35]

Financial operations could also be simultaneously undertaken in several centres. This was typically the case with the issue of foreign loans. Before 1914, an Argentinean loan would typically be offered in London, by Baring Brothers, Paris, by the Comptoir d'escompte, and Berlin, by the Disconto-Gesellschfat, who acted as joint issuing houses, with Baring Brothers as the lead house.[36] In the same way, the first Eurobond in 1963 was managed by a consortium led by S.G. Warburg in London and including Deutsche Bank, Banque de Bruxelles and Rotterdamsche Bank.[37] However, the issue of Eurobonds was mainly concentrated in London. The rise of *global* financial centres, each in one of the main time-zones, as opposed to mere *international* financial centres, somewhat diminished the need for the type of pre-1914 cooperation between financial centres.

The relationships between Europe's financial *capitals* raises the question of the emergence of Europe's financial *capital*. In a seminal article published in 1974, the economist and economic historian Charles Kindleberger reflected on the formation of financial centres.[38] His conclusion was that in the course of the nineteenth century, one financial centre emerged in each industrialised country, whereas two, or more, were previously in competition. The centre could be the country's political capital, as with London, Paris or Berlin, or it could be its economic epicentre, as with New York, Milan or Zurich. This concentration was primarily due to the advantages of establishing a national system of payment. Kindleberger ended his article by wondering if the same phenomenon would happen at European level. In his view, it would – though with difficulty, and not before the late 1980s. He ventured to name the city most likely in his view to emerge as the financial centre of the European Economic Community. It was neither London (he saw the pound as too weak and British savings not sufficiently available) nor Paris (he thought there was little likelihood of consent from the other members). So, he went for Brussels (because it served as headquarters for the European Commission, attracted foreign corporations, and tolerated the use of the English language).

Historians' predictions can unfortunately go wrong, even those made by such eminent scholars as Charles Kindleberger. But there are important lessons to draw from them. Forty years after the publication of Kindleberger's article, there still wasn't a proper financial centre of Europe – in the same way as New York is the financial centre of the United States or Tokyo the financial centre of Japan – and this despite increasing European economic and financial

35 – D. Ross, « European Banking Clubs in the 1960s: A Flawed Strategy", *Business and Economic History*, No 27, 1998, p. 353-366.

36 – Youssef Cassis, *La City de Londres, 1870-1914*, *op. cit.*

37 – Ian M. Kerr, *A History of the Eurobond Market. The first 21 years*, *op. cit.*; Niall Ferguson, *High Financier, The Lives and Times of Siegmund Warburg*, *op. cit.*

38 – Charles P. Kindleberger, "The Formation of Financial Centers", in *Princeton Studies in International Finance*, No 36, 1974, 82 p.

integration. A tension persisted between the national level, with Europe's several financial capitals (Frankfurt, Paris, Amsterdam and others) and the global level, with London ambiguous position. London had become Europe's foremost financial centre and the only one with a truly global reach, but wasn't *really* the financial centre of Europe.

Unlike New York, or for that matter Tokyo or even Frankfurt (and Berlin before it), London has always been an international rather than a domestic financial centre. In 1911, *The Economist* could write that "London is more concerned with the course of events in Mexico than with what happens in the Midlands".[39] In these years, foreign issues represented two thirds of all the issues floated on the London market. They had dropped to just below half in the 1920s. But this was still twice as high as the proportion of foreign loans offered in New York at that time -that is precisely when New York overtook London to become the largest provider of capital worldwide. Paris was also primarily an international centre before 1914, but it was much more centred on Europe, including Russia, and the Middle East, whereas London's investments and connections spanned the entire world.

By the turn of the twenty-first century, London had become a truly global – or supranational – financial centre, coming top in five of the seven main fields of international financial business, namely: cross-border bank lending, with 19.5 per cent of the market; foreign currency transactions, with 32 per cent; asset management; and Eurobond issues. London held second place, behind Chicago, in the derivatives futures markets, but first place in over-the-counter (OTC) transactions (with 36 % of the market)]; and third place, behind New York and Tokyo, in equity market capitalisation, but first in foreign securities trading (45 %), ahead of New York (22 %).[40]

But London had also become very much a European financial centre. In the year 2000, the City's financial activities made up 55 per cent of Europe's wholesale financial services – £23.2 out of £42.2 billion. A quantitative measurement of London's contribution to the European Union's economy was attempted at that time by the Centre for economic and Business Research, an economic consultancy in London, by comparing the situation as it was in the year 2000 with a hypothetic model in which money-centre services would be spread evenly across the countries of the European Union in proportion to their respective GDP.[41] The results of such counterfactuals have to be considered with a degree of caution, but can nonetheless be revealing. They showed that a dispersion of the City's wholesale financial services would have had serious effects on both the City and the European Union. The City output would have fallen from £23.2 billion in 2000 to £7.1 billion, in other words to only 30 per

39 – *The Economist*, 20 May 1911, p. 1059.

40 – Richard Roberts, *Inside International Finance, op. cit.*

41 – Centre for Economic and Business Research, November 2000, *The City's Importance to the European Union* Economy, quoted in Roberts and Kynaston, *City State. How the Markets Came to Rule our World*, London, Profile Books, 2001, 230 p.

cent of what it was; and about half of City employment would have disappeared, that is some 150,000 jobs. But the study also suggested that only 48 per cent of the business lost by the City would have gone elsewhere in the European Union. Of the remainder, half would have migrated to financial centres outside the EU, notably New York and Switzerland, while the other half of transactions would have simply become uneconomical and disappeared. As a net result, the European Union would have been worse off, with a total GDP lower by 0.17 per cent and the loss of 110,000 jobs. The study concluded that 'London is a vital component of the whole EU economy that boosts is efficiency and competitiveness and hence its GDP and employment'.

PAST, PRESENT AND FUTURE

What can history tell us about the likely development of Europe's financial capitals in the twenty-first century? One first point, already borne out by history, is that the effects of the financial debacle of 2008 on international financial centres have been fairly limited. There was much discussion about a shift of the centre of gravity of international financial eastwards, and whether Wall Street and the City of London would lose their world leadership and be upstaged by centres in Asia and the Middle East. However, these discussions ignored the fact that financial crises have never led to an upheaval in the hierarchy of international financial centres – whether in 1873, 1890, 1907 or indeed 1929.

As a single event, the financial debacle of 2008 was the most severe financial crisis in history: never before did so many of the leading banks in so many advanced economies find themselves, at almost exactly the same time, requiring state intervention to save them from failing. Yet it was not severe enough to lead to a reshaping of the international financial order, especially when compared with the many banking and financial crises of the Great Depression. Taken together, over a period of five years and with thousands of bank failures, they were more traumatic and, especially, caused far greater damage to the real economy than the credit crunch and the crisis of 2007-2008. And yet the respective positions of London, New York and Paris were hardly modified.[42]

Even before the slowdown of China's economic growth, it was doubtful that Shanghai could emerge, in the short or even the medium-term, as the world's leading financial centre. Apart from the questions of currency convertibility and international openness, there was China's position in the world economy. Some historical parallels are revealing. When the United States started challenging Britain for world financial supremacy before 1914, its GDP was already two-and-half times as large, and its GDP per head 20 per cent higher. And yet it took thirty years, including two world wars, for the transition to be finally

42 – Youssef Cassis, *Crises and Opportunities. The Shaping of Modern Finance*, Oxford, Oxford University Press, 2011, 218 p.

completed. In 1989, at the height of Japan's apparently unstoppable rise, its GDP was 40 per cent that of the United States and its GDP per head 80 per cent, but Tokyo's challenge to New York soon petered out, with the burst of the stock market and property bubbles.

In 2016, China's GDP was nearly 60 per cent that of the United States, but its GDP per head just under 14 per cent. Its foreign exchange reserves provided it with leverage over the United States, but primarily in matters of policy -a position reminiscent of that of France in the late 1920s. To the extent that the financial capital of the world's most powerful economy eventually becomes the financial centre of the world, Shanghai's turn will come, but it will take time. And it is likely to be a centre more akin to New York than London -that is more firmly anchored in the domestic economy, with Hong Kong retaining its leading international role.

Where does this leave Europe? With London, the Old Continent hosts one of the world's top two financial centres - a situation that befits the world's largest economy. Moreover, with increasing financial centralization in London since the beginning of the twenty-first century, Europe's other financial capitals have gradually lost some of their importance and influence, a position not entirely dissimilar to that of Boston, Chicago or San Francisco in the United States. Frankfurt and Paris have fallen, though not dramatically, in the international rankings, raising concern in the two continental centres.

Further European integration, even without Britain's membership of the Eurozone, would have been likely to reinforce this trend. However, the Brexit vote of 23 June 2016 has put the entire process into question. There have already been a lot of speculations about the possible consequences of Brexit for the City of London on the one hand, and for a number of European financial centres, especially Frankfurt, Luxemburg, Paris and Dublin, on the other hand. At the time of writing, in September 2017, they remained mere speculation, as too much uncertainty still surrounded the outcome the negotiations between Britain and its European partners.

This is not the place to review them in detail. On the City of London's side, optimists have underlined its status as the world's leading global financial centre, ways ahead any of its competitors in continental Europe; the diversity, complementarity and depth of its markets; the availability of a skilled workforce; but also the dependence of the European Union on the City of London for the issuance of much of its debt and equity. Pessimists, on their part, have mainly worried about the risks posed by the loss of passporting rights, in particular massive relocations in continental European centres with ensuing job losses (with estimates varying from 10,000 to 100,000); the possible move of the euro clearing business out of London; and the threats to the supply of a highly skilled workforce due to restrictions on immigration. In other European financial centres, Brexit has raised the prospect of gaining some of the business lost by the City, with Frankfurt usually seen as the main beneficiary, though not of any centre supplanting London as Europe's premier financial centre.

Predictions based on historical precedents are risky, especially if they try to be very precise. Nevertheless, long-term historical trends can give some indication of the direction towards which events might be moving. Since the eighteenth century, with the rise of Amsterdam to world's financial leadership, major financial centres have always been the financial capitals of leading economic powers. There have been some exceptions that confirm the rule – Switzerland after the Second World War, Singapore since the 1990s, but there are exceptions and there have been clear limits to their overall influence and growth potential. London itself has in some way been an offshore financial centre since the 1960s. But it was the financial capital of an admittedly medium-sized country that was still the world's fourth or fifth largest economy, and that was part of the European Community and then the European Union. As a *pure* offshore financial centre, detached from Europe, London would have been unlikely to rise to the top of the hierarchy of international financial centres.

By the same token, all major economic powers saw their financial capital become in due a course a leading financial centre – London and Paris in the eighteenth century, Berlin in the late nineteenth century, New York in the early twentieth century, Tokyo in the mid-twentieth century, Hong Kong (indirectly, with China's opening up to the world) in the late twentieth century, Shanghai in the early twenty-first century. The European Union, as one of the world's largest economic areas, would thus have to host a top international financial centre. If this centre is not London, another one would necessarily emerge – even though I wouldn't venture to predict which one. This would of course be a lengthy process, resulting from the United Kingdom and the European Union gradually moving further apart, and the European Union deepening its level of economic, financial and fiscal integration.

In the short term, the European Union would be left without a global financial centre, as neither Frankfurt nor Paris could readily take on London's mantle – for a combination of economic, political and cultural reasons. London, for its part, would only suffer marginal losses, as it would carry on with most of its previous functions. More significant changes would occur in the medium to long term, especially with the establishment of a top-ranked financial centre in the European Union – though a more domestically than internationally oriented one (Tokyo's example comes to mind). London would have to cope with the rise of a new European rival, inevitably losing some of its importance and influence, but still thriving as global offshore financial centre (Singapore's example here comes to mind). However, such a scenario would obviously not happen if the United Kingdom were to remain, in one way or another, sufficiently integrated into the European Union for London to remain its financial capital.

LE DÉCLIN DE LA SIDÉRURGIE EUROPÉENNE EST-IL INÉLUCTABLE ?

Philippe Mioche
Professeur émérite, Université d'Aix-Marseille

Introduction

La sidérurgie européenne n'en finit pas de connaître des difficultés. Faut-il se résoudre à la marginalité ? Après les mines de charbon et le textile, fleurons de son rayonnement industriel au XIXe siècle, l'Europe pourrait-elle voir encore se réduire ses capacités dans la production d'acier, qui demeure un acteur majeur de la croissance mondiale et dont les capacités de renouvellement comme matériau semblent infinies ?

Pendant longtemps la sidérurgie européenne a dominé la production mondiale d'acier. Ce n'est plus le cas à présent et chacun sait que l'essentiel de la production d'acier est produit en Asie. En 2013, la Chine a produit à elle seule la moitié de l'acier du monde (49.8 %). C'est une banalité d'écrire que la Chine porte le marché mondial de l'acier.

La méthode proposée ici consiste à croiser les tendances historiques longues avec les données de conjoncture de moyen et de court terme afin de fournir un éclairage sur l'évolution possible.

Les questions portent sur divers aspects du déclin de la sidérurgie européenne. Quelles en sont les étapes chronologiques ? Quel est le bilan des politiques sidérurgiques de l'Europe (CECA, CEE, UE) ? Quels sont les manifestations et les facteurs du déclin ?

1. LES MESURES DU DÉCLIN

Nous abordons la mesure du déclin sous trois angles. La première question repose sur «l'histoire des futurs[1]». Le déclin a-t-il été envisagé, prévu, par les professionnels de la sidérurgie? La seconde porte essentiellement sur la chronologie: quand peut-on parler de déclin? La troisième porte sur les permanences et les ruptures des sidérurgies nationales dans le contexte du déclin.

1 – Voir l'ouvrage stimulant de Bernard Cazes, *Histoire des futurs. Les figures de l'avenir de Saint Augustin au* XXIe *siècle*, Paris, L'Harmattan, 2008, 510 p.

ABSTRACT

IS THE DECLINE OF THE EUROPEAN STEEL INDUSTRY INEVITABLE?

The European steel industry has dominated world steel production. But in 2013, China produced half the world's steel (49.8 %) and had become "the forge of the world." The steel industry is not in crisis even if it experiences cycles ; it is still increasing. The relative decline of the European steel industry began in 1952. Since the 2008 crisis, the steel industry has been declining in absolute terms. The weight of "Europe" decreased from over 40 % in the interwar period ton 10 % in 2013. Technological indicators do not allow us to conclude to the technological superiority of Europe. However, Europe retains an advantage in flat products with a better added value. The European trade balance was in surplus for long products and that for flat products tends to be in equilibrium. The trend has turned to intra-European consumption in a EU experiencing stagnating growth. European management retreats in the world ranking of steel companies. The steel industry is dominated by Arcelor-Mittal, a global company, and Tata, an Indian company. The first "European" company in the ranking is Thyssen, a German firm. In the long term, the movement of steel production is a remarkable indicator of a global economic history. The third globalization in the third millennium is accelerating the decline of the European steel industry. This decline is true in almost all domains (production, trade, corporate weight management). The European Commission knows it and says it. National policymakers and European citizens must understand that the future of blast furnaces will be not quiet.

RÉSUMÉ

La sidérurgie européenne a dominé la production mondiale d'acier. Mais en 2013, la Chine a produit, à elle seule, la moitié de l'acier du monde (49.8 %). Elle est devenue « la forge du monde ». L'industrie sidérurgique globale n'est pas en crise en dépit des cycles, et elle continue d'augmenter. Le déclin relatif de la sidérurgie européenne s'amorça dès 1952. Depuis la crise de 2008, la sidérurgie est en décroissance en valeur absolue. Le poids de « l'Europe » est passé de plus de 40 % dans l'entre-deux guerres à 10 % en 2013. Les indicateurs sommaires à propos des technologies mises en oeuvre ne permettent pas de conclure à la supériorité technologique de l'Europe. Toutefois, l'Europe conserve un avantage dans les produits plats à meilleure valeur ajoutée. La balance commerciale européenne des produits longs est excédentaire sauf exception et celle des produits plats tend à l'équilibre. La tendance est au repli sur la consommation intra-européenne dans une UE où la croissance stagne. Le management européen recule dans le classement mondial des firmes sidérurgiques. La sidérurgie est dominée par Arcelor-Mittal, une entreprise globale, et par Tata, une entreprise indienne. La première entreprise « européenne » dans le classement est Thyssen. En longue durée, le mouvement de la production d'acier est un remarquable indicateur de l'histoire économique globale. La troisième mondialisation du IIème millénaire a accéléré le déclin de la sidérurgie européenne. Ce déclin se vérifie dans presque tous les domaines abordés (production, commerce, poids des entreprises, management). La Commission européenne le sait et le dit. Les décideurs nationaux et les citoyens européens doivent comprendre que l'avenir des hauts-fourneaux n'est pas serein.

JEL Classification: **F61, L61, N60, N64, N84, O14**

Key words: **Europe's Financial Capitals, London Stock Exchange, New York Stock Exchange, Europe's international financial position, competition, cooperation and integration**

Mots clés: **Places financières, Bourse de Londres, Bourse de New York, position financière de l'Europe, coopération, concurrence, intégration**

Un déclin prévisible?

Il était très difficile d'envisager le déclin de la sidérurgie européenne. Britanniques, Belges, Français et Allemands ont tellement dominé le monde de l'acier au XIXe siècle. Des raisons puissantes faisaient que l'avenir ne devait pas être différent du passé. Le poids de l'histoire se traduit en certitudes tranquilles sur l'avance technologique. C'est en Europe et aux États-Unis qu'on inventait les nouveaux procédés de fabrication. Les maîtres de forges, puis leurs héritiers, n'hésitent pas à vendre ici et là des usines clés en main. Ils ont la conviction qu'à peine installés, les équipements livrés seront obsolètes[2] de fait des progrès continus d'une recherche sidérurgique remarquablement productive[3].

L'image ci-contre exprime les représentations de l'avenir par la Haute Autorité de la CECA en 1957, un moment de grande confiance dans l'avenir de la sidérurgie européenne.

Les commentaires du graphique par les auteurs soulignent que l'on fabriquait de plus en plus d'acier dans le monde. Mais la CECA et les modernisations de l'après-guerre replacèrent l'Europe dans la course.

L'autre facteur de confiance dans l'avenir de l'acier, plus important encore, repose sur l'idée d'une corrélation mécanique entre l'augmentation de la population et la consommation d'acier. Cette idée est au centre de la méthode d'un ouvrage important de prospective de l'acier publié par la CECA en 1971[4]. La méthodologie, assez frustre, part de la situation démographique de 1965 et des consommations d'acier la même année et les croise avec les prévisions de population pour l'an 2000, soit 35 ans plus tard. Notons que les prévisions de population sont presque justes, mais que celles concernant la consommation d'acier ne le sont pas (voir fig. 2 p. 148).

Nous nous en sommes tenus à quelques pays producteurs. La première colonne est celle de la consommation d'acier pour le pays en 1965. La seconde montre la prévision de consommation pour l'an 2000, la troisième permet de mesurer la consommation effective de ces pays en 2000. Les prévisions sont toutes supérieures à la réalité, mais les marges d'erreur varient considérablement d'un pays à l'autre. Ces prévisions comportent trois erreurs. L'élasticité de la consommation d'acier est plus grande que ne l'imaginaient les auteurs. Les progrès de la sidérurgie elle-même dans la diminution de sa consommation spécifique sont sous évalués[5], et les progrès de la qualité des aciers dont le poids diminue jusqu'à nos jours dans la réalisation de certains produits phares comme l'automobile sont mal évalués. Enfin, cette prévision

2 – Dans la décennie 1973-1982, les nouveaux équipements chinois sont fournis pour 49.4% par le Japon et pour 24.3% par la RFA. Cf. Dominique Besson, «L'industrie sidérurgique chinoise», Mémoire de maîtrise, sous la direction de N. Dutrait et de P. Mioche, Université de Provence, 1996.

3 – Philippe Mioche, *La sidérurgie et l'État en France des années quarante aux années soixante*, Doctorat d'État en Histoire contemporaine, Université de Paris IV, 1992.

4 – Franco Peco, *L'acier face aux théories économiques*, Milan, Nuove Edizioni Milano, 1971.

5 – Pour une même quantité d'acier, le volume des rebuts et déchets est grandement diminué.

FIG. 1 **PRODUCTION DU FER ET DE L'ACIER 1860 -1957**

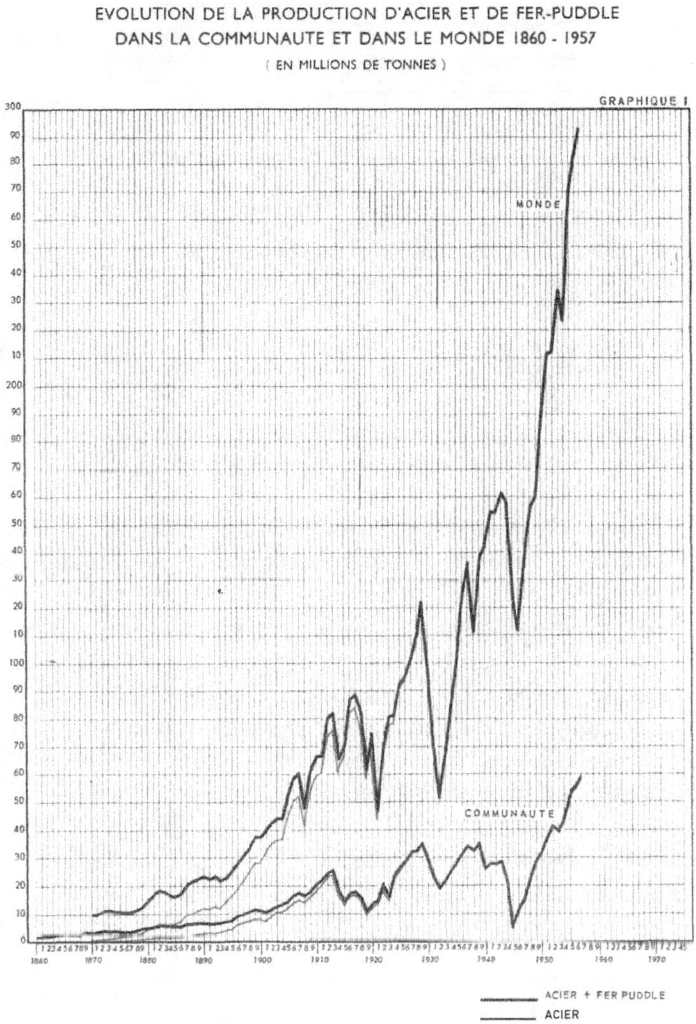

Source: Haute Autorité de la CECA, *Un siècle de développement de la production d'acier*, janvier 1957, p. 6.

sous-estime gravement les conséquences de la « guerre des matériaux » et des effets de substitution de matériaux nouveaux comme le béton, l'aluminium ou les matières plastiques.

Au début des années 2000, dans le contexte de la préparation du champion européen Arcelor, Alain Moreau a rédigé une nouvelle prospective publiée en 2005[6]. Cette prospective est plus sophistiquée que celle de 1971: elle croise « l'in-

6 – Alain Moreau, *L'acier en mouvement. Transformation des marchés mondiaux 1874-2004. Ses composantes, ses déterminants*, Paris, Presses des Mines, 2005.

FIG. 2 **PROSPECTIVES ET RÉSULTATS DE LA CONSOMMATION D'ACIER POUR QUELQUES GRANDES PUISSANCES SIDÉRURGIQUES**[1]

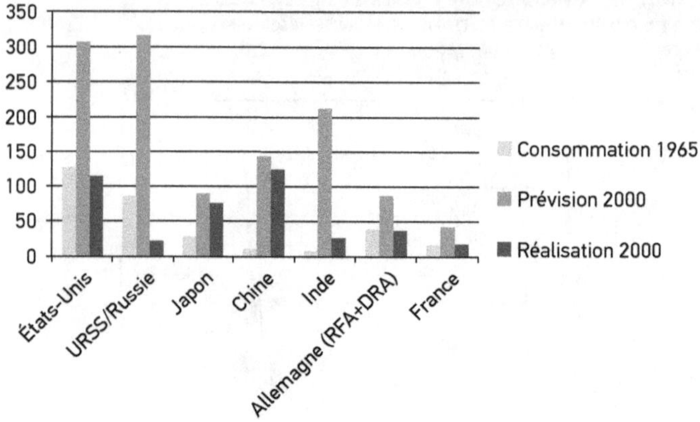

Sources : Franco, *L'acier face aux théories économiques*, Milan, Nuove rancodizioni Milano, 1971, p. 298. International Peco Iron and Steel Institute, « World Steel in Figures », édition 2004.

tensité » de la consommation de l'acier avec le PIB par habitant. L'idée centrale reste que l'augmentation du PIB par habitant se traduit par une augmentation de la consommation d'acier. Guy Dollé, alors PDG d'Arcelor, rédige une préface confiante dans l'avenir. « Pourtant, contrairement à beaucoup d'idées reçues, les consommations ont continué à augmenter en Europe et en Amérique du Nord ces vingt dernières années [1980-2000]. L'étude d'A. Moreau met alors en évidence qu'à long terme les intensités de consommation se stabilisent et convergent vers des valeurs voisines ». Toutefois, les prévisions de Moreau se révèlent dépassées (graphique ci-dessous).

FIG. 3 **PROSPECTIVES DE CONSOMMATION, RÉALISÉES EN 2004 POUR 2015 ET 2030**

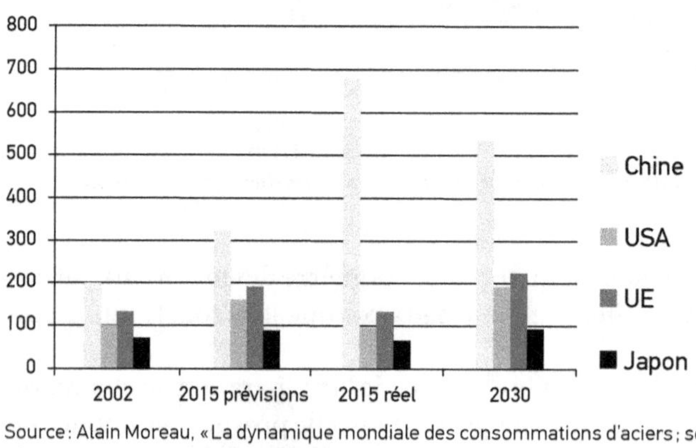

Source : Alain Moreau, « La dynamique mondiale des consommations d'aciers ; ses composantes et ses déterminants ; 1873 – 2003, esquisse 2030 », manuscrit, 380 p. dactylo.

1 – Il s'agit de la consommation apparente. Pour la prévision de Franco Peco, nous avons établi une moyenne entre son hypothèse haute et son hypothèse basse.

La comparaison des consommations prévues en 2015 avec celles réalisées la même année montre une surestimation persistante des consommations de l'Union européenne, des États-Unis et du Japon. À l'inverse, la consommation chinoise est sous-estimée de moitié, et la consommation effective de 2015 dépasse celle qui était prévue pour 2030.

On conclura sobrement sur ce point, car la prévision est toujours un art difficile qui reste nécessaire[7]. La prospective professionnelle de la sidérurgie a connu trois étapes. Dans les années 1950, l'idée était que la sidérurgie européenne épousait le mouvement de la sidérurgie mondiale et qu'elle allait conserver sa place relative. Dans les années 1970, la profession surestima totalement l'essor des productions aux États-Unis, en Europe, et en URSS, estima correctement les croissances chinoises et japonaises, mais surestima fortement la croissance de l'Inde. Au début des années 2000, le déplacement de la consommation d'acier vers l'Asie fut pleinement perçu, mais la consommation de l'Europe, des États-Unis et du Japon fut surestimée, alors que celle de la Chine fut sérieusement sous estimée. Par ailleurs, et c'est très important, si la croissance de la Chine fut correctement estimée, sa brusque accélération au début des années 2000 ne fut pas anticipée.

Un déclin plus ancien qu'on ne le dit

FIG. 4 **PRODUCTION D'ACIER DANS LA CECA, LA CEE ET L'UE ET PRODUCTION DANS LE MONDE EN MILLIONS DE TONNES**

Source : World Steel

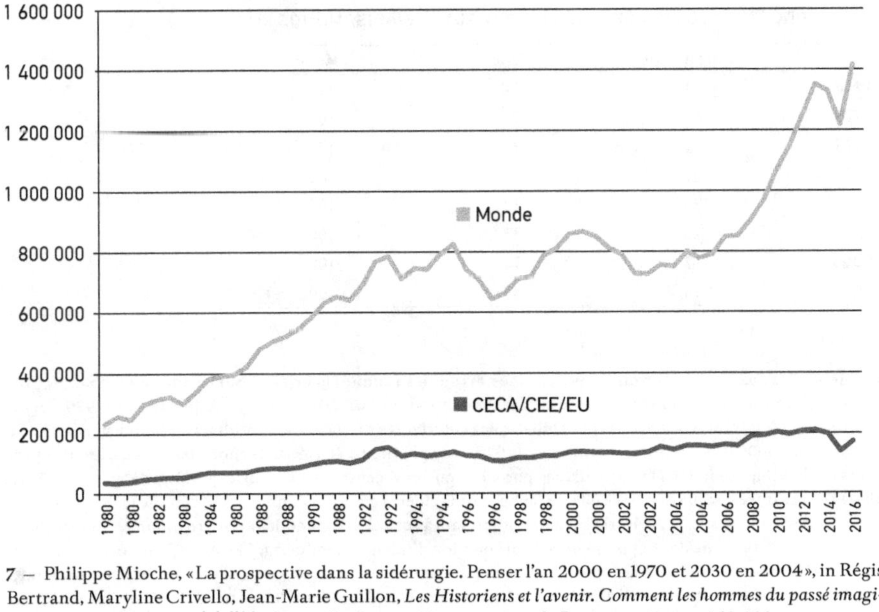

7 – Philippe Mioche, « La prospective dans la sidérurgie. Penser l'an 2000 en 1970 et 2030 en 2004 », in Régis Bertrand, Maryline Crivello, Jean-Marie Guillon, *Les Historiens et l'avenir. Comment les hommes du passé imaginaient leur futur*, Université d'Aix-Marseille, Presses Universitaires de Provence, 2014, p. 269-282.

Les professionnels et la littérature considèrent en général que l'année 1974 marque l'apogée de la fabrication d'acier en Europe. Il n'en est rien.
Dans la période 1952-2012, la production européenne plafonna autour de 200 millions de tonnes au début des années 2000, pendant que la production mondiale dépassait le milliard de tonnes en 2004. Les crises conjoncturelles de la production (1982, 1993, 2008) furent de plus grande ampleur pour la production mondiale que pour la production européenne. Mais on observe aussi que les sorties de crise furent plus vigoureuses hors d'Europe. Les protections de la consommation en Europe ont amorti le choc des crises. Ont-elles créé des ralentissements lors des reprises ?

Nous avons voulu replacer la production d'acier de l'Union européenne actuelle (28 pays) dans l'histoire longue en « reconstituant » l'UE dans le temps par agrégation des productions antérieures des actuels États membres[8]. Le résultat est ci-dessous en valeur absolue, puis en pourcentage.

TAB 1 **PRODUCTION COMPARÉE D'ACIER BRUT EUROPE/ASIE/ MONDE EN MILLIONS DE TONNES**

	Europe (UE)	Asie	Monde
1914	19	PM	61
1929	52	2,3	121
1939	57,5	7,2	138
1952	75	9	212
1974	235	158	710
1993	189	269	731
2006	207	672	1247
2013	166	11227	1649

TAB 2 **PRODUCTION COMPARÉE D'ACIER BRUT EUROPE/ASIE/ MONDE EN %**

	Europe (UE)	Asie	Monde
1914	31	PM	100
1929	43	2	100
1939	42	5	100
1952	35	4	100
1974	33	22	100
1993	26	37	100
2006	17	54	100
2013	10	68	100

8 – Toutes les données sont en millions de tonnes, arrondies à l'unité supérieure. Sur les configurations géographiques. Europe ou UE reconstituée : somme des productions de l'UE 2015 à 28 pays. Asie : Japon en 1929 ; Japon et Chine en 1939. Total Asie ensuite. Les statistiques antérieures dissocient les résultats du Japon et de la Corée (cf. par exemple OCDE). Cette distinction avec la Chine n'a plus lieu d'être. Pour le choix des années, les trois premiers choix s'imposent dans le cadre d'une approche « europée centrée ». 1952 correspond au début de la CECA, 1974 à l'année qui est supposée être celle de l'apogée de la sidérurgie européenne, 1993 à celle de la dernière crise industrielle du XXe siècle, et 2006 à la fin d'Arcelor ; quant à 2013, c'est l'année des dernières données disponibles. Références : Un siècle de développement de la production d'acier, Luxembourg, CECA, 1957. Michel Freyssenet, Françoise Imbert, *Capital sidérurgique et classe ouvrière en Lorraine. Données statistiques*, Paris, CSU, 1975 ; B.R. Mitchell, *European Historical Statistics, 1750-1970*, London, The Macmillan Press Ltd, 1975, 3rd edition 1992 ; *Steel Statistical Yearbook*, International Iron and Steel Institute, various years.

On sait depuis longtemps que l'Europe atteignit son apogée à la veille de la Première Guerre mondiale, et que c'est en Europe que sont nées les grandes innovations de la sidérurgie. En 1913, les pays qui forment aujourd'hui l'UE produisirent 48 % de la sidérurgie mondiale, soit plus que les États-Unis (39 %). La production sidérurgique du reste du monde était, elle, négligeable.

Dès 1929, les États-Unis produisaient 44 % et l'Europe 43 %. Ce rapport de force productif se maintint en 1939. En 1952, la production mondiale reposait sur trois ensembles : les pays qui forment aujourd'hui l'UE (35 %), les États-Unis (40 %) et l'URSS (16 %). La sidérurgie européenne qui représentait plus de 40 % de la production mondiale pendant l'entre-deux-guerres n'en représentait plus que 10 % en 2013.

L'apogée de la sidérurgie européenne se situe dans l'entre-deux-guerres et non en 1974, et le déclin relatif est entamé depuis un siècle.

Un déclin relatif, puis absolu

Le monde sidérurgique changea à partir des années 1960. Le déclin relatif de la sidérurgie américaine était largement amorcé (19 % en 1974). Le Japon brisa le monopole occidental. En 1974, l'Asie produisait 22 % de la production mondiale (dont 16 % pour le Japon). En 1993, l'Asie représentait 37% de la production mondiale (dont 14 % pour le Japon et 12 % pour la Chine). La crise industrielle de 1993 coïncida avec l'effondrement de l'Union soviétique : 98 M. de tonnes en 1993 soit 13 %, à comparer avec 161 M. de tonnes en 1986. L'UE allait dépasser durablement la Russie pour la production d'acier.

FIG. 5 **L'EFFONDREMENT DE L'URSS ET DE LA RUSSIE**[9]

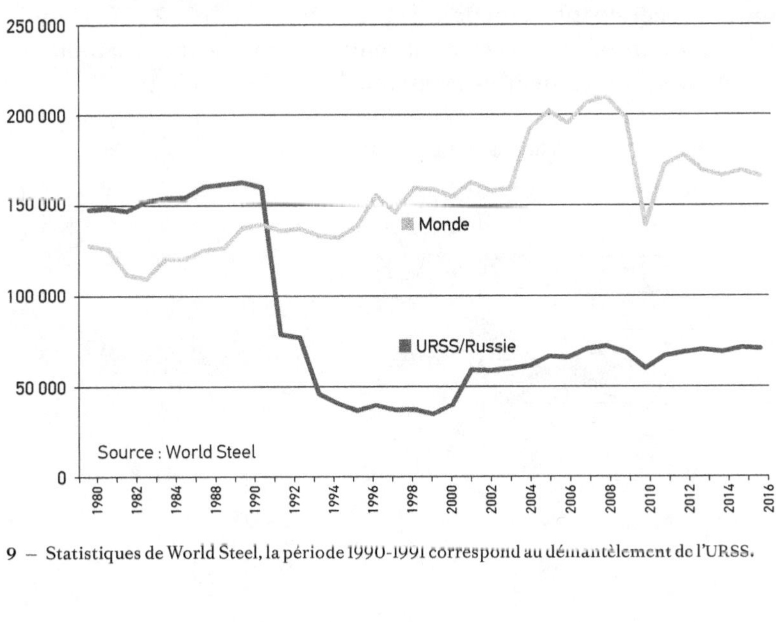

9 – Statistiques de World Steel, la période 1990-1991 correspond au démantèlement de l'URSS.

Inversement, la production chinoise dépassa de loin et durablement la production européenne. L'accélération de l'économie chinoise, que les prévisions n'ont pas anticipée, est tout à fait inédite.

FIG. 6 **LE DÉPASSEMENT DE L'UE PAR LA CHINE INTERVINT EN 2002**

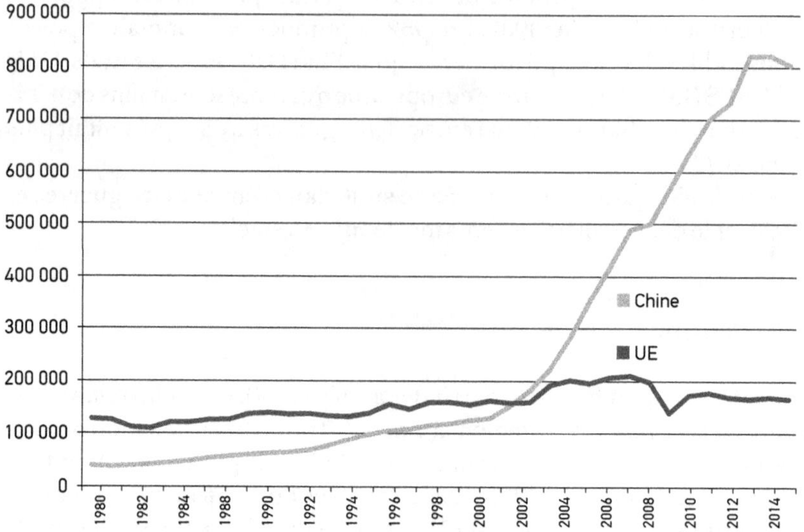

Source World Steeel

Le mouvement de croissance relative et absolue de la sidérurgie asiatique s'est amplifié depuis le début du millénaire. Atteignant 54 % de la production mondiale en 2006, elle passa à 68 % en 2013. Le tournant décisif du déclin de la sidérurgie européenne intervint dans la première décennie 2000. Depuis 2007, la sidérurgie européenne ne s'est pas remise de la crise ; elle est toujours en récession, mais les États membres sont touchés différemment.

TAB. 3 **INDICE DE LA PRODUCTION SIDÉRURGIQUE EUROPÉENNE, 2007 = 100**

2007	100
2008	95
2009	66
2010	82
2011	85
2012	80
2013	79

FIG. 7 **LA PRODUCTION D'ACIER DES GRANDS PRODUCTEURS DE L'UE (+ DE 5 MT) DE 2000 À 2015**

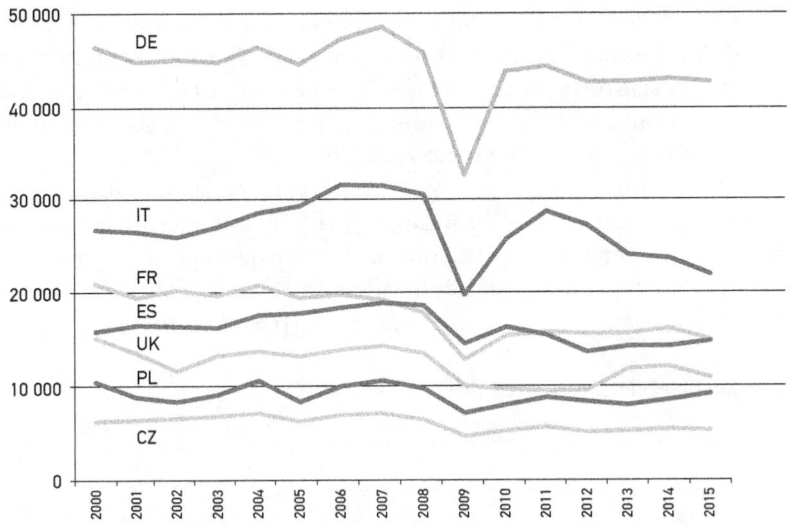

Source : World Steel

La crise de 2008-2009 a eu des conséquences plus importantes pour les « grands producteurs » de la partie occidentale de l'UE : allemands (-29 %) et italiens (-35 %). En 2015, aucun pays européen n'avait rattrapé le niveau de 2008. Le leitmotiv des surcapacités de la sidérurgie européenne ressurgit comme dans les années 1980. « L'industrie sidérurgie mondiale affiche aujourd'hui une surcapacité de quelque 542 millions de tonnes, dont près de 200 millions sur le territoire chinois. Selon les estimations, la surcapacité actuelle de l'Union s'établit à environ 80 millions de tonnes, pour une capacité de production totale de 217 millions de tonnes »[10]. Selon l'OCDE, les prévisions concernant les capacités de production en acier étaient différentes pour l'UE et pour le reste du monde[11]. Etablies en 2013, elles dressaient la liste des projets d'investissement pour 2017. Toutes les régions du monde connaissaient une progression des capacités, sauf l'UE qui régressa de 234 Mt à 232Mt. (-0.9 %). Il était prévu 143 Mt d'augmentation en Asie (+10.1 %), 50 % d'augmentation au Moyen Orient, etc.[12]. Pour la COFACE, « Les difficultés s'accumul[ai]ent pour les entreprises du secteur parmi les plus endettées et les moins rentables du monde »[13].

De 1980 à 2007, les surcapacités mondiales s'établirent, en moyenne annuelle, à environ 242 Mt. Il était prévu que, de la crise de 2007-2008 à 2017, cette

10 – Commission européenne, juin 2013, <*europa.eu/rapid/press-release_MEMO-13-523_fr.htm*>,

11 – OCDE, *Future investment projects in the global steel industry and implications for steel making processes*, DSTI/SU/SC(2014)16/Final.

12 – Pour être complet, notons une stagnation des investissements sidérurgiques en Océanie, c'est-à-dire essentiellement en Australie.

13 – Coface, *Panorama. Secteur de l'acier : produire à tout prix ?*, avril 2016.

moyenne atteindrait 540 Mt. Les surcapacités auraient donc doublé. Les capacités de la Chine diminuèrent de 114 Mt. de 2010 à 2014, mais avec la création de nouvelles usines elles augmentèrent de 422 Mt. *in fine*, passant de 800 Mt à 1140 Mt. Le taux d'utilisation des capacités sidérurgiques mondiales s'effondra avec la crise de la fin des années 1970, et atteignit 62 % en 1982. De 1982 à 1989, il remonta jusqu'à 80 %, puis fléchit à nouveau jusqu'à environ 75 % du fait de l'effondrement de l'Union soviétique. Avec le *boom* chinois de 2000-2007, il regrimpa jusqu'à 86 %. Mais avec la crise de 2007-2010, il chuta à 70 % en dépit d'une meilleure utilisation en 2011[14]. En fait, les surcapacités se conjuguaient simultanément avec une faible utilisation des capacités existantes. Si de nouvelles réductions de capacités devaient intervenir, elles allaient sans doute porter sur les capacités de la sidérurgie intégrée (cf. *infra*).

FIG. 8 **L'ÉVOLUTION DIFFÉRENCIÉE DES TERRITOIRES NATIONAUX**

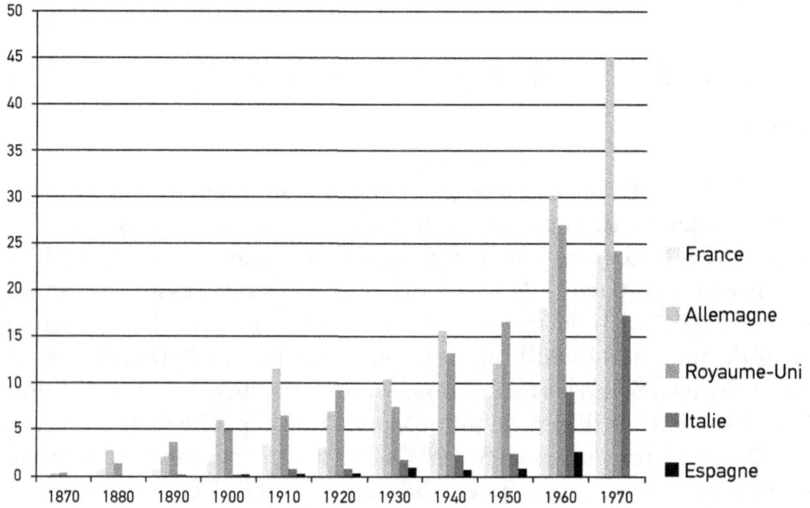

De nos jours, les hiérarchies continentales dans le contexte de l'UE à 28 sont différentes. Si l'Allemagne est toujours la première, elle est suivie par l'Italie qui est passée devant la France en troisième position. La France est a présent talonnée par l'Espagne qui, dans les années récentes, a parfois dépassé l'Hexagone (graphique ci-dessous). Après la réduction de la production du Royaume-Uni, celle de la Belgique et celle du Luxembourg, la réduction de la production française est particulièrement prononcée parmi les 28.

14 – Lukas Brun, *Overcapacity in Steel. China's Role in a Global Problem*, Duke Center on Globalization Governance and Competitiveness, September 2016, p. 8.

FIG. 9 **LA PRODUCTION D'ACIER EN 2014 DANS L'UNION EUROPÉENNE À 28 EN %**

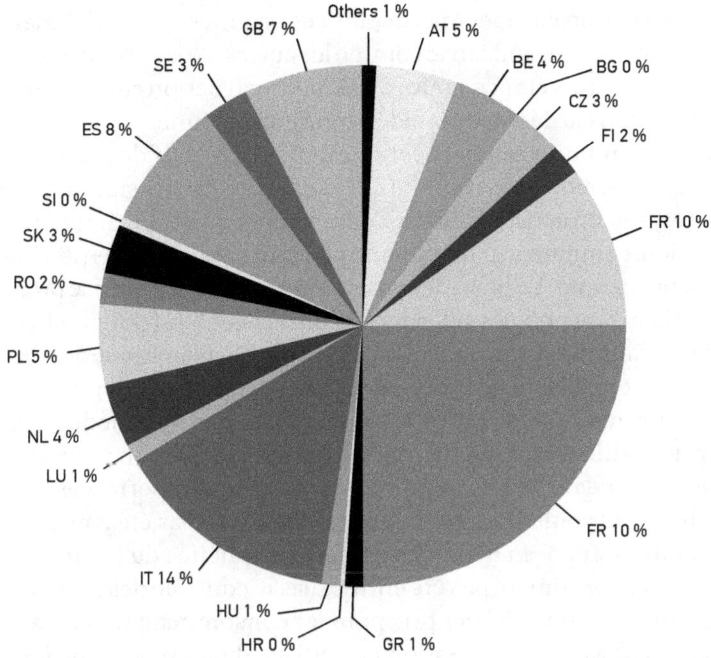

Source : Eurofer

Nous ne développons pas la question du déclin de l'emploi sidérurgique en Europe qui fait l'objet de nombreux travaux et commentaires. À l'échelle de la CEE, il y avait un million d'emplois dans la sidérurgie en 1975, et il n'en restait plus que 278 000 en 2000, chiffre qui remonta à 395 000 à la suite de l'élargissement de 2004. L'effondrement de l'emploi est différencié selon les pays. Sur la base 100 en 1974, l'indice passa en 2000 à 15 pour le Royaume-Uni, 25 pour la France, et 33 pour l'Allemagne. La question de la diminution de l'emploi sidérurgique a été durablement au cœur de la politique sidérurgique européenne.

2. CONSTRUCTION EUROPÉENNE ET POLITIQUE ÉCONOMIQUE DE LA SIDÉRURGIE

Nous prenons le parti d'examiner dans cette section les politiques liées à la « construction européenne », et les diverses institutions qui se sont succédées depuis le traité de Paris (1951). La question est : quel est le rôle de l'Europe dans le déclin de la sidérurgie du continent ? Ce parti-pris ne doit pas dissimuler le fait que les sidérurgies nationales ont été, en définitive, beaucoup plus sujettes aux politiques nationales qu'aux décisions communautaires[15].

Pour la construction européenne, depuis ses origines en 1951, la sidérurgie n'est évidemment pas une industrie comme les autres. Nous proposons ici une synthèse autour de trois étapes sur le rôle de la construction européenne et de ses institutions dans le déclin de la sidérurgie européenne.

La première communauté européenne eut pour objectif de promouvoir le développement et la modernisation équilibrée des industries sidérurgiques de pays membres. Aucun article n'aborde l'enrayement du déclin, impensable en 1951. La première communauté fonctionna pendant cinquante ans (1952-2002), conformément au traité. Le bilan de son activité pendant les quinze premières années est satisfaisant pour les sidérurgies concernées, sauf pour le charbon[16].

L'Europe naissante a accompagné, sans l'entraver, la dynamique des marchés pendant les vingt ans de forte croissance (1945-1965)[17]. Le commerce intra-européen et international de l'acier a connu une expansion inédite. Aucune des sidérurgies ralliées au marché commun à Six n'a eu à s'en plaindre de ce point de vue. Cependant, sur de nombreuses questions importantes, la CECA n'a pas pu ou n'a pas voulu intervenir, quand elle n'en a pas été empêchée par les États membres et ce, en dépit des objectifs explicites du traité. Outre la politique de transport qui n'a pas été entreprise, le contrôle des prix de vente, qui devait favoriser la stabilité des prix pour les consommateurs, est resté une formalité face à l'opacité de la gestion cartellisée du marché, *a fortiori* celui des prix de revient[18]. La surveillance des investissements n'a jamais empêché les industriels de n'en faire qu'à leur guise. Surtout, et c'est le point le plus important pour notre propos, la CECA n'a nullement impulsé la restructuration européenne de la sidérurgie : aucun groupe européen n'est apparu avant la fin du XXe siècle. La construction européenne a sa part de responsabilité dans la restructuration tardive de la sidérurgie continentale. Il a fallu attendre une crise d'une ampleur insoupçonnable pour que l'Europe entraîne derrière elle les hésitations des États membres.

Quand la crise devint évidente, la construction européenne se trouvait dans une situation paradoxale. La CECA n'existait plus, mais le traité de Paris était toujours en vigueur[19]. Ses outils juridiques sommeillaient dans le contexte plus libéral de la CEE. Elle venait d'engranger un succès avec le premier élargissement, mais la participation britannique se révélait difficile à gérer. C'est alors que surgit la grande crise économique, véritable dépression industrielle de fin

15 – L'étude des politiques nationales suppose une autre publication.

16 – Xavier Daumalin, Sylvie Daviet, Philippe Mioche, *Territoires européens du charbon des origines aux reconversions*, Aix-en-Provence Publications de l'Université de Provence, 2006, 300 p.

17 – Philippe Mioche, *Fifty years of European coal and steel, 1952-2002*, Commission européenne, 2004, <http://europa.eu.int/ecsc/publications/book.pdf>

18 – Philippe Mioche, « L'influence de la construction européenne sur les marchés et les produits de l'acier en France », in Philippe Mioche, Denis Woronoff, dir., Dijon, Editions Universitaires de Dijon, 2006, p. 158-175.

19 – Il fut adopté en 1952 pour 50 ans, et alla jusqu'à son terme de 2002.

de siècle. Conçue dans une période de croissance, la CEE n'était guère préparée à la crise. Pour la sidérurgie, et pour elle seule, elle réactiva le traité de Paris.

En 1973, la Commission prépara ses « objectifs acier » pour 1980 et 1985. On ne note pas d'inquiétude majeure[20]. La dégradation de la situation fut très rapide au cours de l'année 1975; par rapport à la production de 1974, la diminution de l'acier communautaire fut de 7,7 % au premier trimestre, 18,6 % au second, 28 % au troisième, 26 % au quatrième. L'utilisation des capacités de production passa de 85 % à 65 % en un an. Bruxelles expliqua la crise par le fléchissement général de la demande et la réduction des stocks par les négociants et les consommateurs. La Commission envisagea « un retour à des programmes prévisionnels, la surveillance statistique des importations ; la consultation du comité consultatif sur l'opportunité d'instaurer des prix minima »[21]. Face à la chute des prix de 40 % en 1974, le commissaire Henri Simonet prépara un programme de prix par produits et par marchés. Mais la concurrence à la baisse des prix intra-communautaires se prolongea, en particulier en raison des *Bresciani*, ces entreprises italiennes très souples et très indépendantes qui mettaient la crise à profit pour conquérir de nouveaux marchés[22]. Cette première intervention sur les prix fut un échec. Du fait de l'amélioration de la situation en 1976, la production communautaire augmenta de 10 millions de tonnes, les consultations sur les prix minima « se sont interrompues, des signes d'amélioration s'étant manifestés dans le secteur »[23].

Puis la situation se dégrada à nouveau brutalement au dernier trimestre de 1976. Le 20 décembre de cette année là, les nouvelles mesures anti-crise du plan sidérurgique communautaire furent adoptées. Elles reposaient sur un dialogue avec l'ancien Club des sidérurgistes, devenu Eurofer. Il faut souligner qu'à cette occasion, la Commission accepta *de facto* un interlocuteur industriel (presque) unique, alors que l'esprit du traité reposait sur des relations directes entre les entreprises et la communauté, libre concurrence oblige. Les premières mesures comportaient l'engagement volontaire des entreprises de respecter les objectifs de livraison pour le marché intérieur. Cet engagement, initialement prévu pour 4 mois, fut prolongé jusqu'à la fin de l'année 1977. La rubrique du rapport général eut pour titre « Restructuration et conversion des secteurs en crise ». Elle abordait la sidérurgie, la construction navale, le textile, les chaussures. On parlait de « la persistance d'une profonde dépression ». Les aides à l'investissement ne furent accordées qu'en contrepartie de la fermeture de capacités vétustes. Une contribution spéciale des États fut prélevée et versée à la reconversion régionale et sociale en complément de l'action CECA. Les résultats de ce plan furent également très limités, car les États membres tentaient de freiner les désinvestissements sur leurs territoires. En mai 1978, la

20 – Rapport général 1973, p. 309 et suiv.

21 – Rapport général 1975, par. 296 et suiv.

22 – Margherita Balconi, *La Siderurgia Italiana (1945-1990). Tra controllo pubblico e Incentivi del Mercato*, Bologne, Fondazione Assi, Il Mulino, 1991.

23 – Rapport général 1976, par. 362 et suiv.

Commission instaura des prix de base aux frontières pour les demi-produits. Elle révisa une première fois ses objectifs «acier» en augmentant le volume des capacités de production à fermer.

Le rapport 1980 exprimait un soulagement qui montrait que la perception de la crise était encore relativement superficielle. *«Au cours de l'année 1979, l'activité économique dans les différents secteurs de l'industrie transformatrice de l'acier s'est maintenue en général à un niveau satisfaisant dans les pays de la Communauté. [...] En ce qui concerne l'emploi, une amélioration de la situation a pu être constatée, notamment au cours du second semestre»* [24]. En effet, la production est passée de 133 millions de tonnes en 1978 à 140 millions en 1979. Quant au nombre de licenciements qui était de 1.500 par mois en 1978, il est passé à 1.000 par mois. La rechute arriva en 1981. *«La Commission était en présence d'une crise manifeste»* [25]. Le Plan du Commissaire Etienne Davignon comportait un volet interne axé sur des quotas obligatoires de production et de livraison qui permettait de geler les parts de marché des entreprises. C'est ainsi que les dangers d'une politique agressive des prix furent éliminés. Il y avait par ailleurs un volet externe qui limitait les importations des pays tiers. Ce dispositif était complété par une aide sociale directe[26]. Mais l'année 1981 fut la pire de toutes. Ce fut le creux absolu de l'utilisation des capacités (58 %). En 1983, les surcapacités furent encore estimées à 56/58 M. de t. pour l'acier brut et à 48/50 pour les produits finis[27]. L'état de crise manifeste fut prorogé en 1984, et la Commission établit un lien entre le dispositif anticrise et la restructuration. Cette année-là, 22 sanctions furent prises à l'encontre d'entreprises ayant dépassés les quotas[28]. Prévu initialement jusqu'au 31 décembre 1985, le Plan Davignon fut prolongé jusqu'au 30 juin 1988. L'excédent de capacité de laminage à chaud fut évalué à 50 millions de tonnes en 1982, et 32 millions de tonnes furent supprimées à la fin de 1985. Le taux de marche des équipements industriels fut remonté à 70 %, les frais financiers redevinrent supportables, de l'ordre de 4 ou 5 %. L'amélioration des résultats en 1988-1989 permit de lever le dispositif.

Les aides publiques s'interrompirent, les entreprises nationalisées furent privatisées, et bientôt la course à l'internationalisation déboucha sur la mondialisation du secteur. L'intervention de la Commission avait porté ses fruits, comme le rappelle l'ancien commissaire Etienne Davignon: «À l'époque, il était de bon ton, pour les esprits avisés, de s'interroger sur le moment où l'inéluctable disparition de la sidérurgie européenne serait constatée, mais ils

24 – Rapport général 1980, par. 127, «L'organisation du marché de la sidérurgie après 1985».

25 – Rapport général 1980, par. 96.

26 – Témoignage de M. Giacomo Giacomello, ancien Chef d›unité sidérurgie à la Direction générale III de la Commission européenne, Actes du colloque, «Comment les sidérurgies européennes ont-elles été sauvées ?», Aix en Provence, 1998.

27 – Rapport général 1983, Rubrique «stratégie industrielle», par. 175.

28 – Rapport général 1984, par. 187.

avaient oublié qu'une des idées maîtresses de l'unification européenne était le refus de la fatalité »[29].

Le troisième temps fort de l'action communautaire se situe au moment de l'OPA de Mittal sur Arcelor, ou plutôt, en creux, dans son refus d'agir. À la fin du XXe siècle et au début du XXIe, dans le contexte des privatisations de la sidérurgie en Europe, les chemins des grandes sidérurgies nationales divergeaient. La sidérurgie allemande se refermait sur elle-même. Par le jeu de la fusion Thyssen Krupp[30] et par l'intervention publique dans certains Länder, par l'intervention de fondations, les entreprises allemandes préservaient leur indépendance des prises de contrôle étrangères[31]. L'énorme complexe de Duisbourg se dressait comme une butte témoin de la grandeur de la sidérurgie européenne, comme une citadelle assiégée par la mondialisation. À l'inverse, une partie de la sidérurgie italienne, celle conduite par des groupes privés comme Lucchini[32] ou Riva, cherchait son développement dans une croissance externe et extérieure. Plus encore, la sidérurgie française, rassemblée autour d'Usinor[33], entreprenait une foudroyante internationalisation qui transformait l'entreprise en un véritable groupe européen[34]. Avant même de constituer Arcelor en 2002, l'entreprise réunit l'essentiel des sidérurgies française, belge, luxembourgeoise, espagnole et celle de l'ex-RDA. Ce dynamisme ne reposait pas sur la politique industrielle de la France, mais pour l'essentiel sur la vision stratégique du PDG de l'entreprise, Francis Mer, et de ses équipes. La Commission européenne se réjouit de la montée en puissance de ce champion européen. Cette satisfaction était renforcée par la symbolique des dates. Le nouveau groupe européen, Arcelor, fut créé en 2002, au moment où s'achevait le traité de Paris. Il en était symboliquement le relais. Mais cette satisfaction de Bruxelles était en partie muette, car les acteurs européens favorables aux politiques industrielles étaient supplantés par les partisans d'un « laisser faire » accru. « La suprématie des politiques économiques libérales au sein des pays de l'Union, le bilan très mitigé et critiqué des interventions volontaristes à la française type « grand programme » et l'accent mis sur l'économie de la connaissance (processus de Lisbonne) se sont combinés pour faire disparaître

29 – Étienne Davignon, ancien vice-président de la Commission *in* Philippe Mioche, *Les cinquante années de l'Europe du charbon et de l'acier*, Commission européenne, 2004, <http://europa.eu.int/ecsc/publications/book.pdf>.

30 – Krupp a lancé une OPA hostile sur Thyssen en mars 1997. La fusion fut réalisée en septembre, la nouvelle société, Thyssen Krupp Stahl AG était détenue à 60 % par Thyssen et 40 % par Krupp. À l'époque, la sidérurgie représentait 25 % du chiffre d'affaires de Thyssen et 38 % de celui de Krupp.

31 – Karl Lauschke, « Le processus de concentration des entreprises sidérurgiques en Allemagne », in Charles Barthel, Ivan Kharaba, Philippe Mioche, *Les mutations de la sidérurgie mondiale du XXe siècle à nos jours, The Transformation of the World Steel Industry*, Bruxelles, Peter Lang, 2014, p. 93 et suiv.

32 – En février 2005, la famille Lucchini a cédé 62 % de ses parts au groupe russe Severstal, deuxième du pays.

33 – Éric Godelier, *Usinor-Arcelor, du local au global...*, Paris, Lavoisier, 2006, 512 p.

34 – Philippe Mioche, « The flashing internationalisation of the French Iron and Steel industry », in Hubert Bonin, Christophe Bouneau, Ludovic Cailluet, Alexandre Fernandez, Silvia Marzagalli, eds, Transnational Companies, 2002, p. 647-653.

le mot politique industrielle du vocabulaire européen pendant une bonne vingtaine d'années »[35].

On connaît la suite et nous n'y reviendrons pas ici[36]. La dernière étape du bilan communautaire à l'égard de la sidérurgie fut le refus d'intervenir lors de l'OPA de Mittal sur Arcelor en 2006. Dans le contexte de la Commission Barroso 1 (2004-2009), l'acmé du libéralisme non régulé de la construction européenne fut atteinte, et symbolisée par la déclaration de Mme Neelie Kroes, Commissaire à la concurrence, à Davos : « Je suis contre les champions nationaux ! Et contre les champions européens ! Mais je suis pour des champions globaux... basés en Europe »[37]. La Commission européenne resta campée sur cette position de non-intervention et Guy Dollé, PDG d'Arcelor, put évoquer à juste titre que : « Arcelor, c'est l'Airbus de l'acier »*; mais,* rien n'y fit. Dans ces conditions, le gouvernement de Jacques Chirac et le ministre Thierry Breton ne pouvaient que reconnaître leur impuissance. Cette controverse avait des apparences juridiques : « Doit-on qualifier d'européenne l'entreprise Mittal, enregistrée aux Pays-Bas, cotée à Amsterdam et New York, contrôlée par une famille indienne et réalisant plus de 70 % de son chiffre d'affaires en dehors de l'Union européenne ? ». C'était une décision politique *in fine*. La critique de gauche avait beau jeu de proclamer : « Une affaire qui en dit long sur l'état de l'Europe et sur sa soumission au capitalisme financiarisé » [38].

Au demeurant, M. L. Mittal a indéniablement gagné la bataille des marchés en suscitant l'adhésion des porteurs à son projet. La question d'après fut celle du rapport de force entre la première entreprise mondiale d'acier et la Commission européenne. G. Le Blanc définit « l'entreprise européenne » comme une « entreprise dont l'intérêt est aligné avec celui de l'Europe »[39]. Cette définition n'a pas de sens pour caractériser Mittal qui pense global, et dont les activités reposent pour un tiers seulement sur le continent européen (voir *infra*).

Ainsi, l'action de la construction européenne à l'égard de la sidérurgie continentale comporta trois étapes. Jusqu'à la crise économique et financière de la fin des années 1970, l'Europe accompagna la croissance de la sidérurgie sans l'entraver. Mais elle laissa prise aux logiques nationales qui entendaient maintenir le contrôle sur leurs industries, en particulier sur leurs sidérurgies. Face à la forte dégradation des années 1980, elle intervint dans le contexte

35 – Gilles Le Blanc, « Des entreprises en Europe ou des entreprises européennes? Les politiques industrielles, de la concurrence et de l'innovation de l'Union européenne face à la mondialisation », *Revue internationale et stratégique*, 2006/2, n° 62, p. 93-102.

36 – Philippe Mioche, « La politique structurelle de la sidérurgie en Europe (CECA/CEE/UE) est-elle un échec? Ou, pourquoi nous n'aurons pas d'Airbus de la sidérurgie? », in Natacha Coquery, Matthieu De Oliveira, dir., *L'échec a-t-il des vertus économiques?, Paris*, IGPDE, 2015, p. 187-198.

37 – *Le Monde*, 31 janvier 2006.

38 – Tony Andreani, Les contradictions néolibérales, Annexe : « L'affaire Arcelor-Mittal ou la faillite européenne ». Fondation Gabriel Péri, juin 2006,
<http://www.gabrielperi.fr/tony-andr%C3%A9ani-les-contradictions-n%C3%A9olib%C3%A9rales.html>

39 – Gilles Le Blanc, « Des entreprises en Europe ou des entreprises européennes? Les politiques industrielles, de la concurrence et de l'innovation de l'Union européenne face à la mondialisation », *Revue internationale et stratégique*, 2, n° 62, 2006, p. 93-102.

de la « crise manifeste » (article 58 du traité de Paris). Cette intervention fut coûteuse[40], mais efficace en moyenne durée, et elle contribua au redressement des sidérurgies européennes au cours des années 1990. Enfin, face à l'émergence d'Arcelor puis à l'OPA de Mittal, la Commission Barroso prit le contrepied de la Commission Delors (1985-1995), et la piste du champion européen fut abandonnée au profit du premier groupe global de la sidérurgie.

La sidérurgie a fondé la puissance industrielle de l'Europe avec la CECA, qui esquissa la construction du continent. Elle demeura un secteur stratégique avec ses 300 000 salariés répartis dans 500 sites de production et 23 pays de l'UE à 28. Son chiffre d'affaires en 2016 était de 166 Mds d'€, soit 1.3 % du PIB européen. Face aux débordements extérieurs de la sidérurgie chinoise, la Commission européenne multiplia les cris d'alarme et les mises en garde. Comme en 2013 avec le Plan d'action : « De l'avis de la Commission, il est essentiel que l'Europe demeure une région de forte production sidérurgique et ce, non seulement pour des raisons économiques, sociales et environnementales, mais aussi du point de vue de la sécurité de son approvisionnement »[41]. Les mesures qui, pour certaines, étaient en cours d'adoption, ne visaient plus à soutenir l'expansion de la sidérurgie européenne, mais à la préserver d'un naufrage final.

3. QUELQUES FACETTES DU DÉCLIN

Sont ici examinées brièvement quelques facettes de l'évolution : la question du minerai, la coexistence de la sidérurgie intégrée et de la sidérurgie électrique, enfin, l'évolution des marchés.

Il convient ici de rappeler le facteur essentiel des transformations de la sidérurgie mondiale qui est la baisse continue des coûts de transport maritime. Cette baisse est la cause première de la substitution de la sidérurgie continentale par la sidérurgie littorale. La relocalisation de la sidérurgie sur les côtes fut entamée par l'Italie (Cornigliano 1948) et s'élargit dans les années 1960 et 1970. La fermeture des deux hauts fourneaux de Florange en 2011 en France et celle des hauts fourneaux belges fut la dernière étape du processus. La baisse du prix du fret se poursuivit, amplifiée par la conjoncture des prix pétroliers bas. Le coût pour transporter 10 000 t. d'acier de Chine en Espagne était de 30$ la tonne en 2013 et de 18$ la tonne en 2015[42]. Tout était possible en termes de localisation des diverses étapes de fabrication, et les produits sidérurgiques pondéreux étaient voués à une mobilité possible. La proximité des marchés de consommation n'était plus un atout suffisant pour certains sites. Telle était la toile de fond.

40 – Du fait de la contribution européenne à l'accompagnement social de la crise.

41 – COM (2013) 407 final : Plan d'action pour une industrie sidérurgique compétitive et durable en Europe.

42 – Coface, « Secteur de l'acier : produire à tout prix ? », avril 2016, <http://www.coface.com/fr/Actualites-Publications/Publications/Secteur-de-l-acier-produire-a-tout-prix>

La question du minerai de fer contribua à prendre une partie de la sidérurgie européenne en tenaille, avec, d'un côté, les producteurs de minerai, et de l'autre, les grands clients comme les constructeurs d'automobile[43].

Jusqu'à la fin du XXe siècle, la stratégie des entreprises européennes était tournée vers les produits finis, et les produits à haute valeur ajoutée. Arcelor, avant l'OPA, est l'exemple le plus achevé de cette stratégie cohérente. Le retournement de la situation, qui a favorisé la rente minière, ne fut pas anticipé par les groupes du continent.

La géographie de la production du minerai s'est modifiée entre 1974 et 2000 (tableau ci-dessous).

TAB. 4 **LA PRODUCTION DE MINERAI DE FER DANS LE MONDE**

Source : World steel

1974[44]	1990	2002	2012
Australie 97 Mt	Chine 179 Mt	Chine 233 Mt	Chine 1309 Mt
URSS-Russie 92 Mt	Brésil 152 Mt	Brésil 215 Mt	Australie 520 Mt
Etats-Unis 86 Mt	Australie 109 Mt	Australie 199 Mt	Brésil 401 Mt
URSS Ukraine 85 Mt	Russie 97 Mt	Inde 99 Mt	Inde 137 Mt
Chine 60 Mt	Ukraine 90 Mt	Russie 86 Mt	Russie 104 Mt

Les grands groupes du classement mondial disposaient de ressources propres en minerai de fer qui contribuent, en partie ou en totalité, à leur approvisionnement. Le Coréen Posco a conclu des accords de *joint venture* au début des années 2000 avec les producteurs de minerai brésilien et australien[45]. Le succès de Mittal avant l'OPA de 2006 reposait en partie sur ses acquisitions de mines de fer comme au Kazakhstan. Cette politique se poursuivit. En 2012, Arcelor Mittal a produit 88.2 Mt de produits sidérurgiques, 55.9 Mt de minerai de fer, 8.2 Mt de charbon[46]. Une part significative de ses approvisionnements en matières premières fut sécurisée au sein du groupe.

La Chine devint à la fois le premier producteur de minerai de fer dans le cadre de ses entreprises intégrées et le premier importateur de minerai. Elle importe un peu moins de la moitié de sa consommation. Par exemple, Baosteel, propriété du gouvernement, fut fondée en 1978. En 2014, le groupe Baosteel a produit 44 Mt. d'acier avec 135 000 salariés. Il disposait de filiales minières assurant son approvisionnement en coke et en minerai[47]. Ce groupe a fusionné avec Wuhan Group en décembre 2016 (China Baowu Group). Avec

43 – Georges Chacornac, « Les produits et les marchés de l'acier aujourd'hui », in Philippe Mioche, Denis Woronoff, dir., *L'acier en France : produits et marchés, de la fin du* XVIIIe *à nos jours*, Dijon, Éditions Universitaires de Dijon, 2006, p. 251 et suiv.

44 – En 1974, la France a produit 54 Mt et la Suède 36 Mt.

45 – Dominique Barjot, Rang-Ri Park-Barjot, « L'émergence d'un leader asiatique de la sidérurgie : Posco (1968-2010) », in Ivan Kharaba, Philippe Mioche, *Les mutations de la sidérurgie mondiale du XXe siècle à nos jours, The Transformation of the World Steel Industry*, Bruxelles, Peter Lang, 2014, p. 299 et suiv.

46 – Arcelor Mittal Fact Book 2014.

47 – CSR Report 2014, <http://tv.baosteel.com/web/plc/csr/2014csr_e.pdf>

une production d'environ 64 Mt, le nouveau groupe s'est rapproché d'Arcelor Mittal (95 Mt.) dans le classement mondial.

Les nouvelles donnes du marché du minerai ont favorisé deux catégories d'entreprises. D'une part, les entreprises sidérurgiques qui disposent de ressources propres en minerai et en coke. D'autre part, cette situation a bénéficié à la rente minière et aux groupes australiens (Rio-Tinto, BHP Billiton et Fortescue) et au brésilien (Valle) qui constituent les quatre entreprises dominantes pour le minerai de fer. Sur la base 100 en 2000, le prix du minerai de fer a atteint 800 en 2012[48].

Cette question est une des causes et des manifestations du déclin de la sidérurgie européenne.

Sidérurgie intégrée et sidérurgie électrique

La fabrication de l'acier repose sur deux systèmes techniques complémentaires. La sidérurgie intégrée prépare les matières premières puis les transforme en fonte dans les hauts-fourneaux. La fonte est ensuite elle-même transformée en acier dans les aciéries à oxygène (OHF et BOF) ; l'acier est enfin transformé. L'autre système part de l'acier recyclé et utilise des aciéries électriques (EAF). La complémentarité repose sur le fait que les aciéries à oxygène utilisent pour partie du métal recyclé et les aciéries électriques utilisent pour partie du métal issu des hauts fourneaux. Les deux systèmes de fabrication sont actuellement indissociables et les chiffres de production d'acier brut (*crude steel*) amalgament les deux procédés. L'acier électrique est plus coûteux du fait de sa consommation en énergie mais son impact environnemental est nettement moins important que celui de l'acier intégré. Diminuer les consommations en énergie des hauts fourneaux et limiter les émanations est l'enjeu des recherches comme celle autour du projet ULCOS (*Ultra-Low Carbon dioxide* (CO2) *Steelmaking*) [49]. C'est un enjeu crucial pour la sidérurgie intégrée.

La proportion d'acier électrique dans la production totale est un indicateur complexe qui différencie les industries sidérurgiques. Qu'en est-il pour l'Union européenne où les contraintes environnementales sont fortes et où, surtout, l'acceptabilité par les communautés[50] à l'égard des risques environnementaux et sanitaires est en forte diminution. L'affaire des pollutions provoquées par l'usine Riva de Tarente est la plus importante de l'histoire de la sidérurgie dans ce domaine. Cette usine, placée sous séquestre en 2012, représentait 92 % du

48 – Pascal Faure, Vice-président du Conseil général de l'économie, de l'industrie, de l'énergie et des technologies : La filière acier en France et l'avenir du site de Florange, Rapport remis à Monsieur Arnaud Montebourg Ministre du Redressement productif, N° 2012/18/CGEIET/SG, <http://www.ladocumentationfrancaise.fr/var/storage/rapports-publics/134000081.pdf>

49 – Pascal Raggi, « La désindustrialisation de la Lorraine du fer (1963-2013) », Mémoire de HDR, tome 2, université de Lorraine, 2017, p.115 et suiv.

50 – Nous employons sciemment un mot venu de l'anglais pour désigner les populations qui environnent les établissements industriels.

total de la dioxine émise en Italie et 9% des rejets européens. Elle est à l'origine d'un désastre sanitaire de grande ampleur.

En 2012, la sidérurgie consommait 5 % de l'énergie primaire du globe et générait 7 % du CO2 mondial. Le secteur intégré (BF/BOF) représentait 71 % de la production mondiale. 59 % de la production de NAFTA était en EAF, à comparer avec 29% en Asie[51]. Les aciéries électriques, favorisées par leur souplesse et leur capacité d'adaptation aux fluctuations du marché ont joué un rôle essentiel pour la sidérurgie américaine comme W. T. Hogan l'a bien montré[52]. Depuis 1995, la production des hauts fourneaux aux États Unis est passée de 60 % à 33 % en 2016[53]. Les « mini-mills » ont été la clé du redressement de la sidérurgie italienne[54].

Arcelor Mittal a racheté en 2017 la plus grande usine d'Italie. L'usine de Tarente conçue pour 10 ou 11 millions de tonnes/an en a produit 5 à 6 millions. Elle était sous séquestre depuis 2012 pour pollution aggravée. Le prix d'achat fut de 1.8 Mds €, les investissements de rénovation 2.3 Mds €[55]. Ce rachat introduisit une fragilité particulière pour les deux hauts fourneaux de Fos sur Mer dont les ventes géographiques reposaient pour 27 % sur le marché italien, la plus importante destination de l'usine.

Le nombre de hauts fourneaux en activité en France est passé de 120 en 1960 à 12 en 1998. Dans les années 2000, la part de la filière électrique est restée stable en France, de l'ordre de 40% de la production totale56. Arcelor Mittal contrôlait 56 haut-fourneaux dans le monde dont 11 en Amérique du Nord (NAFTA), 6 au Brésil, 27 en Europe et 6 dans le reste du monde. Il contrôlait par ailleurs 36 aciéries électriques dont 15 en Europe57. Dans le contexte persistant de surcapacités, il semble que la réduction de capacités pourrait porter sur les équipements de la sidérurgie intégrée. D'après un inventaire de 2011 pour la partie occidentale de l'UE, il y avait une douzaine d'usines intégrées Saltzgitter	4,6	3
Foz	4,6	2
Linz	4,4	3
Gigzn	4,4	2
Gent	4,4	2
Port Talbot	4,2	2

51 – Impacts of energy market developments on the steel industry, 74th Session of the OECD Steel Committee, Paris, 12 July 2013, <http://www.oecd.org/sti/ind/74thsessionoftheoecdsteelcommittee1-2july2013.htm>
52 – William T. Hogan, *Mini mills and integrated mills. A comparaison of steelmaking in the United States*, Toronto Massachusetts, Lexington books, 1987.
53 – The domestic steel industry, AccelorMittal USA, <http://usa.arcelormittal.com/sustainability/our-business/operating-context/understanding-the-domestic-steel-industry>
54 – Valerio Varini, "The steel industry in a Nutshell: From Falck to the «mini-Mills». Lombard steel Companies During the 20th century", in Philippe Mioche, Denis Woronoff, dir., *L'acier en France : produits et marchés, de la fin du XVIIIe à nos jours, op.cit.*
55 – *Le Monde*, 30 mai 2017.

Les marchés

On évoque le déclin de la sidérurgie, mais cela ne doit pas masquer un fait majeur. L'UE a toujours été un « exportateur structurel » de produits sidérurgiques, et le demeure en valeur. Même la France bénéficiait, dans les années 2000, d'un léger excédent commercial de sa balance sidérurgique.

FIG. 10 **BALANCE COMMERCIALE DES PRODUITS PLATS DE L'UE**

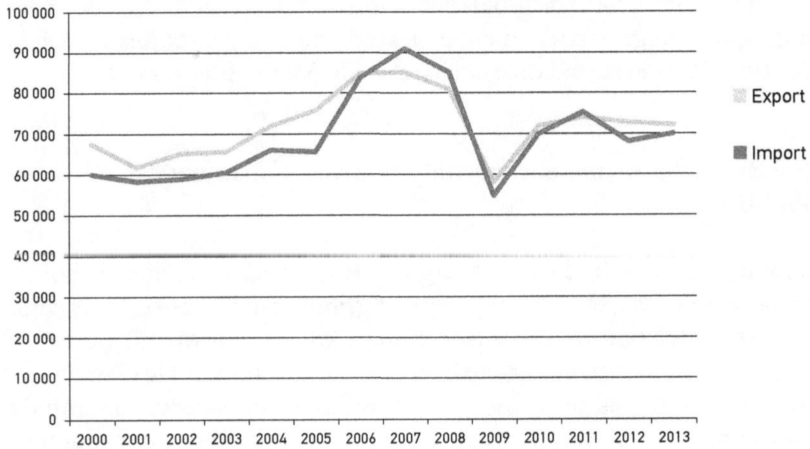

Source : *World Steel*

TAB. 5 **LES GRANDS EXPORTATEURS DE PRODUITS SIDÉRURGIQUES EN 2004 ET EN 2013**

	2004	2013
Chine	20 Mt	61 Mt
Japon	35 Mt	42 Mt
UE	32 Mt	36 Mt
Corée	15 Mt	29 Mt
Russie	30 Mt	24 Mt

Source : de Carvalho, A. and N. Sekiguchi, "The structure of steel exports: Changes in specialisation and the role of innovation", OECD *Science, Technology and Industry Working Papers, 2015/07*, Paris, OECD Publishing.

Dans la dernière décennie du XXe siècle, les exportations de produits sidérurgiques de l'UE ont connu une réorientation partielle. L'Afrique devint une destination importante qui compensa la réduction des exportations vers le Moyen Orient et vers l'Asie où elles se heurtaient aux exportations chinoises. Cette nouvelle géographie reflète la récente croissance de plusieurs zones en Afrique.

TAB. 5 **LES DESTINATIONS RÉCENTES DES EXPORTATIONS EUROPÉENNES, EN %**

	Autre Europe	NAFTA	Amérique Latine	Afrique	Moyen Orient	Asie	Autres	
2004	29	24	4	10	14	18	1	100
2014	31	24	4	22	5	13	1	100

Source : de Carvalho, A. and N. Sekiguchi , "The structure of steel exports: Changes in specialisation and the role of innovation", OECD *Science, Technology and Industry Working Papers*, 2015/07, Paris, OECD Publishing.

Le maintien du solde positif de la balance commerciale de l'acier européen est un héritage qui protège partiellement d'une réduction accélérée des capacités de production. Mais cette balance positive est de plus en plus ténue.

Le déclassement des firmes européennes et le rôle fondamental d'Arcelor Mittal

Dans la logique du déclin de la sidérurgie européenne, les firmes du continent connaissent un déclassement parmi les grands producteurs. Mais cette évolution est contradictoire car le *leader* mondial, Arcelor Mittal, peut être considéré comme une entreprise européenne. En considérant le classement des 25 premières firmes sidérurgiques mondiales, on observe une rapide montée des groupes asiatiques en corolaire de la montée de la production dans ce continent.

TAB. 5 **LES ENTREPRISES DU TOP 25 DES FIRMES SIDÉRURGIQUES (CLASSEMENT PAR LE VOLUME DE PRODUCTION)**

	UE	Asie	Autres
1971	13	5	7
1980	9	7	9
1992	10	7	8
2007	3	14	8
2014	2	18	5

Source : *World Steel*

En 2014, l'UE n'avait plus que deux entreprises dans le classement (2 russes, 2 américaines, 1 brésilienne ; 2 japonaises, une coréenne et une indienne, 14 chinoises). La sidérurgie européenne était principalement contrôlée par le groupe global Arcelor-Mittal (2006), et par le groupe indien Tata Steel (2007). La première entreprise européenne *stricto sensu* était Thyssen, qui arrivait en 19ème position.

En Europe, le rôle fondamental d'Arcelor Mittal

Arcelor Mittal dominait le marché des produits plats en Europe avec 34 % des parts de marché en 2011 (14 % à Thyssen, 13 % à Tata, 10 % à Riva et 8 % à Voestalpine). Le marché des produits longs européens était plus diversifié et Arcelor Mittal représentait seulement 14 % en demeurant le premier fabriquant[56].

Plusieurs indicateurs montrent que l'Union Européenne demeurait centrale pour Arcelor Mittal. Nous présentons une comparaison entre la distribution géographique des effectifs d'Arcelor en 2002 et ceux d'Arcelor Mittal en 2011 (graphiques ci-après).

FIG. 11 **LA RÉPARTITION GÉOGRAPHIQUE DE LA MAIN D'ŒUVRE D'ARCELOR EN 2002, EN % SUR UN EFFECTIF DE 104.241.**

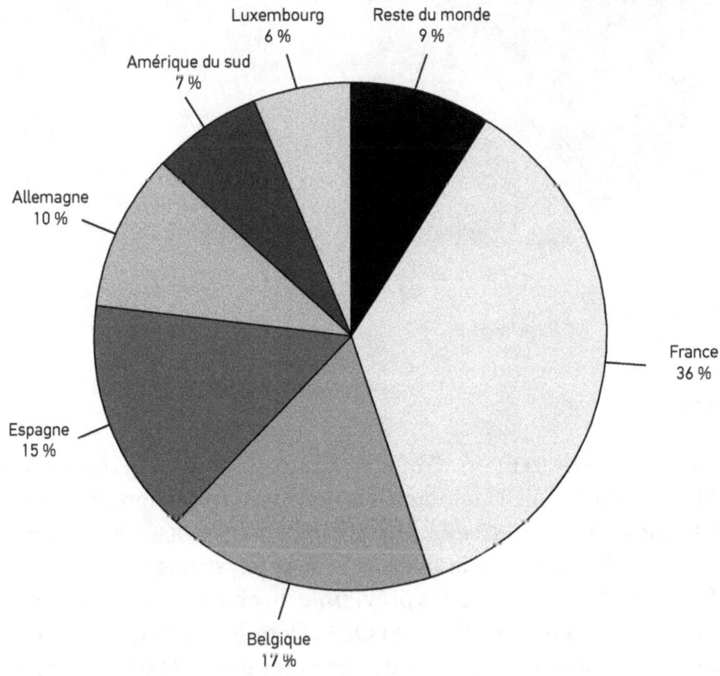

Source : *Accents (communication Arcelor)*

56 – Pascal Faure, Vice-président du Conseil général de l'économie, de l'industrie, de l'énergie et des technologies : La filière acier en France et l'avenir du site de Florange. Rapport remis à Monsieur Arnaud Montebourg, Ministre du Redressement productif. N° 2012/18/CGEIET/SG.

FIG. 12 **LA RÉPARTITION GÉOGRAPHIQUE DE LA MAIN D'ŒUVRE D'ARCELOR MITTAL EN 2011, EN % SUR UN EFFECTIF DE 260 000 SALARIÉS**

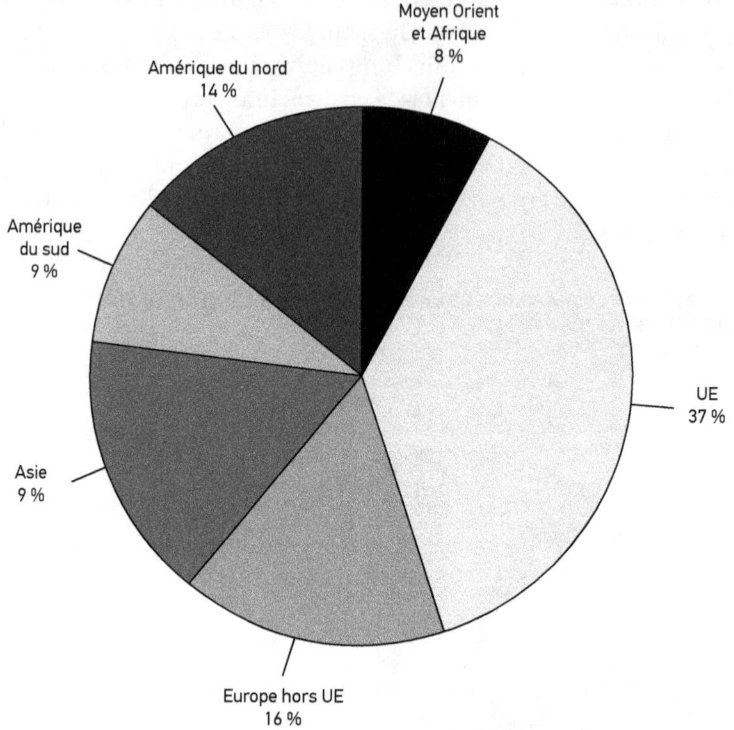

Source : *Arcelor Mittal*

Arcelor employait 84 % de sa main-d'œuvre en Europe en 2002, Arcelor Mittal 37 %. Avec 98 000 salariés, l'UE demeurait la première zone d'emploi d'Arcelor Mittal. En 2009, les salariés d'Arcelor Mittal en France (27 000) représentaient la moitié du nombre de salariés de la sidérurgie de ce pays, tous secteurs confondus (54 000)[57]. C'était la conséquence prévisible du changement d'échelle, du régional européen au global, résultat de l'OPA. Depuis l'OPA, qui avait eu lieu une décennie auparavant, le chiffre d'affaires et les effectifs d'Arcelor Mittal connaissaient une évolution différente : augmentation considérable du chiffre d'affaires après l'OPA, conséquences considérables de la crise de 2009, redressement en 2011 et décrue depuis. Quant aux effectifs, leur décrue amorcée en 2009 se poursuivait depuis.

57 – Pascal Faure, *La filière acier en France et l'avenir du site de Florange*, *op. cit.*

FIG. 13 **LE CHIFFRE D'AFFAIRES DE MITTAL PUIS D'ARCELOR MITTAL 1999–2015 (MILLIONS D'€ PUIS MILLIONS DE $ À PARTIR 2007)**

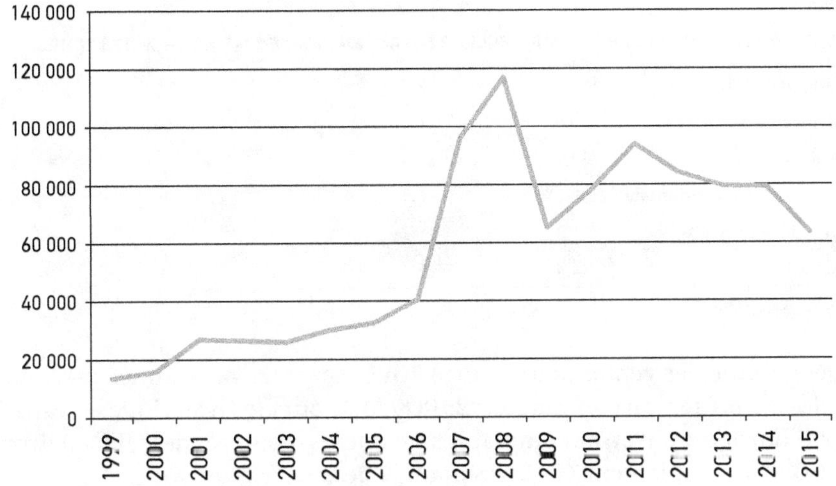

Source : *Arcelor Mittal*

FIG. 14 **LES EFFECTIFS SALARIÉS DE MITTAL PUIS D'ARCELOR MITTAL 1999-2015**

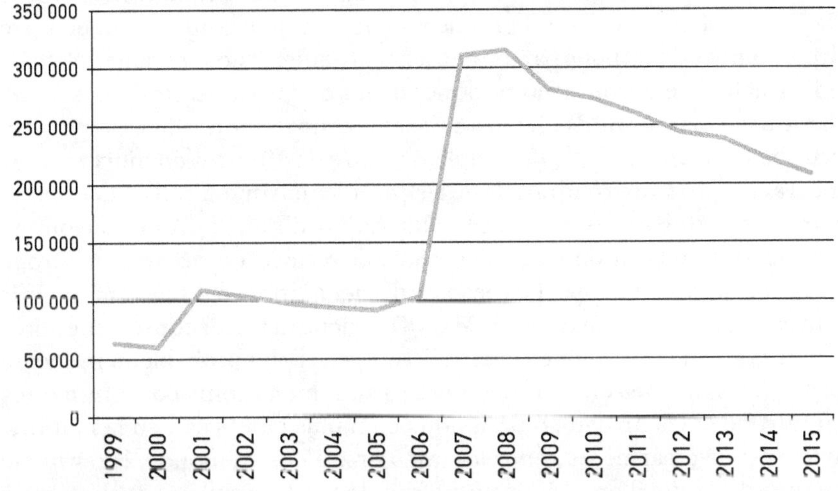

Source : *Arcelor Mittal*

Au moment de l'OPA, certains commentateurs soulignaient la fragilité financière du nouveau groupe global. En effet, afin d'attirer les actionnaires, une bonne part des surenchères sur le titre étaient financées par des emprunts[58]. Cette fragilité ne s'est pas confirmée une décennie après l'OPA.

58 – Françoise Gilain, *Mittal Arcelor. Les dessous du bras de fer*, Bruxelles, Éditions Jourdan, 2006, 260 p.

Par ailleurs, de nombreux indicateurs montrent que l'UE restait très importante pour Arcelor Mittal (ci-dessous).

TAB. 5 **PRODUCTION D'ACIER BRUT PAR ARCELOR MITTAL EN 2014, EN MT. ET EN % DES ZONES**

Amérique du Nord	25	27
Amérique du Sud	10,5	11
Europe de l'ouest	32,9	35
Europe centrale et orientale	10,5	11
CIES et Asie centrale	9,8	11
Afrique	4,4	5

Source : *Arcelor Mittal*

La géographie des ventes pour l'année 2015 - une mauvaise année conjoncturelle -, se présentait comme suit : 25 909 M$ pour « les Amériques », 29 827 pour « l'Europe », soit en ne comptabilisant que les membres de l'UE[59] environ 24 000 M$, et seulement 7 842 M$ pour l'Asie et l'Afrique[60].

L'UE était, à cette date, le premier lieu de production, d'emploi et le premier marché d'Arcelor Mittal, qui s'exprimait au nom de la sidérurgie européenne, avec le soutien des entreprises du continent et même celui de plusieurs organisations syndicales en Belgique et en Allemagne. « Une grande menace pèse sur la France : Pourquoi une si grande menace ? Aujourd'hui, il faut émettre environ 2 tonnes de carbone par tonne d'acier produite et nous serions obligés, à l'avenir, d'acheter environ la moitié de nos droits d'émissions. Or, depuis 2008, la marge brute par tonne d'acier produite est en moyenne de 35 euros pour un sidérurgiste européen. Un coût supplémentaire de 30 euros en moyenne par tonne d'acier produite rendrait donc les profits quasiment nuls, et ce, avant même qu'on déduise tous les autres coûts. Aujourd'hui, l'Europe consomme environ 160 millions de tonnes d'acier et 83 % de cet acier consommé en Europe est aussi fabriqué en Europe. Les besoins d'acier européens vont se maintenir à ce niveau dans les années à venir. Mais d'où viendra l'acier consommé après 2020 ? Probablement de plus en plus de l'étranger, et plus probablement encore de pays où les normes environnementales sont bien moins contraignantes qu'en Europe et les niveaux d'émissions bien plus élevés car, en la matière, l'Europe est déjà parmi les zones les mieux régulées au monde. Le système d'échange de droits d'émissions ne devrait donc pas simplement chercher à réduire les émissions de ce qui est produit en Europe, mais plus largement les émissions de ce qui est consommé en Europe. Sinon, cela reviendrait à

59 – En Europe, les principales ventes d'Arcelor Mittal sont effectuées en Allemagne (5473), en France (3743), en Espagne (3406) et en Italie (2278).

60 – Arcelor Mittal, *Fact Book 2016*, <https://corporate.arcelormittal.com/~/media/Files/A/ArcelorMittal/investors/fact-book/2016/fact-book-2016.pdf>

exporter les emplois et importer du CO_2, ce qui n'aura aucun impact réel sur les émissions à l'échelle du globe»[61].

Porte-parole de la sidérurgie continentale sur une question aussi essentielle que celle des émissions carbone, L. Mittal revendiquait et menaçait l'avenir de la production d'acier intégré en France en particulier. Cette déclaration illustre une évolution fondamentale du déclin de la sidérurgie européenne. Il a échappé aux États membres et il échappe à l'UE. L'avenir repose sur la stratégie d'Arcelor Mittal, et cela n'est pas très rassurant pour les capacités de production en France, en particulier dans le secteur de la sidérurgie intégrée.

Conclusion

Cet article souligne trois aspects distincts de l'histoire du déclin de la sidérurgie européenne. Premièrement, le déclin a été longtemps imprévu par les entreprises et la profession. Quand l'émergence de la sidérurgie chinoise fut perçue par les prévisions, celles-ci ont ignoré l'amplification de la croissance chinoise au début du XXIe. Par ailleurs, en nous appuyant sur des séries statistiques reconstituées, nous avons montré que l'apogée de la sidérurgie européenne ne se situe pas en 1974 comme il l'est généralement admis, mais - à l'échelle de l'UE - pendant l'entre-deux-guerres. Le déclin relatif vient de loin. Il est devenu déclin absolu depuis la crise économique de 2009, date à partir de laquelle la situation de la sidérurgie européenne s'est aggravée continuellement.

Deuxièmement, les politiques économiques de l'Europe (CECA, CEE, UE) ont accompagné la croissance sidérurgique européenne d'après-guerre en favorisant l'accroissement des échanges. La déclaration de «l'état de crise manifeste» dans les années 1980 et l'interventionnisme de la Commission a permis un rétablissement de moyenne durée qui a contribué au succès des privatisations. Cependant, le bilan de l'Europe est limité dans le domaine de la restructuration du secteur sidérurgique comme l'atteste la permanence des questions de surcapacités et de sous-emploi des outils de production. Le moment de l'OPA de 2006 est crucial. Le champion européen, Arcelor, fut abandonné délibérément par la Commission Barroso. Le succès de l'OPA donna naissance au groupe global, *leader* mondial, qui échappa à la Commission comme aux États membres. Troisièmement, plusieurs données fondamentales de l'histoire de la sidérurgie contribuèrent au déclin de la sidérurgie européenne. La poursuite de la baisse du prix des transports maritimes acheva de remodeler la géographie mondiale de l'acier. Alors que la sidérurgie européenne du XXe ne s'est pas assurée le contrôle de l'approvisionnement en matières premières, et en particulier du minerai de fer, les groupes émergents au XXIe disposent de ressources propres. La proportion relative de la sidérurgie intégrée et de la sidérurgie électrique accorde une place importante aux Hauts fourneaux

61 – *Le Monde*, 27 février 2017.

européens à la différence de la sidérurgie américaine. L'essor de l'acier électrique et donc de l'acier recyclé en Europe pourrait déboucher sur une réduction de la sidérurgie intégrée. De nos jours, le destin de la sidérurgie est principalement suspendu aux décisions d'Arcelor-Mittal qui demeure le premier acteur de ce territoire. La poursuite du déclin de la sidérurgie européenne semble inéluctable.

FAMILY AND WORLD: THE GERMAN FAMILY BUSINESS IN THE GLOBAL MARKET IN THE SECOND HALF OF THE 20th CENTURY

Fan Dingliang
Si-Mian Institute for Advanced Studies in Humanities, East China Normal University

Introduction

The family business is a very common form of business organization in Europe and America. It has had a significant role in economic activities worldwide since it came into being. Therefore, research on the family business has become an important issue that cannot be ignored. In the Federal Republic of Germany, the family business is regarded as one of the most principal mainstays of its economy (image 1). According the *Frankfurter Allgemeine Zeitung statistics*, half of the top ten enterprises in Germany were family firms in 2013: Volkswagen, BMW-Group, Schwarz-Gruppe (which is the parent company of the Germany's two big retailers Kaufland and Lidel), Metro AG and Aldi-Gruppe (image 2).

The data from the Institut für Mittelstandsforschung Bonn shows that in 2006 3.2 million German companies (over 90%) were run by families, and had created more than 40 % of the country's turnover and provided more than half the jobs (image 3).

ABSTRACT

The family business has had a great influence on the German and international markets. Even if researchers could not agree on the definition of the family business, its most important characteristic has appeared clearly with the Three-Circle Model and the theory of coevolution. The relationship between family and enterprise within a family business has to be analyzed dynamically and historically. In the increasing globalization process in the second half of the 20th century, the family was faced with an unprecedented challenge from abroad and a more complex situation than the non-family business. Ownership and control naturally became a kind of classical film like a family film. Indeed, the internationalization of the family business is exactly a rebuilding process in the modern sense. As for the relationship between the weight of family businesses and the degree of and internationalization, no unanimous conclusion can be drawn. In the Federal Republic of Germany, there were big differences between the impacts of globalization on large family enterprises and small and medium family enterprises. The small and medium-sized family business adopted various strategies to meet the challenge of globalization. For them, globalization meant opportunity, pressure or even irrelevant background. By contrast, several common trends were found in the large family firms. Since the 1970s, they have been opening gradually to personnel and capital outside the family and changing their ownership structure and legal organizational form, in order to respond to the rapidly changing global market.

RÉSUMÉ

LA FAMILLE ET LE MONDE : L'ENTREPRISE FAMILIALE ALLEMANDE SUR LE MARCHÉ MONDIAL DANS LA SECONDE MOITIÉ DU XXe SIÈCLE

L'entreprise familiale a exercé une grande influence sur les marchés allemands et internationaux. Bien que les chercheurs ne puissent encore parvenir à un accord sur la définition de l'entreprise familiale, sa caractéristique la plus importante apparaît clairement dans le modèle des trois cercles et grâce à la théorie de la coévolution. L'analyse de la relation entre la famille et l'entreprise au sein d'une entreprise familiale s'impose comme étant nécessaire. Dans le processus de mondialisation croissante qui caractérise la seconde moitié du XXe siècle, l'entreprise familiale, comparée à celle des entreprises non familiales, a dû faire face à un défi inimaginable venu de l'étranger et affronter une situation plus complexe. La propriété et le contrôle sont devenus tout naturellement une sorte de film classique, comme un film sur la famille. En effet, l'internationalisation de l'entreprise familiale constitue exactement un processus de reconstruction dans le sens moderne du terme. S'agissant de la relation entre le poids des entreprises familiales et le degré d'internationalisation, on ne peut tirer aucune conclusion qui fasse l'unanimité. En RFA, il y a eu de grandes différences entre les effets de la mondialisation sur les grandes entreprises familiales d'une part, et les petites et moyennes entreprises d'autre part. Les petites et moyennes entreprises familiales ont adopté des stratégies variées pour relever le défi de la mondialisation. Pour elles, la mondialisation signifiait opportunité, pression ou ne les concernait pas. En revanche, plusieurs tendances communes sont apparues dans les grandes entreprises familiales. Depuis les années 1970, elles ont ouvert progressivement leur capital à leur personnel et à des partenaires extérieurs à la famille, changé la structure de leur actionnariat et la forme légale de leur organisation, afin de s'adapter à un marché mondial en pleine évolution.

JEL Classification: **I26, N24, N64, N84**

Key words: **family business, Three-Circle Model and theory of coevolution, globalization process, Federal Republic of Germany, large family enterprises and small and medium family enterprises, ownership structure and legal organizational form**

Mots clés: **entreprise familiale, modèle à trois cercles et théorie de la coévolution, processus de mondialisation, République fédérale d'Allemagne, grandes entreprises familiales et petites et moyennes entreprises familiales, structure de la propriété et forme juridique de l'organisation**

TAB. 1 **THE PROPORTION OF FAMILY BUSINESS IN THE GERMAN INDUSTRY 2006**[1]

Enterprises with ... to ... employees	Total number of enterprises	Number of family business	Proportion in %
1 to 19	82,579	73,924	89.52
20 to 49	6,097	5,138	84.26
50 to 99	7,585	5,873	77.43
100 to 199	4,634	2,910	62.8
200 to 499	4,146	1,947	46.97
500 to 999	1,200	491	40.94
1.000 and more	853	148	17.81

TAB. 2 **THE TOP TEN ENTERPRISES IN GERMANY 2013**[2]

Platz		Unternehmen	Branche	Umsatz	Entwicklung	Gewinn	Mitarbeiter
Akt.	Vj			in Mio. €	in Prozent	in Mio. €	in Tausend
1	1	Volkswagen	Automobil	192,676	20,9	21 884,0	549,8
2	2	E. ON SE	Energie	132,093	16,9	2 641,0	72,1
3	3	Daimler AG	Automobil	114,297	7,3	6 495,0	275,1
4	5	BASF-Gruppe	Chemie	78,729	7,1	5 222,0	113,3
5	4	Siemens AG	Technologie	78,296	6,5	4 590,0	370,0
6	6	BMW Group	Automobil	76,848	11,7	5 122,0	105,9
7	8	Schwarz-Gruppe	Handel	67,500	7,3	-	320,0
8	7	Metro AG	Handel	66,739	1,2	101,0	283,0
9	9	Deutsche Telekom AG	Telekommunikation	58,169	-0,8	-4 757,0	229,7
10	11	Aldi-Gruppe	Handel	56,836	7,7	-	250,0

FIG. 1 **THE PROPORTION OF FAMILY BUSINESSES IN GERMANY 2006 IN %**[3]

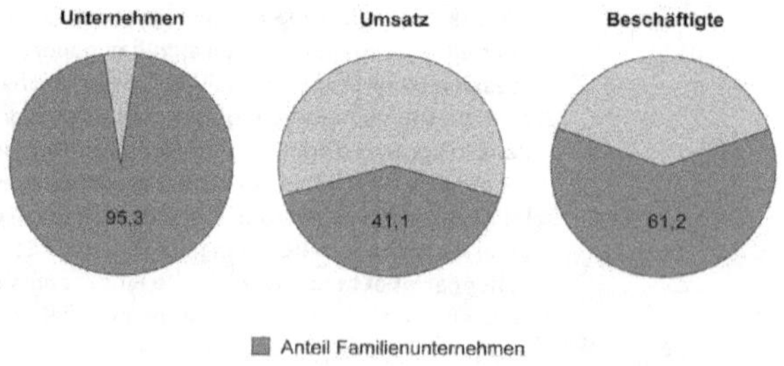

1 – Martina M. Ostertag, *Erfolgsfaktoren von Kooperationen innerhalb der Internationalisierungsstrategien von Familienunternehmen*, Dissertation, 2012, S.12.

2 – <http://www.faz.net/aktuell/wirtschaft/unternehmen/rangliste-die-groessten-unternehmen-2013-12267817.html>

3 – <http://www.ifm-bonn.org/uploads/RTEmagicP_famileineunternehmen.jpg>

Since the 1970s, globalization has become an inherent factor in the German economic market. The most visible manifestations of this phenomenon are the growing number of German companies operating across the world and the looser and looser border of the domestic market. There is hardly an enterprise that can get away from the influence of globalization. Economic internationalization in Germany has been increasing rapidly. The globalization of the world economy has brought dramatic changes in the environment of businesses and resulted in the study of their operation strategies as well as the recombination of their internal structures. In this climate, more and more German family firms have penetrated the international market and followed the corresponding internationalization strategy. Up to now, they have played an important role in the international economy. They are often seen as trustworthy companies with tenacious vitality for long-term cooperation. Based on a brief introduction to the concepts of "family business" and "globalization", this article tries to sketch out the transformation of the German family business, especially the large family business, under the impact of globalization waves in the second half of the 20th century.

1. THEORIES AND DEFINITIONS OF FAMILY BUSINESS

Since the end of last century research on the family business has increased a lot with the improvement of its status in economic life. It started to focus on case studies and treated the family business as a traditional form of business organization that was different from the modern managerial enterprise. More recently, researchers have investigated the dramatic historic development of the family business as a collective concept. Research questions pointed at the intrinsic nature of the family business such as structure of ownership, leadership model, organization character and cultural element. With attention to these factors, some theoretical frameworks and interpretation patterns have been developed.

The first problem is to define a family business and the differences between family firms and other enterprises. Researchers have not been able yet to reach an agreement on these questions,[4] because the concept of "family business" neither defines the size of the firm size nor its legal form. According to different combinations of ownership and right of management, there are three types of family business: 1) the family possesses ownership as well as the right of management; 2) family possesses ownership but no right of management; 3) family possesses the right of management but no ownership. The Stiftung Familienunternehmen in Germany defines the family business from the perspective of ownership: a family firm is controlled by at most three families that

4 – Parmodita Sharma, "An Overview of the Field of Family Business Studies. Current Status and Directions for the Future", *Family Business Review* 1, 2004, p. 1-36; Jess H. Chua, James J. Chrisman, Parmodita Sharma, "Defining the Family Business by Behavior", *Entrepreneurship Theory and Practice* 4, 1999, p. 19-39.

own at least 50% of its stock; their stockholders do not have to participate in the business administration. By contrast, the Institut für Mittelstandsforschung Bonn defines the family business from the perspective of right of management: a family firm is controlled by at most two families that own at least 50% of its stock; and at least one of their stockholders participates directly in the business administration. Because of such differences, the content of the "family business" can be interpreted in a narrow or broad sense. Another concept associated with the family business is small and medium enterprises (SMEs). The Institut für Mittelstandsforschung Bonn defines a SME as a firm with less than 500 employees and an annual turnover of less than 50 million euros. The European Union defines a SME as a firm with less than 250 employees and an annual turnover of less than 50 million euros.

Taking the complexity of the family business into account, Renato Tagiuri and John Davis proposed a Three-Circle Model. A member of a family business has one or more of the following identities: family member, enterprise owner, enterprise manager, employee.[5] The strength of this theory lies in that it demonstrates vividly the most important and most controversial characteristic of the family business by emphasizing the competition between family and enterprise. But this framework cannot explain the influence of different identities in concrete behaviors, nor the interrelation between emotionality of family identity and rationality of enterprise identity.

FIG. 2 **THREE-CIRCLE MODEL**[6]

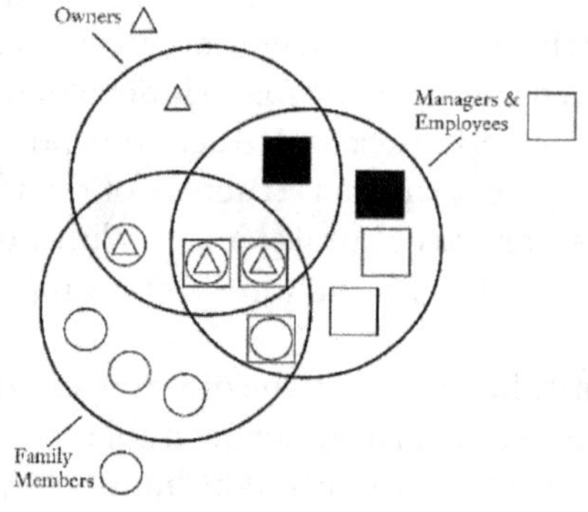

Compared with the Three-Circle Model, the theory of coevolution treats the family business as a historical product with simultaneous change of family and enterprise.[7] On the one hand the family has a very strong influence on

5 – Renato Tagiuri & John Davis, "Bivalent Attributes of the Family Firm", *Family Business Review* 2, 1996, p. 199-208.

6 – *Ibid.*, p. 200.

7 – Christina Lubinsk, „Family Incorporated. Die Koevolution von Familie und Unternehmen in mehrgenerationellen deutschen Familienunternehmen seit den 1960er Jahren", *Akkumulation* 28, dies, 2009A, S. 1-6; dies, 2010, S. 1-6.

the enterprise, on the other hand the enterprise becomes the basic core of the family's self-knowledge. This theory emphasizes the interaction between the two,[8] and no longer considers the dichotomy between family business or non-family business. It regards the family as an element which impacts independently on the development of the enterprise and pays close attention to the effects of the family's participation in the enterprise management.[9] This thought is also reflected in the F-PEC Scale of Joseph H. Astrachan, Sabine B. Klein and Kosmas X. Smyrnios (image 5). This model describes the power relationship between family and enterprise in three aspects of ownership, governance and management; measures the actor's experience by family generations and members; uses factors of family values, business values and family business commitment to observe the cultural interaction between family and enterprise.[10] In these two theories, family influence is regarded as a changing element with a self-development cycle. They have provided a theoretical basis for the study of the family business from multiple perspectives and over a lengthy period of time.

FIG. 3 **THE F-PEC SCALE**[11]

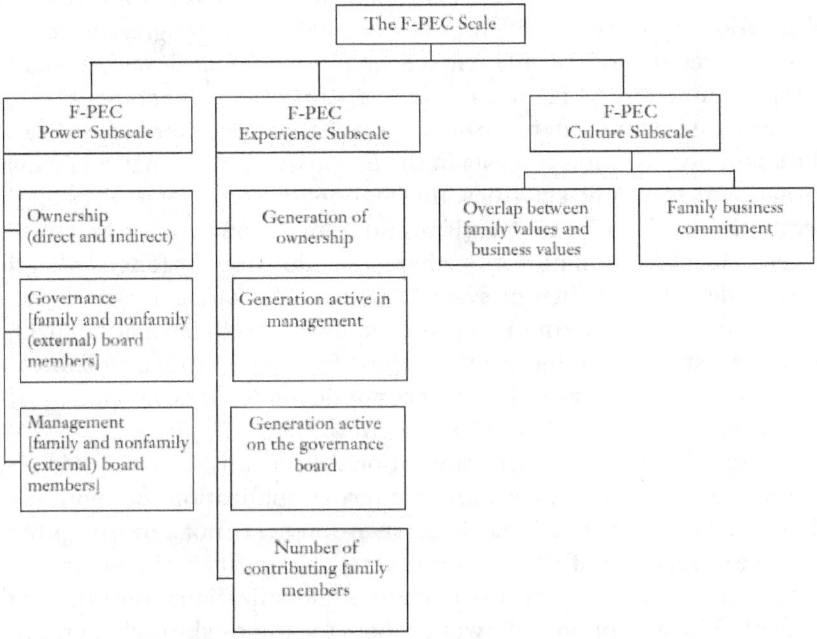

8 – Michael Schäfer, *Familienunternehmen und Unternehmerfamilie. Zur Sozial-und Wirtschaftsgeschichte der sächsischen Unternehmer 1850-1940*, München, Verlag C.H. Beck, 2007, S. 15.

9 – Jessica Ebert, *Der Familieneinfluss auf ein Unternehmen: ein mehrdimensionaler Ansatz*, Frankfurt a. M./New York, 2011.

10 – Joseph H. Astrachan, Sabine B. Klein, Kosmas X. Smyrnios, "The F-PEC Scale of Family Influence. A Proposal for Solving the Family Business Definition Problem", *Family Business Review* 15, 2002, p. 45-58.

11 – *Ibidem*, p. 52.

2. CONCEPT AND SIGNIFICANCE OF GLOBALIZATION

Though the concepts of globalization, internationalization and transnationalization are often considered as synonyms, they point to different subprocesses in the whole process of global economic integration and have their own internal logic.[12] Internationalization refers to the exchange process between two different independent economic participants beyond borders. The main activities in internationalization are cross-border trades of goods and services. Transnationalization refers to large economic entities pursuing high effective integration within companies in transnational economic activities. The meaning of globalization is much more complex than the other two concepts. Globalization has become one of the key words to describe and explain the economic, political and cultural changes that have taken place all over the world in the past two decades. There are still all kinds of controversies about the meaning and performance of globalization. What is certain is that globalization is a complex multi-faceted process that is deeply affecting every field in our society. One of the most important performances is the growing international network of national economies. National borders still exist in the world map, but have lost the decisive significance for the world economy. Globalization supposes that different national markets are progressing towards a global market. It aims not only at new economic and trade developments, but also represents a series of new social and organizational phenomena.

The most distinctive difference between globalization, internationalization and transnationalization consists in the disparity of coordination forms of transnational economic activities. Internationalization emphasizes market coordination by the price mechanism, and transnationalization emphasizes the hierarchical coordination by exchange relationship. As for globalization all sorts of flexible coordination systems superimpose on each other and work together[13]Generally speaking, if internationalization and transnationalization emphasize a stable economy *connected by* different countries, globalization emphasizes the emergence of a new economic model of development from the close *compatibility* of all parts of the world.

The extraordinary increase in transnational direct investment is often seen as a constitutive element of economic internationalization. But both international trade and transnational direct investment are not new things in the world. The uniqueness of globalization in the 20th century lay in the structural changes that are taking shape. In this context, globalization is resulting in the growth of a global economic network, where the interlocking elements have a new look. Generally speaking, the globalization of economic relationship includes more and more local markets. It is necessary for a growing number

12 – Die Gruppe von Lissabon, *Grenzen des Wettbewerbs. Die Globalisierung der Wirtschaft und die Zukunft der Menschheit*, München, 1997, S. 44 ff

13 – Richard Gordon, „Wie Globalisierung zu meistern ist", in W. Fricke (Hrsg.), *Jahrbuch Arbeit und Technik*, Bonn, 1997, S. 58-71.

of enterprises to be fit for this development. Two questions follow from that: which companies are caught up in the wave of globalization and how do they react to the new framework brought by globalization?

In the process of globalization, the family business has been confronted with a more complex situation than the non-family business. Because the family film was a kind of classical film where ownership and the right of control became one naturally, the internationalization of the family business is exactly its rebuilding process in the modern sense. Some researchers thought that the family business must overcome negative influences from slow organizational structural reform and strong region-centred regional orientation while implementing global strategies.[14] But other researchers pointed out that the characteristics of the family business are more beneficial to break the cultural barriers and share cross-cultural values.[15] There is also no agreement in analysis from the perspective of family firm's governance. Some researchers insisted that the proportion of family's ownership and the level of enterprise globalization have a positive correlation.[16] But other researchers maintained that they were negatively correlated.[17] It is thought that the international management ability of the family business is weaker than the non-family business.[18] Thus, no unanimous conclusion can be reached as opinions vary concerning the family business in globalization. The section below does not aim at the analysis of the success or failure of German family firms in globalization, but rather at the description of their historical developments in the context of globalization.

3. RESPONSES OF GERMAN FAMILY BUSINESS TO THE GLOBALIZATION

Globalization impacts large family enterprises and small and medium family enterprises in very different ways. Enterprises of different sizes use different coping strategies. Increasing global competitive pressures, especially the influx of foreign competitors, have brought great challenges for small and medium family firms. The relatively weak presence of small and medium family firms in the global market can be attributed to their comparatively low capital reserve, insufficient knowledge of the global market and limited management ability. When they tried to look for more overseas markets by direct investment on a larger scale, they soon faced the limits of their capital

14 – Miguel Angel Gallo/Jannicke Sveen, "Internationalizing the Family Business: Facilitating and Restraining Factors", *Family Business Review* 4, 1991, p. 181- 190.

15 – Robert L. Swinth, Karen L. Vinton, "Do Family-Owned Businesses have a Strategic Advantage in International Joint Ventures?", *Family Business Review* 6, 1993, p. 19-30.

16 – Shaker A. Zahra, "International Expansion of US Manufacturing Family Business: The Effect of Ownership and Involvement", *Journal of Business Venturing* 18, 2003, p. 495-503.

17 – Zulima Fernández, María J. Nieto, "Internationalization of Small and Medium-Sized Businesses: Some Influential Factors", *Family Business Review* 18, 2006, p. 77-89.

18 – Chris Graves, Ill Thomas, "Internationalization of Australian Family Businesses: A managerial Capabilities Perspective", *Family Business Review* 19, 2006, p. 207-224.

and management capacity. The globalization challenge could not ease because of their inherent weaknesses. More and more foreign competitors entered the German market, that was gradually saturated and added to the problem of oversupply. Only the family firms with international energy could regain vitality by expanding foreign markets.

The changes brought by globalization have had many influences on small and medium family businesses. Firstly, the weakening of state intervention in the economy on a global scale, especially the removal of tariffs and trade barriers, has created new export opportunities; but at the same time, the cancellation of national trade protection has strengthened competition in the local market. Secondly, more and more diversified markets and more and more short product life cycles have strengthened enterprise competition all over the world. Thirdly, large enterprises have stepped in local markets that had been always ruled by small and medium enterprises. They have incorporated the local markets into the global market, or planed their strategies toward them. Fourthly, small and medium enterprises have got more involved as suppliers and distributors in industry chains and market networks which were controlled by large enterprises. This was the only profit channel left by globalization. Fifthly, small and medium enterprises have improved the way of resource acquisition on the basis of new technology and organizational form. Sixthly, national and regional authorities have lost their power to promote small and medium enterprises directly. Supranational organizations have taken on this assignment.

Small and medium family enterprises responded to globalization in completely different ways. Some were already involved in international competition and globalization was an opportunity for them. But for others with weak adaptability to globalization, competitive pressure from foreign enterprises threatened their survival condition. Until 1997, according to a report of the Organization for Economic Cooperation and Development (OECD), globalization was an opportunity for only 25% of the small and medium enterprises in the developed countries and a threat for 25% to 50%, whereas nearly 40 % were little or almost not affected by globalization.[19] In Germany nearly a quarter of small and medium enterprises were still domestic market-oriented, nearly a quarter were export-oriented, 5% were import-oriented, and one third adopted a comprehensive strategy according to different situations.[20] The large proportion of family businesses in Germany resulted in more pluralistic attitudes towards globalization.

According to the empirical research of Christina Lubinski, the impact of globalization on large family enterprises took on some evident features compared to small and medium family enterprises. Lubinski selected a sample of 310 large enterprises in 1960 in Düsseldorf and München including 165

19 – *Ibidem*, p. 131.
20 – *Ibid.*, p. 137.

family firms. In 98% of these 165 firms the family owned more than 50% of the enterprise assets. 62% were entirely private property of a family with no outside investment. 24% were definitely owned by an individual, and 60% were owned by several members of family.[21] Family firms owned by several family members had a more complicated organizational structure. The regulation of the relationship between different family shareholders is the problem faced by family businesses just like the principal-agent problem between shareholders and managers is the problem of public companies.

From a legal perspective, there are two major types of German enterprises: proprietary (Einzelunternehmen) and company (Gesellschaft). The latter can be divided into two categories: partnership (Personengesellschaft) and corporation (Kapitalgesellschaft). A partnership is an association of two or more persons that run a business to make profit. The owners have unlimited liability to creditors and for other debts of the company. The forms of partnerships include general partnership (Offene Handelsgesellschaft, OHG), limited partnership (Kommanditgesellschaft, KG) and limited joint-stock partnership (Kommanditgesellschaft auf Aktien, KgaA). Registered corporations have a legal personality and are owned by shareholders whose liability is limited to their investment. The forms of corporations include limited liability company (Gesellschaft mit beschraenkter Haftung, GmbH) and joint stock company (Aktiengesellschaft, AG).

In 1960, a big part of large family businesses in Düsseldorf and München were limited partnerships and limited liability companies (image 6). This kind of situation was consistent with the overall condition of German business organization. Compared with other developed countries, the Federal Republic of Germany had less limited joint-stock partnerships and joint stock companies: there were only 2627 in 1960, 2122 in 1983, and 2685 in 1990 which was approximately the same as in 1960. In 1986, there were 57,000 joint stock companies in Belgium, 125,000 in France, and more than 400,000 in Spain.[22] In Germany, limited partnerships and limited liability companies displaced joint stock companies as the major organizational form, whereas they were rare in other European and American countries. In limited partnerships, limited partners have limited liability, and general partners have full liability. Thanks to this distinction, limited partnerships not only have simplified the management styles of family members, but have also provided a potential possibility to absorb external capitals. Therefore, a number of large family enterprises still adopt this kind of organization form.

In the 1960s, large family enterprises in Germany, most of them being limited partnerships and limited liability companies, had several characteristics. Firstly,

21 – Christina Lubinski, „Zwischen Familienerbe und globalem Markt. Eigentum und Management von großen westdeutschen Familienunternehmen im Wandel (1960 bis 2008)", *Zeitschrift für Unternehmensgeschichte* 55, 2012, S. 204-229.

22 – Deutsches Aktieninstitut e. V., *DAI-Factbook 2009. Statistiken, Analysen und Graphiken zu Aktionären, Aktiengesellschaften und Börsen*, Frankfurt a.M., 2009, S.1-3.

they were in the hands of a few shareholders and based on very concentrated ownership. The Bagel Group built in 1801, for example, which was engaged in publishing and printing, has signed a shareholder agreement as early as 1974 stipulating that ownership was hold jointly by two family members at most. Therefore, the family members who inherited a small amount of stock rights had to delegate authority to an agent. The change of agency needed an approval of all shareholders. The Friedrich Deckel AG, which was built in 1903 and merged with another company, had also specified in the protocol that equity successors in a branch of the family had to find a common agent within two months. It was quite common in German family businesses that ownership and voting rights were in the hands of a narrow group. This practice helped maintain stability in family enterprises, and avoid enterprise dismemberment due to ownership dispersion driven by generation replacement.

FIG. 4 **LEGAL TYPES OF FAMILY ENTERPRISES IN DÜSSELDORF AND MÜNCHEN IN 1960 (SAMPLES = 165)**[23]

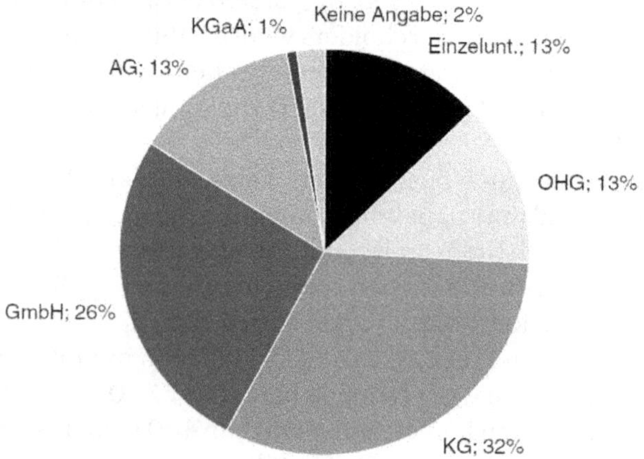

Next, the concentration of ownership in the hands of few family members led to strict control on enterprise management. According to Lubinski's study, in the large family enterprises of West Germany around 1960, there was at least one ownership holder from the family taking part in the decision making process of the company. Only 8 % of the firms were completely dominated by foreign managers. 53% of the firms had one family member with enterprise leadership, and 33% had more than two family members participating in management. It was clear that external factors could not intervene too much in the management of family enterprises. More than 50% of family firms

23 – Christina Lubinski, „Zwischen Familienerbe und globalem Markt. Eigentum und Management von großen westdeutschen Familienunternehmen im Wandel (1960 bis 2008)", *op. cit.*, 2012, S. 204-229, here p. 215.

were run by family members, and less than a third were managed by family members and non-family members together.

Thirdly, because of the long history of German family business, more than two-thirds of family enterprises had passed on to the next generation by 1960, and only a quarter had been founded by the first generation. There were many reasons for the long existence of family businesses. One of them was that the family enterprises with several generations have gradually developed a strategy of connecting the family more closely with the enterprise, to insure the coevolution of family and enterprise beyond the lifecycle of individuals. In the 1970s, the Bagel Group, for example, which has been handed down to the seventh generation (Image 7), had already told the next generation stories that it had written itself. To tell family traditions as well as enterprise traditions and instill strong family culture, it used a method that could be understood by children. This culture narration is very typical in Germany family enterprises with several generations.[24]

FIG. 5 **THE GENERATIONS OF THE BAGEL GROUP**[25]

To conclude

Based on the dramatic economic development of West Germany in the 1950s and the 1960s, and benefiting from the establishment of the European Community in 1958, German family enterprises with the characteristics mentioned above have advanced rapidly. But a great change took place in the 1970s. This period was a turning point in the economic history of West German[26], and the family

24 – Christina Lubinski, „Wo ‚nachfolgende Generationen schaffende Arbeit verrichten'. Generationenerzälhungen in mehrgenerationellen deutschen Familienunternehmen von ca. 1950 bis 2005", B. u. a. Bohnenkamp (Hrsg.), *Generation als Erzahlung. Neue Perspektiven auf ein kulturelles Deutungsmuster*, Göttingen, Wallstein, 2009, p. 151-168.

25 – 图片来源, November 2014,<http://www.bagel.de/gruppe/chronik/#mg>

26 – Morten Reitmayer/Ruth Rosenberger (Hrsg.), *Unternehmen am Ende des "goldenen Zeitalters". Die 1970er Jahre in unternehmens- und wirtschaftshistorischer Perspektive*, Essen 2008, <https://www.klartext verlag.de/zu-

business was no exception. The breakdown of the Bretton Woods system in 1971 put an end to the golden age of the dollar. Economies in western countries suffered from the impact of the first oil crisis in 1973 and the second oil crisis in 1979. In West Germany, the inflation rate rose from 2% in the 1960s to 7% in 1973, and the unemployment rate from 0.9% in 1969 to 8.2% in 1985. Economic internationalization came with the economic crisis. The increasingly close international economic network resulted in a growth of direct investment. In 1952, West German enterprises were still forbidden to invest abroad; in 1967, total outward investment was 3 billion dollars; in 1990, it increased to 148 billion dollars and in 2007 to 1212 billion dollars. The developments of information and communication technology reduced the cost of long-distance trade to a minimum. Globalization and the following shortening of the product life cycle forced enterprises to face a much more open and intense competitive environment. At the same time, trust in planned economy and Keynesianism had disappeared and was replaced by the marketing policy of neoliberalism and monetarism.

In this context, large German family enterprises have changed. Firstly, business culture has changed. The economic recession and the structural transformation of the economy have resulted in the laying off of workers by many family enterprises. Because they couldn't afford high labor costs, they cut jobs in Germany massively and established factories in Southern Europe, Latin America and Asia where human resource was cheap. Layoffs destroyed the wish of "working in the same enterprise for life". But this feeling was precisely the core culture of the family business. The reduction of culture belonging was the first change in German family enterprises.

Secondly, with the impact of globalization, the German family business was more and more open to external capital, and needed more investment from outside to develop new products and enter new markets. This opening changed the legal form of family business dramatically. To absorb foreign capital, many family enterprises transformed themselves from general partnership or limited partnership to limited joint-stock partnership, limited liability company, joint stock company or limited liability company & company of limited partnership (Gesellschaft mit beschränkter Haftung & Compagnie Kommanditgesellschaft, GmbH & Co. KG). At the end of last century, a lot of family firms started selecting private equity. The old family business in optometry Rodenstock fell into a crisis because of its bad operation on the American market in 2003; as a consequence, the family had to sell a 49 % share to Permira, a very famous private equity firm in Europe. 2004, Permira increased its investment to 85% share. The family of Rodenstock only kept a 10 % share, and the remaining 5% were shared by the company management. The Rodenstock as a family firm no longer existed. The opening to foreign investment not only changed

satzangebote/978-3-89861-779-6.pdf>. Konrad H. Jarausch (Hrsg.), *Das Ende der Zuversicht? Die siebziger Jahre als Geschichte*, Göttingen, Vandenhoeck & Ruprecht, 2008.

the legal organizational form of family enterprises, but also affected the relationship between family shareholders. Because external investors and family shareholders had to be treated on an equal footing, the authoritarian family rule had no longer any existence, and small family shareholders who did not take part in the management of the firm had lost the right to get information concerning the management of the business. This gradually resulted in changing attitudes of family members towards the family business. Family inheritances and cultural traditions that had been always been valued by the family were unable to continue. The exclusiveness of ownership as shinning label of family enterprises lost its potency.

Thirdly, in addition to external capital, more and more external staff participated in the management of family businesses. They relied on the support of external staff to accommodate themselves to the quick change in global markets and societies. In traditional family enterprises, company founder and his family owned a majority stake and had the decision-making power in the main business of the company. But when a lot of external capital was required by the development of the family business, the relationship between ownership and the right of management changed. Family controlled businesses evolved into enterprises controlled by managers to respond to the enlargement of enterprises. Family members could no longer play an important role in the top management unless they were trained as professional managers. Because they could get much personal income from the family business, they had no interest in career development in a company without economic stimulus. The inheritance problem of the family business was underscored when professional managers took over and the company could operate normally without the participation of family members. At the same time, the conflict between maintaining family tradition and realizing individual value became more and more visible. On the one hand, the successor identity in the family business lost its appeal, and on the other hand, family members lacked the capacity to compete with outsiders, so that many German family enterprises faced the predicament due to the shortage of successors.

To summarize, the German family enterprises in the early years after the Second World War had the following main characteristics: ownership belonged to a few family members; the family ran the business, that was handed down from generation to generation. Since the 1970s, family businesses had to change to respond to the changes brought by globalization. Therefore, they opened gradually to personnel and capital outside the family and changed their ownership structure and legal organizational form. This proves that the influence of family was not static. Globalization impacted the relationships between family shareholders, ownership and the right of management, the coevolution of family and enterprise as well as inheritance.

LA MONDIALISATION DES ENTREPRISES FRANCAISES OU LE DESTIN DIVERGENT DE SCHNEIDER ELECTRIC ET D'ALCATEL ALSTHOM

Félix Torres

Agrégé d'Histoire, docteur en Anthropologie de l'Ecole des hautes études en sciences sociales (EHESS), directeur fondateur du cabinet d'histoire publique Public Histoire et de Félix Torres Éditeur

> «*En d'autres termes, le problème généralement pris en considération est celui d'établir comment le capitalisme gère les structures existantes, alors que le problème qui importe est celui de découvrir comment il crée, puis détruit ces structures.*»
>
> Joseph Schumpeter, *Capitalisme, socialisme et démocratie.*

La mondialisation des grandes entreprises françaises, sinon de sociétés de taille plus moyenne, a eu lieu au cours du dernier quart de siècle du XXe siècle, comme le montrent divers classements plaçant celles-ci, Total, Axa, BNP Paribas, Carrefour, GDF-Suez, Publicis, Saint-Gobain, Vinci, Bouygues, Lafarge, L'Oréal, Schneider Electric, LVMH, Michelin..., au 4e ou 5e rang mondial, derrière les

États-Unis, la Chine, le Japon et l'Allemagne[1]. Indicateur parmi d'autres, le classement annuel des 2 000 plus grandes entreprises mondiales établi par le magazine américain *Forbes* enregistre 29 entreprises françaises dans le Top 500 mondial, derrière les États-Unis (165), le Japon (48), l'Allemagne (34), la Chine (30), devant la Grande-Bretagne (28), la Corée du Sud (20), suivis de la Suisse, de l'Australie, de l'Espagne, de l'Inde, des Pays-Bas, de la Russie... On retrouve cette cinquième place dans le Top 200, la France se hissant même au

1 – Voir une introduction générale dans Bertrand Collomb, dir., *La France dans le monde*, 3 vols, collection de l'Académie des sciences morales et politiques, Paris, Hermann Éditeurs, 2014, notamment le tome III « Histoires de succès mondiaux », avec une introduction générale de Bertrand Collomb et les exemples de Radial, Total, Lafarge, Sanofi, Axa, BNP Paribas et les banques françaises, Publicis, Hermès... traités par leurs dirigeants respectifs.

ABSTRACT

THE GLOBALIZATION OF FRENCH COMPANIES OR THE DIVERGENT PATH FROM SCHNEIDER ELECTRIC AND ALCATEL ALSTHOM

The globalization of French companies during the second globalization of the 1980s to the 2000s, remains a phenomenon little studied, notably because of its contemporaneity. The divergent history of Schneider Electric (formerly Empain-Schneider, then Schneider) and Alcatel Alsthom (formerly Compagnie générale d'électricité, which later became Alcatel-Lucent before being dismantled) groups, offers an interesting field of analysis because their sectors of activity often overlapped. Their different history is first chronological: Alcatel Alsthom knew a brilliant 1980 decade before stumbling in the second half of the following one, despite the refocusing of its activities on telecoms. Empain-Schneider, which was plagued by industrial files, failed to disappear during the 1980s, notably because of its Creusot-Loire subsidiary bankruptcy. The successful redeployment of Schneider Electric business portfolio towards terminal electrical distribution enable the group to become a world leader from the following decade to present time. Some patterns can explain the successful passage (or not) of a French group from its domestic market to a global market: the continuity of a private strategic and financial corporate culture rather than a single personality of a "national champion" dived in a new and highly volatile global market environment.

RÉSUMÉ

La mondialisation des entreprises françaises lors de la seconde mondialisation des années 1980 aux années 2000, reste un phénomène peu étudié, notamment à cause de sa contemporanéité. L'histoire divergente des groupes Schneider Electric (ex Empain-Schneider puis Schneider et d'Alcatel Alsthom (ex Compagnie générale d'électricité, devenu par la suite Alcatel-Lucent avant d'être démantelé), deux groupes dont nous avons réalisé l'histoire publique offre un champ d'analyse intéressant car leurs secteurs d'activité se sont souvent recoupés. La divergence de leur destin est d'abord chronologique, Alcatel Alsthom connaissant une brillante décennie 1980 avant de trébucher dans la deuxième moitié de la décennie suivante, malgré le recentrage de ses activités vers les télécommunications. Grevé par les dossiers industriels, Empain-Schneider manque pour sa part de disparaître au cours des années 1980, notamment à l'occasion de sa filiale Creusot-Loire. Cet épisode et le redéploiement de son portefeuille d'activité vers la distribution électrique terminale lui permettent de devenir un leader mondial de la décennie suivante à l'heure actuelle. Quelques grands facteurs permettent d'expliquer le passage réussi (ou non) du marché domestique au marché global d'un groupe français : la continuité d'une culture stratégique et financière d'origine privée plutôt qu'une personnalité de « champion national » plongée dans un environnement global très volatile.

JEL Classification: **D21, D22, F23, F61, L20, L25, N64**

Key words: **Globalization of French companies, Schneider Electric, Alcatel Alsthom, redeployment, passage (or not) of a French group from its domestic market to a global market, strategic and financial corporate culture, "national champion"**

Mots clés: **Mondialisation des entreprises françaises, Schneider Electric, Alcatel Alsthom, recentrage des activités, passage du marché domestique au marché global: culture stratégique et financière, champion national.**

niveau de l'Allemagne dans le Top 100 avec 7 entreprises chacune, derrière les États-Unis (31), le Japon et la Chine (8)[2]. En matière de capitalisation boursière, la France compte cinq entreprises sur les 100 premières mondiales, Total (37e position), Sanofi (41e), BNP Paribas (69e), L'Oréal (71e) et LVMH (77e), ce qui la classe à la sixième place. Quelle que soit la relation ambigüe sinon négative que la France entretient avec la mondialisation, nul ne conteste le degré d'internationalisation poussé de l'économie française et de ses grandes entreprises.

Cette percée s'est déroulée au cours des années 1980, époque charnière de déréglementation et de restructuration et les années 1990, première décennie de la mondialisation après la disparition de l'URSS et l'ouverture de la quasi-totalité de la planète à un marché global. Cette émergence réussie, malgré quelques échecs et disparitions (sidérurgie avec Arcelor-Mittal, aluminium avec Pechiney, électronique, etc.) renvoie à des logiques à la fois internes et externes : celles des secteurs et des entreprises qui se sont mondialisées, celles relevant du poids du contexte national, européen et international. Plusieurs logiques s'entrecroisent, parmi lesquelles :

- le cadre national et le rôle de l'État, avec l'impact des politiques publiques et industrielles ;
- le parcours, l'identité et la stratégie des entreprises considérées dans un contexte de marchés toujours plus globaux et interdépendants ;
- les espaces où elles se déploient, de l'émergence de blocs régionaux comme le grand marché européen à l'existence d'un marché mondial en tant que tel.

La mondialisation des entreprises envoie donc à une articulation entre cadres micro-économiques, macro-économiques et géopolitiques qui est à établir.

1. LA MONDIALISATION, DES MARCHÉS NATIONAUX AU MARCHÉ GLOBAL

L'élargissement géographique des marchés au-delà du marché national et le renforcement continu de la concurrence ont conduit les entreprises mondiales à se concentrer et à se spécialiser, tant pour disposer d'une offre globale que pour asseoir leur rentabilité et disposer des investissements nécessaires à leur redéploiement, innovation et expansion internationale. Ce processus a été à la fois permis et accentué par l'une des tendances de fond de la mondialisation, la globalisation financière, marquée par le recul de l'État, la désintermédiation et l'affirmation d'un capitalisme actionnarial. La régulation par un marché global transfrontière a pris le pas sur le champ protégé et administré de l'espace national, marqué par l'interventionnisme d'État, particulièrement prononcé en France.

2 – Voir par exemple l'analyse de Didier Lucas, « Les champions français dans le monde », *Outre-Terre*, n° 33-34, 2012/3, p. 267-274.

Au cours des années 1980, les entreprises sortent de l'équilibre fordiste qui avait dominé le monde de l'après-1945, caractérisé par ce que l'on a pu qualifier de « croissance social-démocrate autocentrée »[3]. Celle-ci était marquée par la vigueur de marchés intérieurs portés par le rattrapage des équipements et de la consommation, l'importance des investissements publics, le rôle important sinon prédominant de l'État dans des espaces domestiques semi-clos et fortement administrés. De *rounds* en accords du GATT (on en comptera huit au total jusqu'à la création de l'Organisation mondiale du commerce, l'OMC, en 1995), le monde occidental vit depuis la fin de la Seconde guerre mondiale une ouverture commerciale croissante qui suscite une internationalisation des économies et l'émergence de firmes de plus en plus « multinationales ». Même toujours plus large de 1945 aux années 1970, cette internationalisation n'est pas encore une mondialisation car le socle des entreprises considérées reste le marché domestique national, fût-il étendu aux frontières du grand marché européen.

Le passage du marché national domestique à un marché mondial globalisé a lieu au cours des années 1980 et 1990[4], quand le recul des frontières, la globalisation des activités et des capitaux rendent les échanges et les implantations mondiales toujours plus faciles, quand s'ouvrent de gigantesques marchés à la suite de la disparition du bloc communiste en 1989-1991 et de l'ouverture grandissante de la Chine à la suite de la politique d'ouverture de Deng Xiaoping en 1978. Longtemps cantonnées au marché français, les entreprises industrielles se consacraient, pendant les 30 Glorieuses, à l'expansion nationale (hormis une part croissante d'exportation), à la rationalisation de leur appareil productif et de plus en plus, à partir de 1965, à une série de regroupements et de restructurations faisant émerger ce que la politique pompidolienne appellera les champions nationaux dominant leurs secteurs respectifs.

Au tournant des années 1980, ce mouvement de concentration n'est pas encore tout à fait achevé et se poursuivra au cours des années 1980. Mais la crise de 1973, le ralentissement économique et la saturation des marchés domestiques, la constitution d'un grand marché unique européen – dont la perspective, quelquefois surestimée par les acteurs économiques de l'époque, constitue un puissant stimulus – les craintes que suscite le programme commun de la Gauche susceptible d'être appliqué en 1978 puis en 1981-1982 poussent la plupart des grandes entreprises françaises à aller résolument au-delà de leur démarche

3 – Les définitions du fordisme, à commencer par celle d'Henry Ford lui-même sont nombreuses mais celle de Pierre-Noël Giraud s'avère particulièrement judicieuse, même si nous laissons ici de côté sa dimension sociale redistributrice pour nous focaliser sur celle du marché national ou domestique autocentré sous la tutelle de l'État d'après-guerre. Voir Pierre-Noël Giraud, *La mondialisation. Emergences et fragmentations*, Auxerre, Sciences Humaines Éditions, 2012.

4 – Voir Jean-François Eyck, *La France dans la nouvelle économie mondiale*, Paris, PUF, 1991, 1998; « Globalisation des marchés et des entreprises », in Maurice Lévy-Leboyer, dir., *La France industrielle*, sous la direction de Paris, Larousse Bordas, 1996, p. 531-536, et les analyses d'Elie Cohen sur les conséquences de ce mouvement pour la France dans *La tentation hexagonale. La souveraineté à l'épreuve de la mondialisation*, Paris, Fayard, 1996.

habituelle d'internationalisation pour devenir des groupes transnationaux, bientôt mondiaux, en bref pour prendre délibérément le cap du « grand large »[5].

Le passage du stade des firmes multinationales, dont l'ascension a suscité un vif débat au cours des années 1970 à celui de firmes globales débute précisément à cette époque. La firme multinationale découlait à la fois de l'internationalisation graduelle des marchés et de la différenciation existant encore dans les pays ou zones géographiques en termes de demande. Ses filiales géographiques optimisent leurs activités en fonction d'un environnement qui leur est propre, les firmes multinationales fonctionnant souvent comme des fédérations décentralisées. Stade intermédiaire, la firme transnationale coordonne ses filiales afin de dégager des économies d'échelle en combinant les avantages propres à chaque filiale sur des marchés autonomes.

La firme globale ou mondiale procède de marchés globaux, abordés, coordonnés et développés comme tels, dans une logique de systèmes de production et de produits mondiaux permettant des économies d'échelle et des effets de taille qui ne peuvent plus être seulement générés à l'échelle nationale sinon régionale, vu l'ampleur des efforts de recherche-développement et de conception, de production et de commercialisation nécessaires. Les notions d'économie et de firmes globales sont précisément définies à ce moment-là, par des noms tels que Theodore Levitt, Kennichi Ohmae et Robert Reich[6].

Le mouvement a lieu également en Allemagne, malgré ou à cause des événements politiques et économiques que sont la série d'alternances entre droite la gauche (1981, 1986, 1988, 1993, 1995, etc.), les nationalisations de 1982, suivies d'un mouvement de privatisation jusqu'au début des années 2000, le virage économique de 1983, la déréglementation du marché boursier et financier français, etc. L'Allemagne investit désormais hors de ses frontières, avec la pierre blanche que constitue 1985, première année où l'investissement français extérieur l'emporte sur les investissements étrangers en Allemagne. De 1981 à 1991, celle-ci investit 106 milliards de dollars à l'étranger, chiffre à comparer avec 216 milliards pour le Japon, 202 pour le Allemagne, 184 pour les Allemagne, 107 pour l'Allemagne. Dès la seconde moitié des années 1970, la question de la mondialisation des économies et des marchés et la façon de s'y préparer devient l'un des thèmes de réflexion des cercles patronaux, des économistes, voire de certains hommes politiques[7]. Au sein de l'Institut de l'entreprise notamment,

5 – Voir le livre pionnier (et alors plutôt mal reçu) de Michel Drancourt, *La France du grand large*, Paris, Robert Laffont, 1981.

6 – Theodore Levitt, The Globalization of Markets, *Harvard Business Review*, May-June, 1983, <https://hbr.org/1983/05/the-globalization-of-markets>; Kennichi Ohmae, *The Borderless World*, New York, Harper Business, 1990; Robert Reich, *The Work of Nations: Preparing Ourselves for 21st Century Capitalism* 1991, trad. franç. *L'économie mondialisée*, 1993. La référence économique en la matière est le ch. 9 « Firms in The Global Economy: Export Decisions, Outsourcing and Multinational Enterprises » du manuel de Paul Krugman, Maurice Obstfeld et Marc Melitz, *International Economics. Theory and Policy*, Harlow, Pearson, 1988, 10th edition 2015, p. 196-337.

7 – Voir par exemple le titre explicité du livre d'Alain Cotta, *La France et l'Impératif Mondial*, Paris, PUF, 1978 et son accroche: « Une économie mondiale est en train de se substituer à une économie internationale ». Le 3 juin 1980, lors des Rencontres internationales du ministère de l'Économie, René Monory, ministre de l'Économie et

né en 1975, la mondialisation est abordée avant même la fin de la décennie, dans le sillage d'entreprises pionnières comme Lafarge Coppée[8], faisant l'objet de travaux, de rapports et de congrès comme l'emblématique « Les années 90 : pour horizon le monde », avec le sous-titre « Compétition globale : les risques et les chances », 2e congrès de l'entreprise 18-19 novembre 1987, soit deux ans avant la chute du mur de Berlin et l'effondrement du communisme mondial[9]. La précocité de cette préoccupation largement partagée par les acteurs concernés est sans aucun doute l'un des facteurs de la mondialisation des entreprises françaises signalé plus haut.

2. LA GLOBALISATION, UN EFFET DE SEUIL

Le passage à la mondialisation ne saurait être un simple changement d'échelle. Elle représente en effet à la fois un seuil en termes d'appareil productif et commercial, tout comme une mutation qualitative, en termes de gouvernance, de structure de capital et d'entrée sur les marchés financiers privés, de choix des activités et des marchés et, plus largement de culture organisationnelle des entreprises considérées. L'un des points clés de cette mutation réside dans l'émancipation à l'égard de la puissance publique et de ses « champs de pouvoirs » [10], en termes d'enjeu de politique industrielle, de décisions et des élites concernées, des deux côtés de la barrière.

Même dans des secteurs proches, cette transition a été vécue de façon heurtée, comme le montrent les parcours analogues mais les destinées divergentes, de deux des plus grands groupes industriels français, Empain-Schneider, devenu Schneider puis Schneider Electric, et Alcatel-Alsthom, l'ancienne Compagnie générale d'électricité (CGE), fragmentée entre Alcatel, Alstom et Nexans (ex-Alcatel Câbles), le premier devenant Alcatel-Lucent avant d'être absorbé par Nokia.

Au début des années 1980, ces deux groupes privés, au profil analogue de conglomérat, rassemblent de nombreuses entreprises (certaines des groupes

des Finances déclare : « LE MONDE EST UN : nous sommes passés de l'ère des 'économies-nations' industrielles à l'ère de l'économie mondiale ».

8 – Dominique Barjot, « Lafarge : l'ascension d'une multinationale à la française », *Relations Internationales*, 124, octobre, 2005, p. 51-67 ; Dominique Barjot, « Lafarge (1994-2004). Comment on devient firme mondiale », *Revue Economique*, vol. 58, n° 1, janvier, p. 79-111.

9 – Le rapport prospectif de Georges Roques, « Le management des entreprises françaises dans la décennie 1980-1990 », décembre 1980, définit la mondialisation par deux dominantes, l'« interdépendance d'un monde fini » et la « la nouvelle dimension mondiale des marchés ». Ces thèmes sont précisés tout au long des années 1980, notamment dans le rapport d'Olivier Lecerf, « La dimension internationale de la stratégie des entreprises et la préparation de l'avenir », Institut de l'entreprise, janvier 1989. Voir une synthèse dans le chapitre 5 « L'Europe et le monde. Le choix du grand large » de Félix Torres, *L'intelligence de l'entreprise. 40 ans de réflexion patronale en France*, Paris, Manitoba / Les Belles Lettres, 2016, p. 175-202.

10 – L'expression est de François-Xavier Dudouet et Eric Grémont, *Les grands patrons en France. Du capitalisme d'Etat à la financiarisation*, Paris, Éditions Lignes de repères, 2010, p. 69-71. Ces auteurs analysent de façon pertinente les grandes lignes de cette mutation que résume le sous-titre de leur ouvrage. Ils qualifient ainsi le processus d'« internationalisation du capitalisme industriel français » de transfert de « la domination économique [...] de la puissance publique aux entreprises privées ».

à elles seules), métiers et activités, de la mécanique aux télécommunications, du matériel électrique aux chantiers navals. Ils sont souvent en concurrence directe, dans le nucléaire, l'industrie ferroviaire, les télécoms, les chantiers navals. Ils traitent, en concertation étroite sinon sous la tutelle des pouvoirs publics, des dossiers industriels cruciaux dans lesquels les vues et l'action de l'État sont tout, sauf négligeables.

De façon étonnante, ces deux groupes ont connu des évolutions symétriques : sortie de la tutelle de l'État et affirmation d'un actionnariat privé international, recentrage sur une série de « cœurs de métier » à vocation mondiale, cession d'activités jugées non stratégiques, fortes crises, à la fois internes et externes, entrelaçant querelles au sommet et... conflits ouverts ou plus feutrés avec les pouvoirs publics. Avec une différence majeure : le groupe Empain-Schneider, devenu en 1985 Schneider puis en 1999 Schneider Electric vit cette transition de façon aiguë dans la première moitié des années 1980, avec le paroxysme que représente en 1984 le dépôt de bilan de Creusot-Loire. Celle-ci représente la perte de son pôle industriel mécanique, des activités nucléaires, la sortie brutale et quasi-complète du jeu des « grandes manœuvres » industrielles avec l'État[11] et le recentrage choisi sur un nouveau métier, la distribution électrique terminale, désormais conçu et exercé à l'échelle mondiale. Après ce pic et malgré quelques turbulences ultérieures, le groupe piloté par Didier Pineau-Valencienne, Henri Lachmann et aujourd'hui Jean-Pascal Tricoire entre de façon apaisée dans les années 1990 et conforte une mondialisation remarquable jusqu'à aujourd'hui. Tout se passe comme si la crise de 1984 avait obligé le groupe à « larguer les amarres » des affres industrielles franco-françaises, à trancher avec succès plutôt qu'à dénouer le nœud gordien de relations presque incestueuses avec la puissance publique.

La CGE, devenue en 1994 Alcatel Alstom connaît au contraire une décennie 1980 brillante, malgré (ou en partie grâce) à l'aller-retour nationalisation-privatisation de 1982-1986. Plusieurs opérations réussies, notamment celle du rachat des filiales télécoms européennes d'ITT par Alcatel en 1986 et la constitution de GEC-Alsthom en 1999, en font un *leader* mondial dans ses plus grands métiers. Mais cette chevauchée trébuche dans la seconde moitié des années 1990 : l'éviction de Pierre Suard et l'accession à la présidence de Serge Tchuruk en 1995, les choix stratégiques opérés avec la dissolution du conglomérat qu'était Alcatel-Alsthom au profit des seules télécommunications au tournant des années 1990-2000 se révèlent calamiteux. La mondialisation d'Alcatel Alsthom bien engagée en apparence dans les années 1980-1990 ne s'est pas révélée durable, à la différence de celle de Schneider Electric. En 1996 pourtant, le chiffre d'affaires réalisé à l'étranger par le premier était l'un des plus élevés des entreprises françaises, en volume comme en proportion

11 – Voir le titre du livre d'Élie Cohen et Michel Bauer, *Les grandes manœuvres industrielles*, Paris, Pierre Belfond, 1985, et l'analyse du parcours du groupe Schneider dans le ch. 1 «Creusot-Loire. Autopsie d'une faillite» dans l'ouvrage d'Elie Cohen, *L'État brancardier. Politiques du déclin industriel* (1974-1983), Paris, Calmann-Lévy, 1989, p. 25-66.

(77,6 %), loin devant Schneider, trois fois moindre, à la 16e place avec 64,1 %[12]. Pourquoi alors un parcours aussi divergent ?

3. D'EMPAIN-SCHNEIDER À SCHNEIDER ELECTRIC, LA MONDIALISATION RÉUSSIE

Fondé en 1836 par Adolphe et Eugène Schneider à l'aube de la Révolution industrielle, le groupe Schneider a une longue et glorieuse histoire qui va le faire passer de la première mondialisation, celle du XIXe siècle qui prend fin en 1914, à la mondialisation actuelle, la seconde, surgie dans les années 1980-1990. Groupe emblématique s'il en est de la première Révolution industrielle en matière de mécanique et d'industrie lourde, le groupe Schneider aura des difficultés à passer à la seconde révolution industrielle, celle de l'électricité, avant de passer sous le contrôle du groupe belge Empain, créé dans les années 1880 par le général-baron Edouard Empain, après la disparition en 1960 du quatrième et dernier représentant de la dynastie, Charles Schneider[13].

Un groupe privé franco-belge encastré dans les dossiers industriels français

Dirigé désormais par Edouard Empain, dit le « vieux baron » et Edouard-Jean Empain, dit le « jeune baron », son neveu et fils adoptif, le groupe belge tire parti en 1963 de la crise de succession et de la vente du bloc majoritaire des actions Schneider-Brissac (celles de la mère et de la sœur de Charles Schneider, Antoinette Schneider et Marie-Zélie, dite May, duchesse de Brissac) ouverte par la disparition brutale. Cette acquisition de l'un des fleurons de l'industrie française par un groupe privé, étranger de surcroît intervient à contre-courant, au moment où les pouvoirs publics esquissent la politique des champions nationaux et développent une industrie nucléaire, assurée de manière privilégiée par le groupe du Creusot. L'acquisition hors du marché des actions de Schneider est ainsi bloquée par les autorités au plus haut sommet de l'État, qui ne lui donneront leur accord qu'à l'arrivée à la présidence de la République de Georges Pompidou en 1969.

Le rapprochement de Schneider et d'Empain a permis la constitution de quelques sociétés communes, réalisées sans injection de capital et débouchant sur des rationalisations limitées : naissance en 1964 de Jeumont-Schneider (rapprochement des Forges et Ateliers de Construction électrique de Jeumont,

12 – Voir le tableau de Jean-François Eyck, *La France dans la nouvelle économie mondiale*, Paris, PUF 1998, p. 304.
13 – Pour les histoires de Schneider et d'Empain, puis d'Empain-Schneider et un portrait détaillé de leurs activités, on se reportera en particulier à Tristan de La Broise et Félix Torres, *Schneider. L'histoire en force*, Paris, Éditions Jean-Pierre de Monza, 1999 ; et Didier Pineau-Valencienne, *Dans la boucle de l'hirondelle. Mémoires d'entreprise*, Paris, Albin Michel, 2004.

filiale d'Empain, et du « Matériel Electrique S-W », filiale de Schneider), absorption en 1967 de la Banque parisienne pour l'industrie d'Empain par la Banque de l'Union européenne - BUE - de Schneider). En prenant le contrôle de Schneider, à la taille plus importante que la leur, les Empain sont conduits à passer sous les fourches caudines d'une politique industrielle française qui se précise au début des années 1970 sous la présidence de Georges Pompidou[14]. 1969 a vu la constitution de l'ensemble Creusot-Loire par le rapprochement de la Société des Forges et Aciéries du Creusot (SFAC), principale filiale métallurgique et sidérurgique de Schneider, en difficulté au cours des années 1960 avec la Compagnie des Forges et Ateliers de la Loire (CFAL), contrôlée par le holding Marine-Firminy, appartenant aux Wendel, une collection de sites sidérurgiques anciens, à l'exception de l'usine moderne des Dunes, près de Dunkerque. Un rapprochement à 50/50 qui garde pendant des années une structure bicéphale et diffère toute restructuration de sites sidérurgiques obsolètes. En 1968-1969, les pouvoirs publics français opposent leur véto à la constitution d'un Westinghouse Europe proposé par le baron Empain qui aurait notamment regroupé Jeumont-Schneider et les Ateliers de Charleroi. En 1972 et 1977, les pouvoirs publics demandent au groupe de regrouper et de franciser l'ensemble de ses participations françaises, qu'elles soient d'origine Schneider ou Empain dans le pôle du holding Schneider SA, pendant du holding belge Electrorail.

Au fil de la décennie, Empain-Schneider, installé à Paris rue d'Anjou, l'ancien siège de Schneider est devenu *de facto* un groupe français, mêlé aux batailles industrielles hexagonales et aux négociations avec des pouvoirs publics d'autant plus interventionnistes que la situation du groupe et de ses grandes filiales industrielles ne cesse de de dégrader. Mais ses marges de manœuvre sont minces. Sa structure capitalistique, qui multiplie les holdings et boucles d'autocontrôle, véritable « raffinerie »[15], empêche tout redéploiement, comme le montre l'autonomie quasi-complète de Creusot-Loire et de sa filiale nucléaire Framatome. Gulliver à sa manière, Empain-Schneider est un géant ligoté.

Se désengager des secteurs condamnés grâce aux pouvoirs publics

Le nouveau cours de Schneider commence en février 1981 quand Edouard-Jean Empain est évincé de la tête du groupe qu'il dirigeait depuis 1967[16]. La branche cadette du groupe dirigée par oncle Edouard Empain reprend le pouvoir qu'elle détenait auparavant et confie la direction du groupe à Didier

14 – Voir les livres de son conseiller industriel Bernard Esambert, *Pompidou capitaine d'industrie*, Paris, Odile Jacob, 1994; et Bernard Esambert, *Une vie d'influence. Dans les coulisses de la Ve République*, Paris, Flammarion, 2013.

15 – Expression de Pierre Mauroy, que l'on doit en fait à Jean Peyrelevade, rédacteur de la partie économique du livre. Voir Pierre Mauroy, *C'est ici le chemin*, Paris, Flammarion, 1982,

16 – Voir son récit autobiographique, Baron Empain, *La vie en jeu*, Paris, Lattès 1985, assez fidèle aux événements qu'il relate hormis les arcanes de la famille Empain.

Pineau-Valencienne en qualité de P-DG de Schneider SA et vice-président d'Electrorail, présidé par Edouard Empain. Empain-Schneider est alors un empilement de dizaines de sociétés dont certaines des groupes à part entière, représentant 40 milliards de francs de chiffre d'affaires et 135 000 personnes. « Le pire conglomérat de l'industrie française »[17] est présent dans des secteurs aussi divers que la sidérurgie (Société Métallurgique de Normandie), les chantiers navals (la Ciotat), la mécanique générale (Creusot-Loire), les transports ferroviaires et la téléphonie (Jeumont-Schneider), le BTP (Spie-Batignolles), le matériel électrique (Merlin Gerin), la machine-outil (H. Ernault-Somua), la banque (Banque de l'Union européenne), etc.

Didier Pineau-Valencienne, un chef d'entreprise moderniste

Didier Pineau-Valencienne a été sans doute l'un des rares hommes capables de trancher les nœuds gordiens qui emprisonnaient le groupe Empain-Schneider. Vendéen d'origine, Dubigeon par sa mère – les Chantiers navals Dubigeon ont marqué Nantes du XVIIIe au XXe siècle, HEC de 1951 à 1953 – avant d'étudier à l'Amos Tuck School of Business Administration de l'université de Dartmouth (New Hamsphire), son profil n'est pas celui de l'establishment industriel français, qu'il soit passé traditionnellement par X-Mines ou de plus en plus par l'ENA.

Entré en 1958 dans la Banque parisienne pour l'industrie après un bref passage par Gallimard, il appartient, malgré les apparences, au sérail Empain, même si ce financier de tempérament saura par la suite diversifier sa carrière sur le terrain des opérations industrielles, chez Carbonisation et charbons actifs, l'une des filiales du groupe avant de gagner Rhône-Poulenc. Il y dirige l'activité panneaux et particules, puis le contrôle de gestion, auquel s'ajouteront le plan et la stratégie, avant de concevoir le difficile plan textile du groupe, puis la branche polymères à laquelle s'adjoint la pétrochimie. Aux côtés de sa formation américaine (complétée par un cycle à Harvard), la révolution managériale que vit alors, parmi les premiers en France le groupe de Renaud Gillet et de Jean Gandois constituera pour lui une double révélation : celle du recentrage et du redéploiement stratégique d'un grand groupe chimique moderne, mais aussi des résistances à affronter de la part de dirigeants et de cadres supérieurs attachés à l'existant et donc à leurs prérogatives directoriales.

Président de l'Institut de l'entreprise puis de l'Association française des entreprises privées (AFEP), vice-président du CNPF avant sa mutation en MEDEF, Didier Pineau-Valencienne devient dans les années 1980-1990 l'une des figures majeures de la modernisation et de la mondialisation des grandes entreprises françaises, pourfendant notamment le « capitalisme sans capital »

17 – Alain Boublil (conseiller industriel à l'Elysée dans les années 1980, puis directeur de cabinet du ministre de l'Économie et des Finances de 1988 à 1989). Voir Alain Boublil, *Le soulèvement du sérail*, Paris, Albin Michel 1990, p. 171.

de l'industrie française[18]. C'est un financier manager plutôt qu'un manager au sens strict du terme, qui ne cherchera jamais à prendre le contrôle du groupe qu'il va redresser, à la différence notable de Jean-Luc Lagardère, Bernard Arnault et François Pinault à la tête de leurs groupes respectifs.

De 1981 à 1984, la première série d'actions de Didier Pineau-Valencienne à la tête d'Empain-Schneider consistera à délester le groupe de secteurs condamnés, trop difficiles à redresser ou ne correspondant pas à ses grands cœurs de métier. À la différence de la majorité précédente, il a l'oreille des nouvelles autorités issues de la victoire de François Mitterrand à l'élection présidentielle de mai 1981. Peut-être du fait de sa nationalité franco-belge, le groupe ne figure pas, la BUE exceptée, sur la liste des entreprises nationalisées. Alors que l'ensemble du patronat français passe dans l'opposition sous la houlette d'Ambroise Roux qui crée l'AFEP, le groupe a besoin des pouvoirs publics pour régler les dossiers difficiles de la sidérurgie, de la construction navale et de la machine-outil. Or les nouveaux responsables socialistes sont boudés par le monde des affaires et cherchent des industriels privés avec qui établir le dialogue. Les interlocuteurs du groupe se nomment Jean Peyrelevade au cabinet du Premier ministre Pierre Mauroy, Pascal Lamy auprès de Jacques Delors, ministre de l'Économie et des Finances, Claude Dollé et Loïck Le Floch-Prigent au ministère de l'Industrie dirigé par Pierre Dreyfus, et les équipes de Louis Le Pensec, ministre de la Mer, chargé de restructurer la construction navale française. Trois protocoles, « Sidérurgie », « Naval » et « Framatome » sont conclus avec les pouvoirs publics en décembre 1981. Le groupe Empain-Schneider se déleste de la première, doit provisoirement prendre en charge le second secteur et renoncer à reprendre le contrôle de la troisième[19]. S'ajoute à cette liste de désengagements H. Ernault-Somua, apporté à un futur pôle de machine-outil qui ne verra pas le jour, la nationalisation de la BUE en 1982 et diverses cessions.

À ce train de désengagements assurés avec le concours de l'État s'ajoutera celui postérieur et plus complexe de Jeumont-Schneider au cours de la seconde moitié des années 1980. C'est, à sa manière, un mini CGE avec qui d'ailleurs il est en concurrence sur plusieurs domaines. Ce groupe de 7,6 milliards de francs, 46 filiales et 15 100 personnes est présent dans trois grands secteurs : les biens d'équipement électrique, les activités ferroviaires et la téléphonie. Certains comme le second sont fortement présents à l'international avec de grands

18 – Il est dommage que Didier Pineau-Valencienne, l'un des patrons emblématique des années 1980-1990, qui sera également vice-président du CNPF, président de l'Institut de l'Entreprise (1990-1992) et de l'Association française des entreprises privées (AFEP) n'ait pas, ne serait-ce que du fait de l'épisode clé que constitue le dépôt de bilan de Creusot-Loire, fait l'objet d'une notice biographique du par ailleurs très fouillé *Dictionnaire historique des patrons français*. Voir Jean-Claude Daumas, dir., *Dictionnaire historique des patrons français*, Paris, Flammarion, 2010. Sur le parcours de Didier Pineau-Valencienne, voir son récit dans Didier Pineau-Valencienne, *Dans la boucle de l'hirondelle. Mémoires d'entreprise*, Paris, Albin Michel, 2004.

19 – La Franco-américaine de constructions atomiques ou Framatome a été créée en 1958 par les groupes Schneider et Empain, alors distincts, pour exploiter la licence Westinghouse pour la centrale PWR des Ardennes à Chooz, mais elle est passée au cours des années 1970 sous contrôle majoritaire de l'Etat via le CEA au nom de la politique de francisation de la principale technologie du programme nucléaire français.

contrats ferroviaires, d'autres sont portés comme la téléphonie par le *boom* prometteur des télécommunications. Mais les biens d'équipement électrique connaissent un long et inexorable déclin, les grands contrats à l'international sont incertains et pas toujours rentables, tous les secteurs partageant des traits analogues : des cycles de fabrication longs, voire très longs, issus en général de grosses commandes unitaires, aux séries limitées, pour une clientèle réduite à quelques interlocuteurs, sur des marchés particulièrement liés à l'État ; un environnement concurrentiel peu propice peuplé d'acteurs déjà internationaux bien plus puissants (Siemens, CGE, Ericsson...), dispersion d'activités hétéroclites et coûteuses à moderniser, culture dirigeante obsolète...

Cet ensemble de facteurs pousse le groupe à démanteler et à céder par appartements Jeumont-Schneider[20]. L'ensemble des activités ferroviaires est cédé fin 1986 à Alsthom ; la téléphonie, après une bataille perdue pour remporter la privatisation de la Compagnie générale de téléphonie publique (CGCT) à Bosch en 1987, les biens d'équipement électrique sont filialisés à partir de 1989 en plusieurs filiales, vendues ou réparties dans d'autres pôles du groupe. Ni pérennité, ni internationalisation ne sont possibles, comme le résumera de façon lapidaire Didier Pineau-Valencienne : « On ne peut pas être fort partout. Deux éléments majeurs faisaient défaut à la société moyenne qu'était [Jeumont-Schneider] dans des secteurs en cours de restructuration massive : l'identification précise et sans complaisance des centres de profit, positifs ou négatifs ; des moyens et une taille insuffisants, impossibles à valoriser dans un contexte stratégique défavorable »[21].

Creusot-Loire, la rupture brutale mais salutaire des relations avec l'État

Le cœur du groupe reste jusqu'au dépôt de bilan de 1984 l'ensemble Creusot-Loire, malgré des pertes qui ne cessent de se creuser – le dernier bénéfice de l'ensemble de l'entreprise du Creusot remonte à 1975 – et une structure actionnariale défavorable à Empain-Schneider. Ce dernier ne parvient pas en effet à s'assurer le contrôle de Framatome, la filiale très bénéficiaire de Creusot-Loire portée par les avances du programme nucléaire français[22]. Certes, Didier Pineau-Valencienne, qui a pris directement la présidence à partir de 1982 de Creusot-Loire ne pense pas, contrairement à son prédécesseur Philippe Boulin, que le nucléaire, dont le programme est en cours d'achèvement, puisse devenir la colonne vertébrale de l'entreprise. Audits stratégiques à l'appui, il

20 – Voir le détail de la restructuration et cession progressive de Jeumont-Schneider dans Didier Pineau-Valencienne, *Dans la boucle de l'hirondelle..., op. cit.*, p. 197-217.

21 – *Ibid.*

22 – Sur Creusot-Loire, voir Jean-Louis Levet, Pierre Dacier et Jean-Claude Tourret, *Les dossiers noirs de l'industrie française*, Paris, Fayard, 1985 ; Elie Cohen, *L'État brancardier..., op. cit.*, p. 25-66 ; Tristan de La Broise et Félix Torres, *Schneider. L'histoire en force*, Paris, Éditions Jean-Pierre de Monza, 1999 ; Claude Beaud 2001, « Le drame de Creusot-Loire : échec industriel ou fiasco politico-financier ? » *Entreprises et Histoire*, n° 27, p. 7-22 ; Didier Pineau Valencienne, *Dans la boucle de l'hirondelle..., op. cit*, p. 125-180.

cherche plutôt à redéployer le groupe vers des activités porteuses correspondant à sa vocation générale, la mécanique lourde spécialisée, déclinée par grand marché : le nucléaire, l'énergie, le ferroviaire, l'armement, etc., en bref constituer, avec l'aide plus ou moins tacite des pouvoirs publics ce qui serait un « super Framatome » compétitif et performant.

Mais le nouveau cycle de négociations avec les pouvoirs publics se déroule dans un contexte bien moins favorable que celui de 1981-1982, au moment où la gauche a entamé le tournant de la rigueur. Un premier accord est signé, non sans réticences par Didier Pineau-Valencienne avec les pouvoirs publics le 10 novembre 1983. Dès la fin du mois, il confie à Roger Schulz, ancien président d'Alsthom-Atlantique, aidé par Jean Gandois, l'élaboration d'un rapport élaborant un nouveau projet stratégique pour Creusot-Loire, au prix de certains réaménagements, industriels et financiers, à l'accord du 10 novembre 1983. Dès lors le bras de fer se noue entre le groupe de la rue d'Anjou et les pouvoirs publics qui campent sur les accords de novembre 1983. Alors que Creusot-Loire est au bord de la faillite, des négociations s'engagent avec plusieurs banques nationalisées, la Compagnie de Suez et le Crédit lyonnais, pour la prise de contrôle de la majorité du groupe Empain-Schneider lui-même, via l'un de ses holdings de tête. Mais cet ultime projet d'accord achoppe dans l'après-midi du 28 juin sur le refus des pouvoirs publics. Un comité interministériel tenu sous la présidence du ministre de l'Économie et des Finances, Jacques Delors a tranché en faveur de la position « dure » de ce dernier face à la position plus conciliante de Laurent Fabius, ministre de l'Industrie.

Annoncée solennellement par ce dernier au journal télévisé de 20 heures, la décision du 28 juin signe pour beaucoup un tournant historique, l'émergence après des décennies d'interventionnisme, d'une nouvelle politique industrielle : fin du soutien aux « canards boiteux », abandon des politiques sectorielles au profit d'une politique d'environnement compétitif[23]. Elle signifie aussi une série d'aménagements industriels qui vont suivre le dépôt de bilan de Creusot-Loire : prise de contrôle *de facto* de Framatome, partie clé de l'industrie nucléaire par l'État, reprise des actifs de l'entreprise du Creusot par divers acteurs, notamment Usinor et Framatome, un « mécano industriel » qui se poursuivra jusqu'à la naissance d'Areva au début de l'an 2000, quinze ans avant la remise en cause de celui-ci. La politique industrielle de l'État change à ce moment-là de mode opératoire. À l'heure du libéralisme et de la dérégulation du marché européen, il n'est plus possible, d'intervenir dans la sphère économique de manière dirigiste par le moyen de plans à moyen terme comme autrefois. L'État intervient désormais par l'intermédiaire des dirigeants de groupes dans le capital desquels il possède des parts sociales, la politique industrielle et l'interventionnisme de l'État n'étant plus de mise à l'égard des entreprises, le nucléaire excepté. Ce retrait général souffrira des exceptions de taille, avant que n'émerge la notion

23 – Voir Élie Cohen, *Le* CIRI *ou l'ingénierie sociale du déclin industriel*, Actes du colloque du Creusot, Paris, 2008 et Guillaume Thibault, Quelle *stratégie pour la France face à la mondialisation ?* Paris, Éditions Technip, 2008.

de « patriotisme économique » proposée par le Premier ministre Dominique de Villepin lors de sa conférence de presse du 27 juillet 2005[24]. Quand le ministre de l'Économie, des Finances et de l'Industrie Laurent Fabius promouvra la restructuration de l'industrie nucléaire française (dont Framatome) autour du holding Topco devenu le groupe au capital public Areva[25] ; quand en 2004 le ministre de l'Économie et des Finances Nicolas Sarkozy décidera de sauver Alstom, alors au bord de la faillite.

Nous avons fait l'objet d'un rapt légal, d'une spoliation qui camouflait une nationalisation déguisée… analysera Didier Pineau-Valencienne[26]. La plupart des métiers de Creusot-Loire étaient viables, la structure perverse du groupe ne l'était pas. Ajoutons que le noyau sidérurgique de Creusot-Loire, c'est-à-dire les tôles fortes et les matériaux de la cuve, assuraient les quatre cinquièmes des composants de Framatome, société ensemblière dont la valeur ajoutée résidait dans l'ingénierie et les équipements périphériques. La solution était simple : fusionner les deux entités pour en faire une grande entreprise mécanico-électrique. C'est très exactement ce que deviendra à partir de 1985 Framatome après qu'elle aura repris les actifs de Creusot-Loire qui l'intéressaient : les divisions Énergie et Chaudronnerie-soudage de Creusot-Loire, plusieurs filiales et participations mécaniques. La filiale va réaliser à son profit ce qu'elle n'avait eu de cesse de refuser depuis 1980 à sa maison-mère…

À l'instar de l'échec de la fameuse OPA du BSN verrier d'Antoine Riboud sur Saint-Gobain en 1969 qui va conduire ce dernier à passer avec succès du « contenant au contenu », la rupture de 1984 va conduire Empain-Schneider à abandonner la voie compliquée des tractations avec l'État et des montages industriels plus ou moins justifiés pour se réinventer autour d'une nouvelle vocation mondiale, la distribution électrique terminale.

De Merlin Gerin à Télémécanique et Square D, une globalisation méthodique

Ce secteur est identifié dès les années 1982-1983 lors d'un exercice minutieux de clarification stratégique des vocations et activités du groupe. Entrée seulement dans le groupe en 1975 et contrôlée partiellement à 40,9 %, la société grenobloise Merlin Gerin est choisie, aux côtés de Jeumont-Schneider, contrôlé à 100 % et vendu on l'a vu par la suite, tout comme Spie-Batignolles, contrôlé à

24 – « Je souhaite rassembler toutes nos énergies autour d'un véritable patriotisme économique… Je sais que cela ne fait pas partie du langage habituel mais il s'agit bien, quand la situation est difficile, quand le monde change, de rassembler nos forces […] et défendre la France et ce qui est français. […] L'actionnariat français doit être conforté pour éviter la dispersion du capital, qui fragilise certaines de nos entreprises. »

25 – Voir Boris Dänzer-Kantof et Félix Torres, *L'énergie de la France. De Zoé aux* EPR, *l'histoire du programme nucléaire*, Paris, Éditions François Bourin 2013, p. 612-627.

26 – Didier Pineau-Valencienne, *Dans la boucle de l'hirondelle…*, *op. cit.*, comme la citation suivante.

67,5 %, qui après le départ de Creusot-Loire représente alors la moitié du groupe avant d'être cédé à ses salariés en 1996. Fondée en 1919 par deux ingénieurs grenoblois, Paul-Louis Merlin et Gaston Gerin autour d'appareils de haute et moyenne tension destinés à l'industrie, aux mines et à la marine, Merlin Gerin a connu dès les années 1960 l'épuisement de son modèle[27]. Grâce à une fréquentation précoce des cabinets de conseil américains (McKinsey, Boston Consulting Group, AT Kearney, AD Little)[28], elle se tourne avec succès vers la production en série d'appareils basse tension, destinés au logement et au petit tertiaire, comme le Système Multi 9, produit à plusieurs millions d'unités par an. Cette approche novatrice lui permet d'éviter le choc de la crise de 1973, d'échapper au mirage du rapprochement avec d'autres ensembles (comme Jeumont-Schneider en 1973) et d'entamer son expansion internationale dès le milieu des années 1970, en s'installant fortement au Mexique au milieu des années 1970, en Chine dès 1986.

S'il veut entrer dans un nouveau cycle de développement, le groupe de la rue d'Anjou doit homogénéiser, sur le modèle du General Electric de Jack Welch, alors la référence mondiale en matière d'entreprise industrielle, le contrôle à 100 % des grandes filiales du groupe, au premier chef celui de Merlin Gerin. Le contrôle à 100 % qui devient la règle dans la plupart des grands groupes mondiaux recèle trois dimensions imbriquées « à 100 % » : le pilotage opérationnel complet des activités de terrain par l'état-major du groupe autour d'un projet industriel intégré, celui des investissements opérés et des ressources déployées avant la remontée globale des bénéfices vers le sommet… et une nouvelle affectation, après la distribution décidée des dividendes. En 1986, après la disparition ou le départ des derniers représentants de la famille Empain, Schneider SA qui a vu sa valeur boursière multipliée par 4 depuis 1984, recompose sa structure financière autour de quelques grands actionnaires extérieurs, Pargesa puis Parfinance d'Albert Frère (auquel succèdera la Société Générale), Axa, AGF et Paribas représentant 64 % du capital, une proportion qui passera à 27 % à la fin des années 1990. Le reste, en augmentation régulière, près de 75 % à la fin du siècle étant placé auprès du public. Cette structure patrimoniale moderne et le recours à des techniques financières sophistiquées, souvent des premières en France, actions de bons de souscription d'actions (ABSA), divers types sophistiqués d'obligations - obligations remboursables en action (ORA), obligations à bons de souscription d'actions (OBSA), obligations convertibles à coupon réduit, *deep discount convertible* - lui permettent de financer à marche forcée sa mondialisation.

Une mondialisation réfléchie et annoncée très tôt par Didier Pineau-Valencienne. Au printemps 1982, lors d'un forum organisé par l'Institut de recherche de l'entreprise (IREP) de l'Ecole supérieure de commerce de Lyon, il a expliqué que les entreprises françaises n'ont pas vraiment conscience qu'une

27 – Félix Torres, *Merlin Gerin, une histoire pour l'avenir 1920-1992*, Paris, Public Histoire - Albin Michel, 1992.

28 – Grâce à la présence à son conseil d'administration de Marcel Demonque, président de Lafarge, un groupe d'origine rhônalpine présent outre-Atlantique, au Canada, dès les années 1950.

« mondialisation des prix et des économies » est inéluctable, marquée par l'essor d'un monde de concurrence « sauvage » (c'est-à-dire de concurrence libre non bridée par les monopoles et les distorsions de marché nationales)[29]. Ce thème devient le leitmotiv de Didier Pineau-Valencienne qui, avec le rebond de son groupe, multipliera les interventions publiques incitant à la constitution de groupes industriels français capables de devenir des leaders internationaux : « Une course internationale s'engage entre des participants de moins en moins nombreux : il s'agit d'atteindre des parts de marché significatives, de l'ordre de 10 à 20 % dans chaque pays concerné, et de s'y maintenir grâce à des produits à la fois meilleurs et plus compétitifs. Voilà le facteur temps devenu un élément clé de la stratégie industrielle. Nous devons globaliser et internationaliser sans tarder nos activités. »[30]

De 1988 à 1991, une série d'acquisitions réussies fait accéder l'ancien conglomérat à la dimension d'un groupe mondial bientôt intégré. En 1988, l'acquisition de Télémécanique, suite à une OPA franco-française contestée et mouvementée permet au groupe, à l'instar de ses grands concurrents mondiaux, d'intégrer de façon indissociable les différents éléments de la base tension électrique, de la distribution du courant et du contrôle industriel, automates inclus[31]. Après l'acquisition du canadien Federal Pionner en 1990, le nouveau Schneider réalise le tour de force d'enlever grâce à une OPA hostile le groupe Square D fondé à Chicago en 1903, 15 000 collaborateurs et une base commerciale précieuse de 2 000 distributeurs couvrant l'ensemble du marché américain, l'un des premiers du monde.

Un groupe mondial intégré, Schneider Electric

Schneider, qui accède à cette occasion à la première place mondiale de son secteur peut désormais s'attacher à « construire un groupe mondial intégré » concevant, produisant et distribuant des « produits globaux, conçus aux normes mondiales pour des marchés globaux. » Point d'orgue de cette métamorphose, l'intégration à 100 % des sociétés holdings et diverses filiales du groupe, notamment Merlin Gerin, dans un ensemble mondialement intégré. Ce qui devient Schneider Electric peut désormais parfaire son expansion mondiale

29 – Cité dans Didier Pineau-Valencienne, *Dans la boucle de l'hirondelle…, op. cit.*, p. 100-102. Yvon Gattaz et Philippe Simonnot mentionnent également, dans leur ouvrage *Mitterrand et les patrons 1981-1986*, Paris, Fayard, 1999, p. 144, lors du rassemblement des chefs d'entreprise à Villepinte le 14 décembre 1982 une intervention dans le même sens du président d'Empain-Schneider : « Nous sommes atteints d'un strabisme hexagonal qui nous conduit à une myopie dangereuse sur ce qui se passe hors de nos frontières. [...] Il nous manque la conception d'un jeu global à travers le monde que nous devons poursuivre pour assurer la pérennité de nos industries. »

30 – « Devenir mondial », *ibid*, p. 248-254.

31 – Cette OPA réalisée à cheval sur l'élection présidentielle de 1988 et le changement de majorité législative voit pour la dernière fois les pouvoirs publics interférer sur la marche du groupe, en bloquant puis en autorisant le dossier, à chaque fois sans justification majeure. Comme le relève Didier Pineau-Valencienne, *Dans la boucle de l'hirondelle…, op. cit.*, p. 225-241 : « Nous touchons l'un des défauts majeurs du système français, l'intervention systématique de l'État pour orienter l'économie dans un sens politique, au mépris des règles du jeu en vigueur. »

– comme en Europe avec l'acquisition du scandinave Lexel en 1999 –, optimiser ses frontières stratégiques, ses implantations et ses performances. Seul accroc à ce parcours sans faute, l'acquisition du français Legrand en 2001, revendu dès l'année suivante, une opération sans utilité stratégique majeure et qui se heurtera au veto de la direction de la concurrence de l'Union européenne[32].

Ce fut un aller-retour sur le moment coûteux mais sans conséquence majeure, tant les bases du groupe présidé jusqu'en 1999 par Didier Pineau-Valencienne, de 1999 à 2013 par Henri Lachmann et depuis cette date par Jean-Pascal Tricoire sont saines et robustes. C'était d'ailleurs l'un des grandes satisfactions de Didier Pineau-Valencienne lors de son départ : avoir certes reconstruit un groupe mondial de 10 milliards d'euros et 85 000 collaborateurs en 2000, mais aussi et surtout fort d'une capitalisation boursière de plusieurs dizaines de milliards d'euros (quasi nulle au début des années 1980), le premier sujet de fierté de Didier Pineau-Valencienne quand il cessera ses fonctions à la tête du groupe. Au cours des années 2000 et jusqu'à aujourd'hui, Schneider Electric poursuit une stratégie active de croissance interne et externe qui lui permet de développer ses positions géographiques, renforcer et élargir ses cœurs de métiers. À la croissance organique permise par des programmes d'amélioration interne comme « New » s'ajoutent l'acquisition systématique de sociétés moyennes (plus de 130) positionnant le groupe comme un *leader* des automatismes, de la sécurité des bâtiments et de la gestion de la performance énergétique (APC, Clipsal, TAC, Andover Control, M&C Energy Group, activités distribution d'Areva T&D, Telvent, Invensys...).

En 2015, avec un chiffre d'affaires de 26,6 milliards d'euros (pour une capitalisation boursière de 36 milliards d'euros), répartis à 26 % entre l'Europe de l'Ouest, 25 % l'Amérique du Nord, 29 % la zone Asie-Pacifique et 18 % le reste du monde, 160 840 collaborateurs dans plus de 100 pays, le groupe figure dans le top 100 des groupes mondiaux, avec un capital diffusé à 84 % dans le public et un cours moyen de l'action dépassant les 60 euros (6 euros en 2000). La délocalisation récente d'une partie du siège social du groupe avec son président Jean-Pascal Tricoire (parlant le chinois mandarin) à Hong Kong illustrent, si besoin en était, la mondialisation parfaitement maîtrisée de Schneider Electric depuis près de trente ans.

4. DE LA COMPAGNIE GÉNÉRALE D'ÉLECTRICITÉ À ALCATEL-LUCENT, LA MONDIALISATION D'UN CHAMPION NATIONAL EN ÉCHEC

68 milliards de francs de chiffre d'affaires, 350 filiales, 172 000 personnes... en février 1980, à la veille de sa nationalisation, la Compagnie créée par Pierre

32 – Elle entraînera la démission de Didier Pineau-Valencienne du conseil d'administration du groupe en octobre 2001. Voir *ibid*, p. 341-347 et 372-374.

Azaria en 1898 constitue indubitablement l'un des fleurons de l'industrie française[33]. Au fil de regroupements et de concentrations menés dans les années 1960-1970, dont le plus emblématique est l'entrée d'Alsthom en 1969, il a su éliminer ou écarter la plupart de ses rivaux des nombreux champs d'activité où il est présent : électromécanique (25 % du chiffre d'affaire, 31,7 % en 1970), entreprise et ingénierie (18,5 % contre 10,4 %), télécommunications et électronique (17,7 % contre 17,4 %), entreprise électrique (12,4 % contre 11,9 %), câbles, accumulateurs et piles, matériaux divers, grand public... Avec ou malgré le concours des pouvoirs publics, la Compagnie dirigée depuis les années 1960 par Ambroise Roux, président de 1970 à 1982 a su s'imposer dans de nombreux domaines - l'informatique et le nucléaire exceptés - comme le champion national des grands secteurs liés à l'électricité.

Certains comme Elie Cohen ont pu parler de « colbertisme high-tech »[34] pour définir l'action du holding multiforme mis en place en 1968 et ses relations avec les pouvoirs publics, expression qui réduit ce dernier à une simple expression de l'État, d'autres comme Yves Bouvier ont suggéré une relation plus nuancée combinant autonomie technologique et stratégie politique variant selon les circonstances : « L'économie politique de l'entreprise est celle de ses marchés[35] ». Le statut d'une grande entreprise, notamment sur des secteurs étroitement dépendants des marchés publics et des décisions de l'État ne pouvait être que particulier dans l'économie fortement administrée de la France des Trente glorieuses. Entré dans la Compagnie en 1955, président de la fin des années 1970 au début des années 1980, Ambroise Roux incarne cette ambiguïté, gérant de façon personnelle le holding de 300 personnes coiffant plus un conglomérat d'ensembles et d'entreprises diverses qu'un groupe moderne intégré[36]. À la nationalisation de 1982, il refuse de rester à la tête de la société, présidée par un diplomate, Jean-Pierre Brunet avec à ses côtés Georges Pébereau, déjà directeur général de la Compagnie depuis les années 1970[37], qui prend la présidence du groupe en 1984.

33 – Sur son histoire, voir notamment Jules Rapp, *Histoire d'une entreprise d'électricité: la Compagnie générale d'électricité*, thèse pour le doctorat de 3e cycle sous la direction de Maurice Lévy-Leboyer, Université Paris X-Nanterre, 1985; Albert Broder et Félix Torres, in Jacques Marseille, dir., *Alcatel Alsthom. Histoire de la Compagnie générale d'électricité*, Paris, Larousse, 1992; et désormais Yves Bouvier, *Connexions électriques. Technologies, hommes et marchés dans les relations entre la Compagnie générale d'électricité et l'État 1898-1992*, *Histoire de l'électricité n° 6*, Bruxelles, PIE Peter Lang, 2014.

34 – Élie Cohen, *Le colbertisme high-tech. Économie du grand projet*, Paris, Hachette Pluriel, 1992.

35 – Yves Bouvier, *Connexions électriques...*, *op. cit.*, 2014, p. 637. Mais beaucoup de ces marchés comme les regroupements et alliances divers à opérer dépendent des relations de pouvoir économique évoluant autour de la sphère publique. Voir plus loin la question des relations entre la CGE / Alcatel-Alsthom et Framatome.

36 – Sur celui-ci, voir Yves Bouvier, « Ambroise Roux (1921-1999) », in Jean-Claude Daumas, dir., *Dictionnaire historique des patrons français*, *op. cit.*, p. 618-620.

37 – Georges Pébereau (1931-2012), X-Ponts, directeur de cabinet de plusieurs ministres de l'Équipement, François-Xavier Ortoli, Robert Gallet et Albin Chalandon, entré à la Compagnie générale d'électricité en 1968 avant de devenir l'année suivante son directeur général, puis son président en 1984.

D'Alcatel NV à GEC-Alsthom, l'émancipation d'un *leader* mondial

Si elle ne bouleverse ni le périmètre, ni le fonctionnement décentralisé de la CGE, la nationalisation de 1982 modifie néanmoins le mode de ses relations avec l'État et, partant, celui de ses orientations stratégiques. Bien que champion national, la Compagnie restait somme toute un fournisseur, même privilégié. Le passage puis la sortie du groupe du giron public lors de la privatisation de 1986 donnent à ses dirigeants l'envergure et les coudées franches de ce qui devient un acteur économique à part entière comme le résumait Georges Pébereau en 1991 :

> La nationalisation de 1982 a supprimé l'essentiel des contraintes publiques et fait tomber les réticences de nombreuses administrations à l'égard de ce qui apparaissait auparavant comme une entreprise privée. D'un seul coup, nous devenions nous-mêmes une partie du patrimoine national. La CGE sortait de sa relation client-fournisseur avec les pouvoirs publics pour entrer dans une relation d'égalité. Nous étions désormais le champion national avec toutes les données industrielles en main... [38].

Cette nouvelle latitude permet à la CGE d'opérer un rééquilibrage stratégique face à la montée en taille nécessaire pour demeurer un acteur majeur dans un contexte d'internationalisation grandissant, une préoccupation sensible depuis le début des années 1970, quand elle se donnait pour objectif de réaliser 40 % de son chiffre d'affaires hors des frontières à la fin de la décennie. Désormais, l'impératif d'internationalisation devient global :

> La révolution numérique constituée par la numérisation et l'accélération du rythme de générations de produits de plus en plus sophistiqués conduisaient à des investissements de plus en plus énormes, en recherche-développement, en études, en prototypes... Il était nécessaire de les amortir sur des périodes plus courtes, ce qui supposait une surface et une taille beaucoup plus grandes. La CGE a pris conscience d'un niveau de 'masse critique' en hausse de plus en plus rapide. Le second phénomène concomitant a été l'ouverture internationale : pour ne pas se laisser marginaliser, il fallait s'étendre hors du marché national, conquérir d'autres marchés. D'où cet impératif : grandir et être présent ailleurs qu'en France. Ce qui n'était pas possible dans tous les métiers. Il fallait effectuer des choix et affecter de manière prioritaire les efforts du Groupe sur les secteurs retenus[39].

Dans cette perspective, la CGE « ramasse ses forces » selon sa propre expression en 1983. Le groupe de la rue La Boétie se concentre et choisit de poursuivre

38 – Entretien avec Georges Pébereau cité dans Albert Broder et Félix Torres, *op. cit.*, p. 388-389.

39 – François de Laage de Meux, directeur général adjoint de la CGE au début des années 1990. *Ibidem*, p. 389.

son développement « au cœur des industries du futur », notamment dans deux domaines clés aux fortes potentialités et en croissance continue : l'énergie et les transports avec Alsthom, autour duquel s'organise le pôle énergie du groupe depuis 1971, les télécommunications et la communication d'entreprise avec CIT-Alcatel. Cette dernière connaît, malgré une émergence récente au sein du groupe, un remarquable succès grâce au E10, premier système de commutation temporelle opérationnel au monde et produit phare du groupe. Dans cette perspective, la CGE opère, dans la première moitié de la décennie 1980, une série de désinvestissements qualifiés de « structurels » d'une grande ampleur : bâtiments et travaux publics, informatique répartie, composants, électronique militaire, machine-outil, électro-ménager, petit appareillage électrique, isolateurs, piles, matériel basse tension, etc. Le point d'orge de ces cessions est constitué par la vente de la Société générale d'entreprise à Saint-Gobain en 1983. S'y ajoute l'accord CGE-Thomson de 1983 par lequel les deux groupes échangent une partie de leurs activités, la CGE récupérant l'ensemble des activités de télécommunications du groupe dirigé par Alain Gomez. Cet accord, auquel s'ajoute l'absorption de la Compagnie électromécanique (CEM) la même année, parachève la série des « Yalta » industriels, à savoir les grands accords de répartition signés entre les principaux champions de l'industrie nationale depuis la fin des années 1960. Cet ensemble de cessions et de rationalisations mutuelles clarifie de manière considérable le portefeuille d'activités de la CGE : de 1981 à 1984, la part de l'énergie et des transports, des télécommunications et la communication d'entreprise passe de 65 à 95 % du chiffre d'affaires global du groupe.

Mais la rationalisation du marché national et la croissance interne ne sauraient suffire note alors le groupe : « Le volume critique ne pourra être atteint qu'au prix de l'absorption d'un grand concurrent ou d'un mariage avec l'un des compétiteurs opérant sur le marché mondial. »[40] De 1985 à 1986, Georges Pébereau négocie en ce sens un accord avec ATT finalement refusé par les pouvoirs publics. L'« accord du siècle » que représente en 1986 la reprise des filiales télécoms européennes d'ITT compense ce revers[41]. Cette acquisition hisse ce qui devient l'année suivante Alcatel NV, société de droit néerlandais au second rang mondial des télécommunications, avec des perspectives très favorables dans le domaine de la commutation électronique, notamment grâce au commutateur temporel S12 des ex-filiales d'ITT, appelée à remplacer les centraux électromécaniques.

Georges Pébereau n'ayant pas été reconduit par la majorité issue des élections de 1986, il suggère le nom de Pierre Suard, X-Ponts entré en 1973 à la CGE, qui s'était imposé comme l'un des ingénieurs les plus brillants du groupe à la tête des Câbles de Lyon puis de CIT-Alcatel. Pierre Suard finalise l'accord avec ITT et opère la privatisation réussie de la Compagnie en 1987. Avec une

40 – *Ibid*, p. 394.

41 – Sur cet accord, « L'accord ITT : le tournant des années 1986-1987 », *ibid*, p. 417-420 ; Georges Pébereau, Pascal Griset, *L'industrie, une passion française*, Paris, PUF 2005, p. 617-622.

capitalisation de 20,6 milliards de francs, la Compagnie, rebaptisée Alcatel Alsthom en 1991, devient l'une des premières sociétés privées françaises, son capital lesté d'un « noyau dur » de plus de 16 % et combinant un groupe d'investisseurs institutionnels conduits par la Société générale avec l'UAP, la Compagnie Générale des Eaux, la Société de Banques suisses, la Société générale de Belgique et le groupe Dumez.

Dans la lignée stratégique définie au début de la décennie associant étroitement expansion, spécialisation et internationalisation, Alcatel Alsthom double de taille de 1986 à 1996, et multiplie par sept son bénéfice net. Le fil d'une mondialisation guidée par la taille critique garante de l'expansion et de l'indépendance reste inchangé, comme l'écrira Pierre Suard :

Le champ d'action sera le marché mondial : dans chacun de ses métiers, le groupe devra être un acteur principal à cette échelle. Il devra travailler dans la durée comme le requiert le monde des hautes technologies et ne jamais sacrifier le futur aux sollicitations du présent. [...] Trois métiers principaux avaient été retenus : télécommunications, énergie et transports, services. Dans chacun d'eux, il fallait obtenir la taille critique. Pour les activités qui n'appartenaient pas à ces domaines principaux, tout en assurant leur développement, il fallait rechercher des solutions hors du groupe pour garantir leur avenir. Il fallait surtout renforcer durablement l'indépendance du groupe et le mettre à l'abri d'un raid boursier hostile grâce à une capitalisation boursière dissuasive[42].

Sous la bannière d'Alcatel NV, les télécommunications connaissent une forte croissance internationale, en Europe (Royaume-Uni, Allemagne, Italie, anciens pays de l'Est), les États-Unis (malgré une implantation laborieuse), l'Amérique du Sud, au Brésil notamment, mais aussi en Chine où est constitué Shanghai Bell Telephone Equipment Manufacturing Co Ltd, une joint-venture pionnière avec les PTT chinoises. Elle permettra au groupe de maintenir une présence de premier rang dans un immense marché qui voit émerger des géants tels que Huawei et ZTE. Le groupe dirigé par Pierre Suard prend aussi le contrôle de Telettra, une société de télécoms italienne, d'une division d'AEG spécialisée dans le câblage, d'une division de Rockwell Technologies outre-Atlantique et de la division câbles sous-marins de Nortel, une façon de préparer la révolution des télécommunications à venir et d'accroître les positions internationales dans les deux marchés majeurs que sont l'Europe et les États-Unis. Multipliant également les partenariats, le groupe saisit aussi l'opportunité de la téléphonie mobile en s'installant sur le marché des infrastructures GSM, dans la fabrication de téléphones portables et sur le marché des communications satellitaires via un investissement dans Globalstar, un réseau téléphonique mondial, qui donne accès à la responsabilité d'exploitant. Alcatel entrevoit également l'émergence des réseaux Internet en prenant une participation dans la *start up* Xylan.

42 – Pierre Suard, *L'envol saboté d'Alcatel Alsthom*, Paris, France-Empire, 2002, ch. VII « L'apogée », p. 203-232 comme l'ensemble de l'ouvrage.

À la fin de la décennie 1980, Alcatel Alsthom réalise dans le domaine de l'énergie et des transports une opération d'ampleur presque symétrique de l'acquisition des filiales européennes d'ITT quelques années plus tôt. L'achèvement progressif du programme nucléaire et de l'obtention de la centrale nucléaire de Daya Bay, au nord de Hong Kong, dont la construction doit associer Français et Britanniques – notamment la réalisation de l'ilot conventionnel par ces derniers – oblige à une rationalisation qui prend la forme du rapprochement entre la branche Power Systems de The General Electric Company (GEC) et Alsthom[43]. Devenue quasiment inévitable, la fusion de deux groupes de proportion équivalente donne naissance en décembre 1989 à GEC-Alsthom sur une base d'égalité et va se révéler, en démentant les pronostics pessimistes, un succès. Les deux groupes ont besoin l'un de l'autre et sont complémentaires, tant en termes de produits que de couverture géographique, et ce jusque dans leurs points dissymétriques. Si l'appareil industriel français, plus structuré, plus efficace, pèse 65 % du total contre 35 % à celui du Britannique, ce dernier est beaucoup mieux géré financièrement et apporte son important réseau de clients étrangers. D'où un rapprochement « totalement paritaire » favorisé par la personnalité des deux grands industriels qui le pilotent, Jean-Pierre Desgeorges, président-directeur général puis *Chairman* de GEC Alsthom et Lord Weinstock, bâtisseur de GEC et *Chairman of the board*. L'opération, qui permet de rationaliser et de resserrer l'ensemble du nouveau dispositif industriel, constitue un ensemble de 44 milliards de francs de chiffre d'affaires et de 80 000 personnes en 1990, tourné vers les secteurs en flèche que sont la grande vitesse ferroviaire et les turbines à gaz pour les centrales à cycle combiné.

Pierre Suard échoue en revanche dans l'un des grands desseins caressés par le groupe depuis le dépôt de bilan de Creusot-Loire, à savoir la prise de contrôle de Framatome, c'est-à-dire de la filière nucléaire française. En 1990 comme en 1995-1996, les pouvoirs publics, quels que soient leur couleur politique, refusent l'entrée de l'entreprise nucléaire dans le groupe de la rue de la Boétie, rejetant ainsi la réalisation d'un « Siemens à la française » associant dans le même ensemble la réalisation des îlots nucléaires et conventionnels. Bien que devenu le principal actionnaire de Framatome, Alcatel-Alsthom se heurte au même obstacle déjà rencontré par les dirigeants d'Empain-Schneider, à savoir la volonté d'indépendance de son président, Jean-Claude Lény, adossée au refus des autorités de voir la société clé du nucléaire français (privée à l'origine) ne pas relever du giron des intérêts publics. La championne de l'État dans ce secteur, contrôlée partiellement par celui-ci via le CEA ne saurait échoir au groupe privé qu'est désormais Alcatel Alsthom, fût-il un ancien champion national, quelle que soit l'étendue de ses réseaux et la rationalité de ses ambitions. C'est

43 – Voir Boris Dänzer-Kantof et Félix Torres, *L'énergie de la France. De Zoé aux* EPR, *l'histoire du programme nucléaire*, Paris, Éditions François Bourin, 2013.

le signe d'une dissociation des rapports avec la sphère gouvernementale et de la sortie d'Alcatel-Alsthom des logiques de la politique industrielle publique[44].

Pierre Suard considérait pour sa part et à juste titre :

> une participation dans [Framatome] le champion français et l'un des *leaders* mondiaux des chaudières nucléaires comme stratégique pour la CGE. Cette activité complétait parfaitement le portefeuille d'Alsthom, qui fournissait la partie conventionnelle des centrales nucléaires et qui pouvait offrir tous les autres types de centrales produisant de l'énergie (hydraulique, charbon, fuel, gaz). De plus, à l'étranger,les fabricants de chaudières étaient incorporés aux grands groupes électromécaniques (General Electric, Westinghouse, Siemens, etc.). En France, il en allait différemment [...] surtout à cause de la rivalité entre secteur public et secteur privé, spécialité française et même gauloise qui étonne souvent l'étranger. [...] La direction de Framatome, sous la conduite de Jean-Claude Lény, son président ombrageux, refusait tout simplement une intégration dans un groupe industriel dont la taille, l'expérience, la complémentarité des activités était pourtant des garants pour l'avenir[45].

Cet épisode, qui débouchera en 1999-2000 sur la restructuration de la filière nucléaire française sous l'égide du CEA et de la Cogema avec la création d'Areva, témoigne d'abord de la pérennité, au moins pour ce qui concerne l'atome, des « thématiques de la politique industrielle »[46], mais aussi de l'émancipation de l'ancienne CGE du champ des problématiques publiques et de son rôle privilégié de champion national dans ses secteurs. Alcatel Alsthom est devenu un groupe industriel européen sinon mondial parmi les autres, et son destin ne relève pratiquement plus de considérations nationales, mais d'abord de décisions privées propres conduites dans un cadre global, fussent quand elles s'opposent aux choix des pouvoirs publics, en 1990 comme en 1995-1997 en ce qui concerne la reprise ou non de Framatome par le franco-britannique GEC-Alsthom.

44 – Voir l'analyse contemporaine de cet épisode par Olivier Pastré dans *Les nouveaux piliers de la finance*, Paris, La découverte, 1992, ch. 3 « Le secteur public sans boussole », p. 69-73. Il y voit, comme l'indique cet intitulé, une absence de « logique bien claire » que va pourtant démentir le maintien ultérieur de Framatome dans le giron de l'État.

45 – Pierre Suard, *L'envol saboté d'Alcatel Alsthom*, Paris, France-Empire 2002 ; Pierre Suard, *En toute impunité. La scandaleuse destruction d'Alcatel Alsthom*, Société des Ecrivains, 2009. Disponibles en ligne sur son site Internet.

46 – Elie Cohen, « De la CGE à Alstom : une histoire bien française », *Sociétal*, n° 43, 1er trimestre 2004.

D'Alcatel-Alsthom à Alcatel puis Alcatel-Lucent, un échec stratégique, organisationnel et financier

En 1995, Pierre Suard doit quitter la tête du groupe pour des raisons judiciaires mineures qui feront l'objet d'un non-lieu dix ans plus tard[47]. Marc Viénot, président de la Société générale et premier actionnaire qui a assuré un bref intérim, fait alors appel à Serge Tchuruk. Polytechnicien et ingénieur de l'Armement, Serge Tchurukdichian (son nom de naissance) débute sa carrière aux États-Unis dans le groupe ExxonMobil où il occupe plusieurs postes de 1964 à 1969 avant de prendre la présidence de Mobil Benelux en 1979. Entré dans le groupe Rhône-Poulenc en 1980, il devient directeur général de la division Engrais, puis de celle du groupe chimique en 1983. Président directeur général d'Orkem (ex CDF-Chimie) de 1986 à 1990, il prend la tête de Total de 1990 à 1995, des fonctions qu'il occupe avec succès. Malgré une commune origine arménienne avec Pierre Azaria (Azarian), le fondateur de la Compagnie Générale d'Electricité, Serge Tchuruk sera celui qui rompra avec la continuité centenaire de la CGE et d'Alcatel Alsthom, précipitant le groupe dans un déclin catastrophique et en définitive surprenant.

À son arrivée, le nouveau président est pris dans une triple exigence : poursuivre la stratégie globale de son prédécesseur ou en définir une nouvelle ; résoudre la question des grandes participations minoritaires du groupe, celles de GEC-Alsthom et de Framatome en particulier ; définir enfin des axes stratégiques majeurs dans les secteurs de développement qui auront été choisis. Continuité(s) ou rupture(s) ? Dans un premier temps, Serge Tchuruk défend la thèse d'un groupe en forme de « trimaran », la coque principale étant consacrée aux télécoms avec deux « flotteurs » latéraux, GEC-Alsthom pour l'énergie et les transports d'un côté et de l'autre, un pôle défense matérialisé par un rôle privilégié dans la privatisation de Thomson-CSF (aujourd'hui Thalès) en 1996. Mais l'exigence de rupture, qui fonde la légitimité du président à « redresser » un groupe présenté comme mal géré, disparate et sans orientation, va l'emporter de façon irrésistible au fur et à mesure que se précise l'heure des choix, voulus ou contraints.

Le nouveau président annonce des pertes de l'ordre de 25 milliards de francs, renouvelle une large partie de l'équipe dirigeante, procède à des provisions massives (dont la plupart se révéleront infondées), réalise une réorganisation spectaculaire (quoique superficielle) en remplaçant les pôles sociétés du groupe par de grandes lignes de produits mondiales. Dès l'automne 1985, il entame un programme de désinvestissements avec la cession du pôle services et médias, cédé à Havas et complètement revendu en 1996. Le groupe cède rapidement de nombreuses activités jugées non stratégiques comme Alcatel Câbles, amputé

47 – Pierre Suard, *L'envol saboté d'Alcatel Alsthom*, *op. cit* ; Pierre Suard, *En toute impunité*, *op. cit.* Au vu du caractère mineur des charges reprochées, qui s'avéreront sans objet, une manipulation des instances judiciaires visant à écarter Pierre Suard de la tête du groupe de la rue La Boétie est possible, sinon probable (Pierre Suard, communication personnelle, 2013).

de sa partie optique, la plus profitable, mis en Bourse sous le nom de Nexans, les terminaux de téléphonie fixe ou mobile, de nombreuses participations industrielles comme dans les composants électroniques.

Lors des quelques années qui courent jusqu'à l'an 2000, le groupe Alcatel Alsthom est confronté aux exigences des analystes financiers et du marché boursier qui, à des fins de meilleure valorisation, poussent à la spécialisation à outrance des entreprises cotées. Or la participation du groupe dans GEC-Alsthom et dans Framatome immobilise des capitaux considérables susceptibles d'être mieux employés. Fusionner ces deux entités pourrait permettre, soit d'en prendre le contrôle total par la reprise des participations de l'État et des actionnaires britanniques, soit de réaliser la mise en Bourse de l'entreprise unifiée dans d'excellentes conditions. Malgré le soutien de Lord Weinstock et de Pierre Bilger, le successeur de Jean-Pierre Desgeorges, le président d'Alcatel Alsthom échoue néanmoins dans l'une et l'autre hypothèse, au fil de négociations complexes où s'entrecroisent intérêts britanniques et français contradictoires, fluctuant pour ces derniers au fil du changement de majorité politique[48]. En 1999, le groupe de la rue La Boétie négocie finalement son retrait de Framatome en échangeant la majeure partie de sa participation contre un renforcement de celle qu'il détient dans Thomson CSF (aujourd'hui Thalès). Un an plus, tôt, Alcatel Alsthom et GEC sont tombés d'accord pour se désengager tous deux du capital de leur filiale GEC-Alsthom. C'est un nouvel ensemble décapitalisé et affaibli par une structure financière insuffisante qui entre en Bourse en juin 1998 sous le nom d'Alstom. Alcatel Alsthom devient Alcatel, la cession de GEC-Alsthom et l'abandon des prétentions sur Framatome signant la fin du groupe électromécanique diversifié fondé en 1898 par Pierre Azaria.

Tout comme pour Schneider Electric et bien d'autres compagnies s'alignant sur le modèle de General Electric dirigé par l'emblématique Jack Welch, il s'agit de contrôler à 100% ses filiales opérationnelles dans une meilleure allocation et efficacité des ressources internes en assurant une remontée intégrale des bénéfices. Comme nous l'avions constaté en 1998 lors d'une mission historique dans le groupe à l'occasion de son centenaire, Alcatel-Alsthom se posait alors la question du contrôle incomplet de ses grandes filiales GEC-Alsthom et Framatome notamment. Faute de pouvoir monter la participation à 100%, pourquoi ne pas s'en séparer? Efficace dans le cas de Schneider Electric (et de biens d'autres acteurs), une stratégie de recentrage mondial sur un seul métier allait s'avérer contre-productive pour l'ensemble de la rue La Boétie. Les activités énergie et transports représentaient le tiers du chiffre d'affaires du groupe et constituaient un pôle qui équilibrait l'activité télécom. Bien que très techniques et exigeantes financièrement, elles présentaient un cycle différent de celui des télécommunications, plus stable, avec une croissance moins rapide, les acteurs moins nombreux et les clients traditionnellement plus fidèles. En

48 – Ces négociations comme la cession de la participation d'Alcatel Alsthom dans Framatome sont résumées dans Boris Dänzer-Kantof et Félix Torres, *L'énergie de la France. De Zoé aux* EPR..., *op. cit.*, p. 600-604.

bref, « Dans le gros temps, les trimarans [c'est-à-dire les groupes reposant sur des activités diversifiées] tiennent mieux la mer[49] ».

Plutôt que de construire « une réponse française à Siemens » en développant un *leader* mondial diversifié dans les équipements d'infrastructures, le groupe de Serge Tchuruk fait le choix de devenir un « *pure player* » dans le domaine des télécommunications. Une décision qui, quelle que soit sa rationalité stratégique du moment va à rebours de l'identité historique du groupe, son « ADN », cette vocation d'« omnium électrique » diversifié qu'exprimait le nom choisi par Pierre Azaria en 1898 : « Compagnie générale d'électricité »[50], renouvelée par le holding mis en place par Ambroise Roux en 1968. Le choix exclusif des télécommunications, au vu de l'essor sans nuage du secteur à ce moment-là et des positions fortes du groupe dans la commutation temporelle, dans l'ADSL (qu'il avait inventé et dont il détenait 40 % du marché mondial), dans les téléphones portables (Alcatel a même été à un moment le n° 1 de ceux-ci en Chine, sur un marché il vrai embryonnaire)… se traduit, de 1995 à 2005, par l'acquisition d'une quinzaine de *start up* dynamiques (DSC, Genesys, Packet Engines, Xylan, Assured Access, Newbridge…), des achats en apparence judicieux mais réalisés au plus haut du marché et aux résultats décevants.

Cette approche de généraliste condamne Alcatel à réussir dans un secteur, les TMT (technologie, média, télécoms) dont les évolutions technologiques et concurrentielles vont s'avérer, avec l'avènement d'Internet et du monde digital, des mobiles et du *triple play* (voix, données, vidéo) extrêmement brutales et d'une ampleur sans équivalent[51]. Les affronter avec succès suppose l'acquisition d'une importante dimension globale, notamment nord-américaine, une très forte capacité de réactivité adossée à une solide capacité boursière, le tout dans un environnement mondial en métamorphose accélérée, avec la multiplication des canaux et élargissement des clients et des clientèles qui ne se résument plus aux opérateurs traditionnels de réseaux… Le choix privilégié d'un *business model* restant centré sur la fourniture d'équipements à des opérateurs de télécommunications nationaux, eux-mêmes bousculés, va de fait se révéler désastreux, du fait du manque d'activités relais stables et d'un élargissement dynamique de l'offre. En bref, faute de la fluidité stratégique et organisationnelle nécessaire, Alcatel va s'avérer bien trop lent à passer du monde de la téléphonie avec ou sans fil à celui des technologies tout digital de type GSM (Global System Mobile System), une lourdeur que traduira l'effritement accéléré de ses parts de marché et résultats.

49 – David Barroux, « Les trois erreurs de Serge Tchuruk », *Les Echos*, n° 20225, 30 juillet 2008.

50 – Cet oubli des facteurs de pérennité du groupe a été relevé par Hubert Bonin, dans « L'histoire d'entreprise ne 'sert' à rien ! », dossier « L'entreprise et ses mémoires », *Communication et organisation*, n° 7, 1995, p. 19 ; prolongé par Félix Torres, « Les entreprises ont-elles une mémoire ? », in Didier Bondue, Roger Nougaret et Bruno Delmas, dir., *L'entreprise et sa mémoire. Mélanges en l'honneur de Maurice Hamon*, Paris, PUPS, 2012, p. 114.

51 – Pour l'ensemble de ce passage, nous partageons l'analyse très pertinente de Frank Dangeard (ancien directeur général adjoint de France Télécom et P-DG de Thomson) dans le chapitre 4 « Stratégie et politique d'acquisition (Alcatel, Cisco, EDF) » de son ouvrage. Voir Frank Dangeard, *La décision de crise dans l'entreprise. 12 histoires de gouvernance*, Paris, Odile Jacob, 2011, p. 109-120.

Aux côtés du Siemens à la française ou du *pure player* des télécoms, une autre option était peut-être possible, celle de recentrer Alcatel Alsthom sur la conception et la gestion des grands systèmes intelligents à fort contenu technologique, l'ensemblier de secteurs très variés, des télécoms au spatial, des transports à la défense, option qui aurait supposé réussir un rapprochement avec Thomson-CSF ; mais la privatisation de ce dernier lui échappe en 1996 au profit de Matra, malgré l'obtention des activités espace et des télécommunications militaires et une prise de participation dans son capital. Alcatel la conservera dans des proportions variables au cours de la décennie suivante, sans toutefois parvenir à construire une véritable alliance avec Thalès.

Dès 1998, un avertissement majeur a lieu. Le 17 septembre, alors que l'entreprise prépare son centenaire (derechef annulé !), Serge Tchuruk annonce brutalement aux analystes (sans doute trop tard) que la croissance du bénéfice annuel progressera beaucoup moins vite que prévu. L'action perd en une journée plus de 38 %, près de 55 % au bout d'une semaine, un recul considérable traduisant l'appréciation négative des marchés financiers sur la stratégie entreprise. Le pire reste à venir. L'éclatement de la « bulle Internet » en 2001-2002 et la chute mondiale des dépenses télécom de 10 % en 2001 et de 40 % en 2002 précipitent ce qu'est devenu Alcatel en 1998 dans la crise. En 2000, Alcatel réalisait un chiffre d'affaires de 31,4 milliards d'euros assurés par 131 598 salariés dans le monde répartis principalement en Europe (29 % des salariés en France, 13 % en Allemagne, 28 % dans le reste du continent) contre 14 % aux États-Unis et 5 % en Asie. Le groupe occupait la huitième place mondiale du secteur derrière Nortel, Ericsson, Nokia, Lucent, Cisco, Siemens et Motorola. La crise des années 2000-2003 efface rapidement les bénéfices tirés du *boom* du secteur les années précédents tout comme les gains engrangés par les provisions antérieures et ventes du portefeuille. Le groupe multiplie cessions et plans de restructuration divisant par deux le nombre de ses effectifs et enregistrant 7 milliards d'euros de perte. Les ventes et les parts de marché d'un équipementier évoluant désormais entre la 5e et la 10e place mondiale reculent. Après une série d'années noires, Alcatel stabilise enfin son chiffre d'affaires en 2004 à 12 milliards d'euros, volume à peine supérieur aux activités télécoms d'Alcatel-Alsthom dix ans auparavant. Aux côtés de la décision de rompre avec la pluralité des activités qui faisait la force de l'ex-CGE, on a aussi voulu attribuer l'échec du groupe à chercher à bâtir, selon l'expression malheureuse de Serge Tchuruk en juin 2001 un ensemble *fanless*, c'est-à-dire « sans usines », même si cette seule explication ne va pas à l'essentiel[52].

52 – Serge Tchuruk avait alors sans doute en tête la nouvelle division du travail représentée par la fragmentation des chaînes de valeur et des *process* de production qui est devenue l'un des caractéristiques de la mondialisation, avec notamment l'externalisation de tout ou partie des activités de production au profit des activités de conception et de commercialisation, à plus forte valeur ajoutée, selon le paradigme établi par Apple notamment. Mais cette expression, qui heurtait de plein fouet la longue culture de fabrication de l'entreprise s'est avérée illégitime et contre-productive face à la dégradation constante des résultats.

Le groupe retrouve en 2005 le chemin de la croissance et de la profitabilité, mais l'ancien *leader* mondial des années 1980-90 n'est plus qu'un acteur secondaire, loin des géants qui animent désormais le secteur. En 2006 intervient une grande «fusion entre égaux» avec l'équipementier américain Lucent, rapprochement déjà envisagé en 2001. Avec 80 000 personnes et un chiffre d'affaires de plus de 20 milliards d'euros, le double de celui d'Alcatel, Alcatel-Lucent ambitionne de devenir le *leader* mondial des équipements de réseaux dans le monde de convergence du *triple play*. Mais cette fusion ne tient pas ses promesses, le groupe ne parvenant pas à suivre l'évolution des usages et des technologies dans la téléphonie mobile, entraînant en 2008 le départ du tandem constitué par le président Serge Tchuruk et le directeur général Patricia Russo, à l'heure de la crise économique mondiale. Chiffre d'affaires, effectifs et capitalisation boursière entament une longue descente, cette dernière n'atteignant plus que 5 milliards d'euros lors de l'annonce de la vente en 2015-2016 de ce qui reste du groupe franco-américain au finlandais Nokia désireux, après la cession de sa division terminaux mobiles à Microsoft en 2013, de se concentrer sur son activité d'équipementier pour les opérateurs, notamment sur les technologies de très haut débit mobile.

Véritable cas d'école (qui reste à écrire de façon globale[53]), la dégringolade en peau de chagrin d'Alcatel est d'abord un échec stratégique majeur, celui de la construction et de la pérennité d'un acteur mondial dans le secteur des télécoms qu'il avait choisi. Sans doute, la culture équipementière de l'ex CIT-Alcatel (et des autres filiales pays rachetées par le CGE puis Alcatel Alsthom) n'a-t-elle pas favorisé le déploiement global d'un groupe habitué à des marchés nationaux semi-protégés et aux cycles lents, ceux du monde pétrolier dont venait Serge Tchuruk. À l'heure de marchés globaux de plus en plus exigeants, le groupe a également mal assuré sa stratégie financière. En témoignent les soubresauts considérables de son parcours boursier, pour lesquels les conseils de ses actionnaires de référence, comme la Société générale semblent lui avoir fait défaut, à l'image de la gouvernance tout entière du groupe de la rue de La Boétie derrière son principal dirigeant pendant plus d'une décennie.

53 – Les *business cases* disponibles se focalisent sur la fusion ratée entre Alcatel et Lucent, tant pour des raisons stratégiques et structurelles que culturelles. Curieusement, le parcours antérieur de Lucent, premier équipementier mondial en 1999, au sortir d'un parcours protégé et les rigidités rédhibitoires de la compagnie américaine à partir de cette date ressemblent étonnamment à celles d'Alcatel. C'est ce que montre l'analyse fouillée de William Lazonick et Edward March, «The Rise and Demise of Lucent Technologies», Université du Massachusetts, Dartmouth College, MPRA (Munich Personal RePEc Archive), April 2010, <https://mpra.ub.uni-muenchen.de/22012/.../MPRA_paper_22012.pdf>

Les retours en arrière d'Alstom

Même s'il ne peut être évoqué en détail, le parcours d'Alstom à partir de sa mise en Bourse en 1998 se révèle tout autant chaotique[54]. Le groupe électrotechnique pâtit d'abord du dividende exceptionnel que lui imposent ses deux actionnaires, Alcatel et GEC, puis de la décision en 1999 de son P-DG, Pierre Bilger, d'abandonner le partenariat de fabrication de turbines à gaz de grande puissance sous licence General Electric (GE) en nouant une alliance avec l'helvético-suédois ABB. Alors que GE renforce ses positions dans ce domaine, Alstom devra débourser de lourdes sommes pour corriger les problèmes techniques des turbines ABB, beaucoup moins performantes que prévu, et ce au moment où débute un sévère retournement de conjoncture dans l'énergie et le transport, des activités fortement cycliques.

À partir de 2003, Alstom, dirigé désormais par Patrick Kron, doit mener une restructuration massive – ses affectifs passent de 110 000 à 60 000 personnes – et mettre en œuvre un plan de sauvetage, avec une augmentation de capital de 1,75 milliard d'euros et l'entrée de l'État à hauteur de 21 % du capital. Parallèlement, le groupe est contraint de céder de nombreuses activités. Les années suivantes voient un redressement spectaculaire, avec le redémarrage des commandes, stimulées notamment par le *boom* de la Chine, de l'Inde ou de la Russie, qui construisent de nouvelles infrastructures. La rentabilité se redresse. Au moment de la recomposition du capital au sein duquel Bouygues reprend la part de l'État, Patrick Kron avance la possibilité d'un vaste ensemble Alstom-Areva, nouvelle version du rapprochement Alcatel-Alsthom qui, pour des raisons analogues, ne verra finalement pas le jour.

À partir de 2009, la crise et la chute des commandes sont de retour. L'ensemble du groupe subit les difficultés de la branche énergie, qui représente 71 % de son activité, et qui traverse une grave crise en Europe. Trop concentré sur le Vieux Continent, trop petit, Alstom ne peut redresser la barre d'où, à partir de 2014, la décision de vendre la branche énergie à General Electric pour se concentrer sur le transport.

Le rôle déterminant de l'État, lors du plan de sauvetage de 2004 comme lors des négociations de 2014 durant lesquelles sera étudié un moment un rapprochement avec Siemens, montre que le groupe de Belfort n'est pas parvenu à rompre le cordon ombilical des liens avec les pouvoirs publics. C'est bien ce que montre l'évolution d'un capital resté sous influence étatique et institutionnelle, dans lequel le grand public ne représente que 9%. En juillet 2004, l'État avait acquis 21,4 % du capital du groupe pour 720 millions d'euros afin d'écarter la perspective d'une faillite. En 2006, il vendra ses parts au groupe Bouygues, réalisant au passage une plus-value de 1,26 milliard d'euros. Huit

54 – Voir une première approche chez Dominique Barjot dans « Innovation and Growth during the French Trente Glorieuses: The Case of Alstom (1946-1966) », communication au Congrès de l'EBHA du 23 au 25 août 2013, Upsala, Suède, 16p., plutôt que dans le trop simpliste Jean-Michel Quatrepoint, *Alstom, scandale d'État*, Paris, Fayard, 2015.

ans plus tard, en juin 2014, Arnaud Montebourg, ministre de l'Économie et du Redressement productif signe un accord avec le groupe Bouygues, toujours le premier actionnaire avec 29,2 %. Via des prêts de titres, l'État détient 20% des droits de vote d'Alstom et pourra, directement ou à travers une entité contrôlée par lui, acheter durant vingt mois 20% de sa participation pour un montant estimé à plus d'un milliard d'euros. Entré en vigueur en février 2016, l'accord avec Bouygues était conditionné à la finalisation complète de la transaction entre Alstom et General Electric et l'offre publique de rachat d'actions de l'industriel français qui l'a suivi. À ce jour, l'option de l'État n'a pas encore été levée.

La crise médiatique provoquée en septembre 2016 par l'annonce d'une possible fermeture du site historique de Belfort (le 8e des douze sites français du groupe en termes d'effectifs, avec 480 personnes, loin derrière Petit-Quevilly, Valenciennes, La Rochelle et leurs 2460 et deux fois 1220 collaborateurs) et la décision de garnir artificiellement le carnet de commandes du site avec des TGV roulant sur des lignes classiques pour un coût de plus de 700 millions d'euros traduit, à nouveau, la difficulté, sinon l'impossibilité du constructeur de passer au moins symboliquement, de l'espace national à l'espace mondial. Comme le dira un membre du groupe : « Il [Henri Poupart-Lafarge, P-DG du groupe] a raisonné en ingénieur et non en politique. On ne peut pas toucher au symbole Alsthom Belfort sans s'y préparer, surtout pendant une campagne électorale. Il a oublié de prendre en compte le fonctionnement du pouvoir politique et l'environnement institutionnel français »[55].

Dans sa majorité, la presse a sévèrement jugé l'épisode dans des termes historiquement significatifs, puisque mettant en cause une conception obsolète du rôle des pouvoirs publics en matière industrielle : « Les illusions perdues du pompidolisme » [sic!], « Alstom est arrivé au bout du colbertisme industriel », « Alstom : l'État peut tout, surtout le pire », etc.[56]. Beaucoup ont fait remarquer la bonne santé retrouvée d'un groupe de 6,9 milliards d'euros de chiffre d'affaires, avec un taux de marge de 5,3%, 10 milliards d'euros de commandes et 31 000 collaborateurs dans 60 pays était celle de l'international autour de la notion de « proximité avec le client ». Pour ancrer ses positions mondiales, Alstom devra redéployer ses sites et ses effectifs, encore trop présents en Europe et notamment en France vers ses clients actuels et futurs, en Asie, Inde ou Chine, en Afrique et en Amérique du Nord. Le devenir du site de Belfort questionne moins Alstom que la compétitivité de l'industrie ferroviaire française et de son principal opérateur, la SNCF, dans un contexte de concurrence domestique et internationale acharnée[57].

55 – Cité dans « Les trente jours qui ont ébranlé Alstom », *Le Monde*, 5 octobre 2016.

56 – Respectivement éditorial du *Monde* du 15 septembre, tribune de Gilles Savary, député PS de Gironde dans *Les Echos* du 17 septembre et éditorial de *L'Opinion*, 4 octobre 2016.

57 – Dominique Bussereau, ancien ministre des Transports, «Industrie ferroviaire: combien de Belfort?», *L'Opinion*, 16-17 octobre 2016.

Le parcours du nouvel Alstom traduit au fond un déploiement global en cours, celui d'un recentrage des métiers du transport ferroviaire sur des marchés désormais mondiaux à plus de 80%, malgré les hypothèques que restent une implantation française encore très prégnante, les enjeux sociaux et symboliques qui s'y attachent et une structure du capital restée à mi-chemin de la globalisation financière. Tout comme Alcatel – et, dans un registre parallèle, Areva à la même époque – les erreurs et les déceptions stratégiques qui ont été celles d'Alstom jusque récemment montrent le degré d'exigence élevé d'un *leadership* mondial aujourd'hui, bien loin du registre des rationalisations, restructurations, grandes et petites manœuvres industrielles faisant le quotidien de l'industrie française.

Schneider Electric / Alcatel Alstom, un parcours parallèle, des destinées divergentes

Des années 1980 au tournant des années 2000, le parcours de Schneider Electric et celui d'Alcatel Alstom présentent d'étonnantes similitudes, celui d'abord d'une séquence d'événements analogues puis divergents.

Schneider Electric / Alcatel Alsthom : du marché domestique au marché mondial

	Années 1970	Années 1980	Années 1990	Années 2000
Structures & rapport au métier	Conglomérats diversifié	Recentrage, cessions et spécialisation, début d'internationalisation	Mondialisation autour d'un métier principal	Confirmation de la globalisation industrielle : Schneider Electric Echec de la globalisation industrielle : Alcatel, Alstom (jusqu'en 2015)
Caractéristiques du marché, rôle de l'État et gouvernance actionnariale et financière	Marché domestique, économie plus ou moins administrée, forte implication des pouvoirs publics, « capitalisme sans capital »	Marché de plus en plus international Déréglementation et mondialisation des marchés Implication intermittente des pouvoirs publics Privatisation du capital des groupes considérés avec des actionnaires de référence	Marché globalisé Implication résiduelle (ou forte dans certains secteurs, nucléaire, ferroviaire) des pouvoirs publics Approbation ou sanction financière de marchés globaux	Marché toujours plus mondialisé, régulation européenne. Absence (Schneider Electric, Alcatel) Ou intervention des pouvoirs publics nationaux (Alstom) Confirmation de la globalisation financière (Schneider Electric) ; échec (Alcatel-Lucent) ou convalescence financière (Alstom)

Empain Schneider/Schneider/Schneider Electric et la CGE/Alcatel Alstom/Alcatel connaissent le même parcours associant un processus (quelquefois douloureux) de recentrage et de simplification de leur portefeuille industriel, prélude à leur entrée sur des marchés de plus en plus mondialisés. Ce processus est scandé, pour l'ensemble, par le changement de direction de 1981 qui voit le départ du baron Empain et la prise de responsabilité de Didier Pineau-Valencienne au baron Empain, puis par le dépôt de bilan de Creusot-Loire qui marque, de façon brutale, le divorce du groupe avec les pouvoirs publics. Désormais, ceux-ci, l'épisode Télémecanique mis à part, ne joueront plus aucun rôle dans le parcours d'un groupe qui construit avec succès sa dimension mondiale. Le retrait de la famille Empain dans les années 1984-85 n'affecte pas la transformation globalement harmonieuse du mode de gouvernance d'un groupe au capital international, ni celui d'épisodes comme la brève incarcération de Didier Pineau-Valencienne en 1994, provoquée par les conditions de la revente des dernières sociétés belges du groupe, Cofimines et Cofibel (un dossier complexe qui se soldera douze ans plus tard par l'abandon de la quasi-totalité des chefs d'inculpation) ou la remise en cause du rapprochement de Schneider Electrice avec Legrand par les autorités de régulation européenne en 2002.

Pour Alcatel Alstom, si la nationalisation de 1982 puis la privatisation de 1986 n'opèrent pas de discontinuité, ce ne sera pas le cas du changement de direction provoqué par le remplacement forcé de Pierre Suard par Serge Tchuruk en 1995. Celui-ci marque une rupture dans l'histoire du groupe de la rue la Boétie : s'il perd son caractère de holding diversifié pour se concentrer sur un seul métier, les télécommunications, son jeu stratégique doit encore faire la place aux décisions des pouvoirs publics, dans la série d'opérations majeures que représente la transformation de GEC-Alsthom en Alstom, et son incapacité à prendre le contrôle de Framatome comme du futur Thalès. Dans ce moment clé de négociation de son destin, le groupe dirigé par Serge Tchuruk n'est plus l'interlocuteur privilégié des pouvoirs publics dont les décisions prennent le contrepied de ses préconisations.

À partir de 1998, le parcours d'Alcatel, puis d'Alcatel-Lucent dans les télécommunications, même heurté et s'achevant par sa prise de contrôle par un groupe étranger, Nokia, a lieu hors du champ des autorités publiques. Ce ne sera pas le cas d'Alstom, dont le sauvetage en 2003, la cession en 2015-2016 à General Electric de la branche énergie, la prolongation de l'activité du site de Belfort en septembre 2016 font l'objet d'un « retour anachronique [et récurrent] de l'État »[58], marqué par une série d'interventions directes et l'entrée dans le capital de l'entreprise, alors que, une fois son recentrage stratégique achevé en 2015, le « spécialiste mondial des solutions de transport », selon son expression, est probablement en train de réussir son grand pari.

Succès ici, échec ou demi-succès là... Pourquoi, d'un côté, malgré le psychodrame Creusot-Loire, une métamorphose spectaculaire et réussie, de l'autre une « mue manquée » qui illustrerait la difficulté (sinon l'impossibilité) de l'« archétype du champion national colbertiste » à s'« insérer dans une économie mondialisée » avec la nécessaire « conversion [ratée] à un capitalisme de marchés financiers »[59] ?

58 – Elie Cohen, « De la CGE Alstom : une histoire bien française », *Sociétal*, *op. cit.*
59 – *Ibid.*

L'explication qui ne peut être évidemment que multifactorielle ressort d'abord de la personnalité et du profil différents de Didier Pineau-Valencienne et de Serge Tchuruk, en adéquation avec ceux de leurs groupes respectifs. Tous deux partageaient pourtant des profils analogues de *managers*, marqués par une forte influence américaine et le même passage chez Rhône-Poulenc. Mais issu de la plus grande école d'ingénieur française, le second n'avait travaillé avant Alcatel-Alsthom que dans des secteurs aux cycles et investissements longs, pour lesquels les restructurations décidées au sommet produisaient le plus souvent les effets escomptés. Une inertie qui était aussi celle de l'équipementier qu'était d'abord et avant tout le Alcatel issu de la modernisation du système téléphonique français. Le premier avait eu l'occasion, dans sa longue carrière, de combiner approche financière, direction de sociétés grandes et petites, sens du marché dans sa dimension marketing et consommation[60]. Des talents qui lui permettront de piloter avec succès la transition d'un ensemble d'activités disparates à la distribution terminale, une activité de production de biens d'équipements soumise à des cycles réguliers de conception-production-commercialisation. Alcatel et son dirigeant en chef pendant treize ans avaient-ils le profil et la fluidité stratégique et opérationnelle pour appréhender et relever avec succès les bouleversements économiques et sociétaux de la planète TMT au tournant des années 2000, avec les révolutions d'Internet et des téléphones portables ?

La dimension financière est aussi essentielle quand on souhaite construire un ensemble mondial valorisé comme tels sur les marchés financiers mondiaux. C'est, très clairement, l'un des talents de Didier Pineau-Valencienne, associé à un grand savoir-faire et une remarquable pondération dans l'exécution. Le démêlage des structures et holdings d'autocontrôle d'Empain-Schneider s'étalera sur plusieurs années – ceux-ci étant d'ailleurs utilisés quand nécessaire – et le processus de spécialisation-désinvestissement du groupe s'étalera au total sur seize ans, de 1980 à 1996 avec la cession de Spie-Batignolles. Un rythme bien différent de celui des cessions que conduiront à marche forcée Alcatel de 1996 à 2002. Dans sa passe délicate de reconstruction, Schneider Electric pourra s'associer à des partenaires comme Paribas, Pargesa (le holding de Gérard Eskénazi, ancien directeur général de Paribas), Albert Frère et Axa, à la différence de la Société générale pour Alcatel. Enfin, Schneider, Empain-Schneider et Schneider ont toujours été des entreprises privées, longtemps familiales. D'où un état d'esprit et un souci des performances financières qui constitueront autant de prédispositions pour assurer l'entrée dans un marché financier mondial.

60 – Voir pour la branche PVC de Rhône-Poulenc l'analyse significative qu'il propose des... poignées de cafetière destinées à Moulinex : « La vie et le destin d'un produit ne dépendent pas seulement de ses conditions de fabrication et de ses qualités. Ils doivent intégrer sa *valeur d'usage* exacte pour ses acheteurs et ses consommateurs. » (Didier Pineau-Valencienne, *Dans la boucle de l'hirondelle..., op. cit.*, p. 73).

Troisième facteur, le rôle de l'État. Le dépôt de bilan de Creusot-Loire a constitué une chance pour Schneider, tranchant tout lien avec les pouvoirs publics et l'hypothèque Framatome. Alcatel Alsthom restera au contraire en prise avec les décisions et arbitrages publics qui pèseront durablement sur sa destinée, une sujétion toujours actuelle pour Alstom.

Dernier facteur enfin, et l'un des moins négligeable, celui de la continuité dans la gouvernance stratégique, humaine et organisationnelle. Celle-ci fera défaut à Alcatel Alsthom à partir de 1995, le changement de président du groupe faisant écho à la série de cessions et d'acquisitions qui affecte le parcours d'un groupe dont le principal métier, les télécommunications, a été constitué de fraîche date. À la différence de Schneider Electric. Didier Pineau-Valencienne est un ancien Empain, quand il prend la tête d'Empain-Schneider et il connaît parfaitement, tant les hommes que les rouages du groupe. Il s'appuie, lors de la construction mondiale du groupe de distribution électrique que devient Schneider Electric sur la culture d'entreprise de Merlin Gerin organisée autour de la révolution stratégique opérée au début des années 1980, qu'il prendra soin, tout comme celles de Télémécanique et de Square D après leur acquisition, de préserver au sein d'un ensemble intégré avec patience et sans précipitation. Ingénieur diplômé de l'École supérieure d'électronique de l'Ouest (ESEO) et titulaire d'un MBA d'EM Lyon, Jean-Pascal Tricoire, président actuel de Schneider Electric a rejoint Merlin Gerin en 1986 avec d'intégrer Schneider Electric en 1988 pour y faire toute sa carrière opérationnelle, notamment en Chine. Conduire un groupe global est aussi une affaire de terrain.

Ces destins divergents illustrent la transition, jamais aisée, d'un marché domestique mâtiné d'internationalisation à une mondialisation globale, avec l'ensemble des logiques et exigences que cette transformation induit. Ce passage a été vécu de manière spécifique par les grandes firmes françaises, en fonction de la structure de leur capital, de leur adossement ou non à des marchés publics, de la perception des changements à opérer, des tropismes et des résistances rencontrées. La destruction créatrice chère à Schumpeter est aussi une reconstruction, obligatoire pour continuer à évoluer dans une économie mondialisée, une re-création souvent douloureuse et jamais achevée, quelquefois réversible, mais toujours nécessaire dans le mouvement de globalisation qui reste toujours l'horizon des entreprises françaises et internationales.

THE FRENCH ECONOMIC
HISTORY REVIEW

N° 9-10

Round table

REVUE FRANÇAISE
D'HISTOIRE ÉCONOMIQUE

N° 9-10

Table ronde

Table ronde tenue le 25 avril 2018
au cours de l'Assemblée Générale du Comité Français
des Sciences Historiques, dans le cadre du 143ème Congrès du CTHS,
Paris 2018, Institut national des langues et civilisations orientales,
65 rue des Grands moulins, 75013, Paris.

« OÙ EN SONT LES PUBLICATIONS SCIENTIFIQUES AUJOURD'HUI ? »

Animée par Dominique BARJOT, professeur émérite à Sorbonne Université, membre de l'Académie des Sciences d'outre-Mer, président du Comité Français des Sciences Historiques (CFSH), avec la participation de Bruno LAURIOUX, professeur d'histoire du Moyen Âge et de l'Alimentation à l'université de Tours, président de la section Histoire et philologie des civilisations médiévales du Comité des Travaux Historiques et Scientifiques (CTHS), ancien directeur de l'Institut National des Sciences Humaines et Sociales (INSHS), d'Éric MONNET, économiste à la Banque de France, chercheur associé à l'École d'économie de Paris et au Centre for Economic Policy Research (CEPR), rédacteur en chef à *La Vie des Idées*, vice-président du conseil scientifique d'OpenEdition, vice-président de l'Association Française d'Histoire Économique (AFHE), d'Éric LEDRU, Éditeur, de Laurent BOURQUIN, Vice-président Recherche et professeur d l'Université du Mans, expert HCERES, de Franck COLLARD, président de l'Association des Professeurs d'Histoire Géographie (APHG), Christophe MARION, Délégué général du CTHS, Délégué scientifique à la recherche de l'École nationale des chartes, Thomas PARISOT, Directeur commercial de CAIRN et de Jean-Claude DAUMAS, ancien président de l'AFHE.

Voici les questions posées et les réponses données par les différents participants.

1/ Quelles sont les formes et les supports les plus pertinents pour la diffusion de la connaissance historique ? Le livre individuel a-t-il encore sa place ? Trouve-t-il toujours des lecteurs et à quelles conditions ? Quel est le rôle joué par les revues scientifiques ? Quelle part accorder aux congrès, colloques et tables rondes nationaux et internationaux ? Comment peut-on publier les résultats des grands projets collectifs nationaux (ANR[1]), européens (ERC[2], EBHA[3]) ou mondiaux (CISH[4], IEHA[5], ICOHTEC[6], ICHST[7],WBHC[8] etc.) ?

Bruno LAURIOUX (Université de Tours et CTHS)

Je remercie vivement mon éminent collègue Dominique Barjot de m'avoir invité à cette table ronde. Ma vision des publications scientifiques est dictée par un triple point de vue - si l'on me permet de filer la métaphore. Celui d'un ancien directeur scientifique du département des sciences humaines puis de l'Institut des sciences humaines et sociales (INSHS) du CNRS - mais aussi celui d'un historien et enfin celui d'un médiéviste.

Dans mes fonctions à la tête du CNRS, j'ai pu expérimenter la grande différence de pratiques qui divisent les SHS en matière de publications. Ces pratiques n'ont rien à voir par exemple chez les préhistoriens de la section 31 - qui privilégient les actes de colloques - et chez les économistes de la section 37 - qui n'imaginent guère de publier ailleurs que dans de grandes revues, le plus souvent en anglais, revues dont ils ont établi de longue date un classement. Sans même parler des historiens de la section 33 pour lesquels faire paraître un livre de recherche est bien plus important de que de placer un article dans une revue. Ce sont là des traditions de longue durée - même si elles ont probablement évolué dans le sens d'une convergence durant les dernières années sous l'effet des multiples instances et procédures d'évaluation.

Il va de soi que les grands supports de publication ont eux-mêmes une histoire, que ce soient les revues scientifiques - d'abord émanant de sociétés savantes (comme le *Journal des savants* dès 1665) puis prises en charge par des éditeurs commerciaux[9] - ou les congrès et colloques. Dans le dernier domaine,

1 – Agence Nationale de la Recherche.

2 – European Research Council

3 – European Business History Association.

4 – Comité International des Sciences Historiques.

5 – International Economic History Association.

6 – International Committee for the History of Technology.

7 – *Congrès International d'Histoire* des Sciences et des *Techniques*.

8 – World Business History Congress.

9 – Cf. Les quelques pages éclairantes de Jean-Claude Guédon et Alain Loute, « L'histoire de la forme revue au prisme de l'histoire de la "grande conversation scientifique" », *Cahiers du GRM*, 12 (2017), p. 1-8. URL : http://journals.openedition.org/grm/912

le CNRS a joué un rôle moteur et a donné une impulsion décisive à ce mode de diffusion des connaissances en SHS, en s'inspirant de ce qui se pratiquait depuis longtemps dans les sciences « dures »[10] – comme en témoigne toute une série de grands colloques organisés dès les années 1950 et destinés à « paver » les disciplines considérées alors comme innovantes, telles la sociologie, l'archéologie ou les sciences de l'érudition[11].

Dans les années 2000 et 2010, les débat se sont focalisés, non sans parfois une certaine véhémence, sur les revues scientifiques. Il faut dire que celles-ci, qu'elles émanent d'une société savante ou soient publiées par un éditeur commercial, sont devenues de plus en plus nombreuses depuis la Seconde Guerre Mondiale – sans doute à mesure qu'augmentait le nombre d'enseignants – c'est-à-dire le vivier des auteurs – et d'étudiants – les lecteurs potentiels[12]. Pour prendre le domaine qui m'est le plus familier, la seule revue généraliste francophone de « médiévistique » a été pendant longtemps *Le Moyen Âge*, vénérable publication fondée en 1888. À la fin des années 1950 sont venus la rejoindre les *Cahiers de civilisation médiévale*, émanation d'une des créations originales du directeur des enseignements supérieurs Gaston Berger : le Centre d'Études Supérieures de Civilisation Médiévale à Poitiers. Avec la multiplication des universités dans les différentes régions françaises, d'autres revues d'études médiévales ont vu le jour – par exemple, pour celles qui sont parvenues à survivre, *Médiévales* fondées à l'université Paris 8 Vincennes-Saint-Denis en 1982 ou les *Cahiers de Recherches Médiévales et humanistes* à Orléans en 1996. Parallèlement les chercheurs et chercheuses ont été inivité.e.s à publier dans des revues étrangères, éditées le plus souvent en anglais (comme *Speculum*, *Traditio* ou *Viator*) mais pas toujours (ainsi l'*Anuario de estudios medievales* du CSIC et de nombreuses autres revues en espagnol).

Le pullulement des revues a amené les communautés scientifiques à s'interroger sur la qualité de celles-ci. D'autant que les enjeux de ce qu'il faut bien appeler un classement des revues sont devenus considérables dans l'administration de la recherche et notamment des carrières[13]. Les chercheurs et chercheuses ont été fortement incité.es à publier – et à publier beaucoup, en vertu du fameux adage *publish or perish*[14]. Mais où publier ? Ne convenait-il pas de sélectionner des revues de grande réputation où il aurait été recommandé de publier ? Certes, la plupart des revues se sont dotées, en strates successives, de modes

10 – Guédon et Loute, « L'histoire de la forme revue », p. 3.

11 – Cf. Les exemples cités par Denis Guthleben, *Histoire du CNRS de 1939 à nos jours. Une ambition nationale pour la science*, Paris, Armand Colin, 2009, p. 185.

12 – En linguistique française et générale, une seule revue nouvelle a été créée entre 1928 et 1958, contre sept entre 1959 en 1969, période durant laquelle la linguistique s'affirme comme une discipline centrale des SHS : Jean-Claude Chevalier et Pierre Encrevé, « La création de revues dans les années 60 : matériaux pour l'histoire récente de la linguistique en France », *Langue française*, 63 (1984) p. 57-58.

13 – Cf. Yves Gingras, *Les dérives de l'évaluation de la recherche. Du bon usage de la bibliométrie*, Paris, 2014, qui voit dans l'utilisation de la bibliométrie dans l'évaluation le détournement d'une méthode aux finalités avant tout scientifiques.

14 – D'un usage courant dès les années 1940 dans le milieu académique américain : Eugene Garfield, "What Is The Primordial Reference For The Phrase 'Publish Or Perish'?", *The Scientist*, 10 n° 12 (1996), p. 11.

de fonctionnement propres à assurer leur qualité scientifique : d'abord un comité de rédaction qui ne se limite pas au directeur, puis un comité scientifique, voire des *referees* susceptibles de mener une double lecture d'un article rendu anonyme avec l'auteur duquel ils n'ont pas de conflit d'intérêt – ce qui est le standard des grandes revues anglo-saxonnes. Mais, pour plus d'efficacité et plus de justesse (ou de justice), ne fallait-il pas aller plus loin ?

Une fois encore, l'initiative en France est venue du CNRS. Ce qui est assez logique puisque les sections scientifiques de cet organisme de recherche – le seul qui soit généraliste en France – procédaient depuis longtemps déjà à une évaluation périodique des chercheurs et chercheuses, des unités de recherche universitaires associées (les UMR) et des revues qui souhaitaient bénéficier d'une subvention ou d'un soutien en personnel.

C'est ainsi que j'ai été convoqué, en même temps que tous les responsables de revues « aidées », à une réunion tenue au siège du CNRS. C'était au début des années 2000, sous la houlette du directeur scientifique des SHS, Jean-Marie Hombert. J'y ai reçu la bonne nouvelle que la revue dont je m'occupais alors avec Odile Redon avait été bien classée par le CNRS. On nous a expliqué comment le classement avait été établi, mais j'avoue n'en avoir vraiment compris les principes, les tenants et les aboutissants, que quelques années plus tard, lorsque j'ai eu moi-même à m'occuper de ces questions pour le CNRS.

Le classement initié par le CNRS au début des années 2000 avait suivi la méthode généralement utilisée dans les bases de données bibliographiques mises au point par l'Institute for Scientific Information (fondé aux États-Unis en 1964), soit, dans le domaine qui nous intéresse ici, SSCI (Social Sciences Citation Index) et AHCI (Arts & Humanities Citation Index). Diffusées à travers le Web of Science, ces bases de données utilisent la méthode des citations, définie dès les années 1950 par Eugene Garfield[15]: plus une publication est citée par d'autres, plus son score – son impact – est élevé. Ainsi est-on en mesure de mesurer l'impact d'un article, et par totalisation, celui de la revue où il est paru (le facteur d'impact), et enfin celui du chercheur ou de la chercheuse qui l'a produit (facteur H). Les bases de données concurrentes, que ce soit Scopus développé par la maison Elsevier depuis 2004, ou Google Scholar – qui a permis à Ann Will Harzing de créer en 2007 un nouvel indicateur, le facteur G –, utilisent la même méthode des citations.

Or celle-ci présente des biais évidents. Le principal est le choix des *Core Journals*, c'est-à-dire les revues « centrales » (dites encore « cœurs de cible ») qui suffiraient à repérer les travaux essentiels pour une discipline donnée et à l'intérieur desquelles sont par conséquent totalisées les citations à d'autres publications. À ma connaissance, les critères qui ont présidé à cette première sélection ne sont jamais explicités et, en outre, l'usage de l'autocitation, qui

15 – Eugene Garfield, "Citation indexes for science. A new dimension in documentation through association of ideas", *Science*, 122-3159 (1955), p. 108-111. Réimpr. dans *International Journal of Epidemiology*, 35- 5 (2006), p. 1123-1127, https://doi.org/10.1093/ije/dyl189.

est évidemment renforcé par une telle méthode de comptage, n'est pas pris en compte. On aboutit ainsi à des résultats assez étonnants : dans le classement établi par le CNRS au début des années 2000, les *Mémoires de la société éduenne* se retrouvaient classés A du simple fait qu'un article publié dans une revue cœur de cible pour l'archéologie avait - vu son sujet - abondamment cité un article desdits *Mémoires* ! Ce biais est évidemment accru lorsque - faute de temps et de moyens (c'est-à-dire presque toujours) - on se contente d'analyser les *Core Journals* seulement pour quelques années. D'un point de vue purement technique, la méthode des citations n'est donc pas fiable.

Pour la discipline qui est la nôtre - l'histoire - elle est même carrément erronée et trompeuse. En effet le choix de revues comme bases de calcul des citations méconnait la tradition (évoquée plus haut) en matière de publications historiques, qui privilégie les monographies ou tout au moins leur accorde une place aussi importante que celle des revues. D'autre part, dans les grandes bases de données internationales de citations, les revues publiées en langue anglaise sont surreprésentées : si ce déséquilibre est parfaitement conforme à la réalité des publications dans les sciences du nombre, de la matière et de la vie, il n'en est pas de même pour les sciences humaines et sociales. Enfin, à l'intérieur même des SHS, les « humanités » sont clairement moins bien couvertes que les sciences sociales par les index de citations. De telles faiblesses handicapaient fortement les SHS par rapport aux autres sciences dans les arbitrages en matière de postes, de promotions ou de financement à l'intérieur des organismes et structures de recherche français et étrangers.

C'est fort de ce constat que, à partir de 2006, a été lancée une nouvelle entreprise de classement des revues : ERIH (European Reference Index for the Humanities), menée conjointement par l'association des agences scientifiques européennes, l'ESF (European Science Fondation), et par un consortium rassemblant certaines d'entre elles, HERA (Humanities in the European Research Area). Les bases en étaient radicalement différentes de celles des bases américaines : des commissions thématiques (panels) comportant des chercheurs venant de plusieurs pays se sont réunies pour établir des listes de revues de référence, sélectionnées selon les critères standards (*peer review* par experts extérieurs, diversité des auteurs qui ne relèvent pas très majoritairement de la même institution, etc.) qu'il s'est agi ensuite de classer en fonction de leur impact : A désignant une dimension mondiale (soit une revue connue et appréciée ailleurs qu'en Europe), B une dimension européenne, C une dimension nationale. On notera que ce classement en A-B-C pouvait laisser croire qu'il était question avant tout de hiérarchiser les revues selon leur qualité - ce qui n'était pas exactement le cas ; puisqu'il s'agissait de mesurer plutôt la visibilité internationale, il avait été envisagé de classer plutôt en W (World) / E (European) / N (National). Quoi qu'il en soit, plusieurs milliers de revues ont été ainsi référencées et classées - près de 1110 rien que dans la catégorie *History*. Ces listes étaient loin d'être parfaites - avec par exemple des biais liés à l'origine géographique des membres des différents panels et à des divergences quant aux découpages disciplinaires – et la première publication effectuée en 2007 a fait l'objet d'une profonde révision, à laquelle j'ai contribué en tant que National Contact Point pour la France. Cette liste, révisée à nouveau en 2014, existe toujours et est désormais gérée par un organisme norvégien. En revanche, l'extension du référencement aux monographies, actes de colloque et autres publications collectives – prévue dans le programme initial d'ERIH – n'a jamais été menée à bien.

Une liste classée de référencements, pour être efficace et pertinente, doit être évidemment acceptée par la communauté des chercheurs et chercheuses concerné.e.s. Se saisissant des listes ERIH, l'AERES (devenue depuis HCERES) les a soumises à l'avis d'un cercle d'experts plus large – ce qui était bien nécessaire – avec à la clef de nombreuses modifications, où les appartenances des un.e.s et des autres ont pu entrer en ligne de compte. Du fait des constantes controverses sur l'évaluation dans les années 2010, les listes de l'AERES – dont il était question qu'elles servent non seulement à l'évaluation des unités de recherche mais à celles des chercheurs et chercheuses – ont perdu leur structuration en catégories pour devenir de simples listes de références. À ce titre, elles pouvaient encore être grandement utiles aux jeunes chercheurs et chercheuses, souvent très mobilisés dans des publications collectives – notamment des actes de colloques – qui ne les font pas suffisamment connaître dans leurs communautés scientifiques à l'échelle internationale. Mais, si l'on en croit le site de l'HCERES, les historien.ne.s ne font pas partie des communautés scientifiques françaises qui ont finalement intégré ces listes dans les procédures d'évaluation les concernant...

En même temps que les listes de revues étaient discutées par les communautés scientifiques, se développait ce que l'on a coutume d'appeler la recherche sur projet. Beaucoup la font remonter à 2005 avec la création de l'ANR mais, en réalité, celle-ci a été précédée au début des années 2000 par les ACI (Actions Concertées Incitatives du Ministère de la Recherche), sans parler des Actions Thématiques Programmées (ATP) et des Programmes Interdisciplinaires de Recherche (PIR !) qui ont fleuri au CNRS à partir des années 1970. Si l'on y ajoute les programmes européens (PCRD [Programme-Cadre pour la Recherche et le Développement Technologique] dès les années 1980 et programmes ERC [European Research Council]) et les substantiels programmes de recherche financés par certaines régions, c'est une partie de plus en plus importante de la recherche qui passe par des projets d'assez court terme (3 à 5 ans).

Comment adapter les publications à ce rythme rapide ? Avec un tel pas de temps, il est difficile de mettre rapidement en évidence les résultats réels des recherches. La solution, adoptée dans plusieurs programmes ANR auxquels je participe, est d'organiser des ateliers réguliers pour baliser l'avancement des travaux, avec quelques publications intermédiaires (par exemple sous forme d'articles), et une publication collective finale, suite à un colloque de restitution. La deuxième difficulté de ce type de recherche est d'intégrer les publications des chercheurs et chercheuses précaires que ce type de financement a multipliés et qui ne sont pas nécessairement spécialisés – au moins au départ – dans la thématique sur laquelle ils sont amenés à travailler.

Jean-Claude DAUMAS (AFHE)

Le livre individuel, l'article de revue et l'ouvrage collectif sont les principaux vecteurs de diffusion des résultats de la recherche. A mon sens, le livre individuel que privilégient depuis toujours les historiens, conserve toute son importance car c'est le seul moyen pour exposer les résultats d'une recherche originale de quelque ampleur et que c'est principalement par là que passe le renouvellement des problématiques et des connaissances. Par ailleurs, le livre est aussi irremplaçable lorsqu'il s'agit de proposer au public une synthèse des connaissances sur une question donnée.

Le rôle des revues, et pas seulement des grandes revues internationales, est très différent : animer le débat scientifique autour des grands enjeux scientifiques du moment. En France, tout du moins, elles ne le font que médiocrement car elles ne font assez de place aux débats scientifiques et les comptes rendus y occupent une place trop réduite : généralement trop courts, ils ne permettent pas une analyse critique approfondie et n'offrent trop souvent, faute de place, qu'une présentation descriptive à peine plus roborative qu'un simple résumé.

Il y a trop de colloques et donc trop d'actes de colloques. Trop de colloques pour une triple raison : a/ l'objet en est trop souvent trop étroit (ce que j'appelle les « petits sujets exotiques ») et déconnecté des recherches en cours, de sorte qu'ils ne contribuent guère au renouvellement des perspectives et des connaissances, b/ la sélection des intervenants n'a souvent guère de cohérence (combien de fois m'est-il arrivé de me dire que l'intervenant s'était trompé de colloque mais aussi de m'indigner contre le manque de sérieux des organisateurs ?), c/ on a affaire à un défilé de papiers qui ne sont discutés que pour la forme, voire par courtoisie, d'autant qu'aucune véritable discussion n'est possible puisque le programme du colloque ne prévoit presque jamais un temps suffisant pour la confrontation d'idées et que les présidents de séance ont une conception minimaliste de leur rôle. Quant aux actes, ce ne sont que des recueils des communications présentées oralement, sans sélection et sans travail suffisant d'édition. On peut d'ailleurs craindre que cette tendance s'amplifie avec l'habitude prise depuis quelques années par les doctorants ou les jeunes docteurs d'organiser des colloques afin d'exister et de gonfler leur CV. Comment, étant donné leur hétérogénéité, s'étonner de la faible diffusion des actes de colloques, d'autant que, par nature, le lectorat en est limité au public académique ?

Il me semble que, aux colloques et aux actes qui en sont issus, il vaut mieux préférer les ouvrages collectifs qui, indépendamment de tout colloque, regroupent des contributions sur un sujet bien balisé et problématisé, avec un cahier des charges rigoureux et accepté par tous, et dont le responsable scientique fait un véritable travail d'éditeur, autrement dit ne se contente pas de faire la chasse aux coquilles et de veiller à l'exactitude des références, mais pousse les auteurs à donner le meilleur d'eux-mêmes par une discussion serrée des papiers confrontés à la recherche la plus avancée. Ce type de livres collectifs me semble apporter une plus-value bien supérieure.

Christophe MARION (CTHS, École nationale des chartes)

Le Comité des travaux historiques et scientifiques a commencé à publier en version électronique les actes des congrès nationaux des sociétés historiques et scientifiques à partir de 2002. Ce choix était, à l'époque, assez novateur même s'il pouvait reposer sur des arguments en partie contestables. D'une part, la version électronique était réputée moins coûteuse et plus rapide à fabriquer que la version imprimée. D'autre part, alors que les ventes d'actes de congrès chutaient, on pensait trouver avec le PDF téléchargeable un nouveau public. Enfin, la représentation attachée à l'édition électronique permettait de la réserver à des actes de congrès ou de colloque jugés peut-être moins nobles que la monographie. Les statistiques de téléchargement des PDF (payants dans un premier temps puis gratuits ensuite) ont révélé des résultats de consultations décevants... C'est la raison qui a conduit le CTHS à travailler, à partir de 2017, avec des plateformes comme Persée ou OpenEdition.

Éric LEDRU (Éditions SPM)

Afin de donner un exemple concret des questions que se posent aujourd'hui les éditeurs, je prendrai naturellement le cas de ma propre maison, les Éditions SPM. Fondée en 1970, la Société polygraphique Mang débuta par le métier d'imprimeur dans la plus pure tradition des imprimeurs-libraires du XVIIIe siècle, avant de privilégier progressivement ses activités d'éditeur. Aujourd'hui, avec plus de deux cents titres en histoire, cette maison artisanale persiste dans sa politique de fond. C'est ainsi que la quasi-totalité des titres publiés demeure disponible.

Notre ligne de conduite consiste à publier chaque année des Actes de colloques qui représentent la moitié de la production, et ce avec le soutien de diverses institutions publiques et privées. Nous prenons également la responsabilité d'éditer des usuels que l'État se refuse aujourd'hui à publier ; en particulier de nombreux dictionnaires prosopographiques.

Les tirages offset jusqu'il y a huit ans tournaient autour de 2500 à 3000 exemplaires, et la production était auto-diffusée auprès d'un réseau de libraires qui s'affaissait rapidement.

Depuis 2011, nous sommes diffusés par L'Harmattan sous les deux formes papier et numérique, avec la possibilité de feuilleter les titres via Google. Nous constatons que le livre classique fait mieux que résister dans la mesure où seulement 4,5 % des achats se font sous forme numérique.

Mais un autre danger menace les éditeurs : devant les nouvelles habitudes d'achat en ligne des livres classiques, les entreprises comme Amazon, usant de l'argument de la réduction du temps de livraison, proposent aux éditeurs d'imprimer elles-mêmes les titres commandés. Ainsi, ayant la mainmise sur le client, elles peuvent être amenées à prendre le contrôle progressif de la production et peut-être bientôt du choix des titres, arguant du fait de sa connaissance du marché, et supprimant à terme notre métier d'éditeur… et fragilisant encore plus la production scientifique elle-même ou la « guettoïsant ».

Thomas PARISOT (Cairn)

Cairn.info, plateforme de référence pour la diffusion numérique des œuvres de sciences humaines et sociales de langue française, dispose d'une position privilégiée pour l'observation de l'évolution des pratiques de publication et de lecture des productions intellectuelles et scientifiques. Avec près de 500 revues diffusées sur son portail (www.Cairn.info), notamment en sciences historiques, et désormais plus de 10.000 ouvrages au format numérique (collectifs, monographies, collections encyclopédiques comme les « Que sais-je ? », dictionnaires, etc.), Cairn.info travaille ainsi avec près de 1.000 établissements d'enseignement supérieur et de recherche répartis dans plus de 60 pays[16] et a enregistré en 2017 plus de 60 millions de lectures d'articles ou de chapitres en texte intégral.

Au sein de ce volume d'usages qualifiés, que Cairn s'emploie à bien distinguer des « clics » quotidiens et plus ou moins automatisés qu'enregistre aujourd'hui toute plateforme web[17], la part des revues reste très importante (de l'ordre de 75 % en 2017). Mais cela reflète certainement plus l'état de l'offre constituée par Cairn (projet amorcé autour des revues), ainsi que le type de lectorat actuellement rassemblé autour de notre plateforme (composé essentiellement de chercheurs, de doctorants et d'étudiants avancés) que la « place » réelle de chaque type de support dans le paysage actuel de la publication. Ainsi, les consultations d'ouvrages au sein des institutions d'enseignement supérieur et de recherche avec lesquelles nous travaillons ont plus que doublé en 2018, phénomène que l'on peut sans doute attribuer à l'évolution de l'offre comme à celle des usages.

16 – Liste disponible en ligne : https://www.Cairn.info/aide-institutions-clientes.htm

17 – Comme évoqué ici : https://statistiques.Cairn.info

Laurent BOURQUIN (Université du Mans)

L'histoire est confrontée à deux défis majeurs. Comme les autres disciplines, elle doit développer sa visibilité internationale, ce qui passe par des publications à fort rayonnement : les grandes revues, françaises et étrangères, y contribuent depuis longtemps. Mais elle doit également répondre à des enjeux éditoriaux particulièrement aigus : l'histoire occupe une part toujours importante sur le marché de la lecture, et doit proposer au public des livres aux contenus innovants. Les ouvrages individuels conservent ainsi une place centrale dans la production académique en histoire, au même titre qu'en philosophie, en science politique ou en sociologie par exemple.

Mais ce contexte éditorial est en pleine évolution depuis une quinzaine d'années. Les habitudes de lecture évoluent dans le « grand public », avec une érosion des ventes et des difficultés croissantes dans le secteur de l'édition. Les livres collectifs et les actes de colloques ont davantage de mal à trouver leur lectorat, et le succès de quelques ouvrages récents ne saurait masquer cette tendance de fond. Il s'agit d'un problème particulièrement sensible dans notre discipline, dans la mesure où une bonne partie de la production historique est issue de colloques et de programmes collectifs. On ne saurait blâmer les éditeurs d'être de plus en plus prudents, et de chercher à éviter les « retours » des libraires et l'accumulation des stocks. Cette question concerne également les établissements et les laboratoires, qui versent aux éditeurs des subventions sur fonds publics, et qui s'interrogent légitimement sur l'efficience de ces soutiens financiers.

La publication « en ligne » des ouvrages collectifs peut être une réponse adaptée, puisqu'elle fait économiser sur les frais d'impression et de diffusion. Mais encore faut-il que les plateformes sur lesquelles ces ouvrages sont déposés, bénéficient d'une bonne visibilité sur Internet.

Les grandes revues scientifiques ont su relever ce défi, et tirer le meilleur profit du numérique : elles sont, pour bon nombre d'entre elles, accessibles en ligne et intégrées dans les bouquets auxquels les universités sont abonnées. Les étudiants peuvent donc y avoir accès très facilement, ce qui contribue à renforcer l'articulation entre notre enseignement et les acquis les plus récents de la recherche historique. Lorsqu'elles proposent des dossiers thématiques, elles offrent la possibilité d'étudier un sujet sous des angles spécifiques et dans un format moins imposant que l'édition d'un colloque. Enfin, grâce aux recensions qu'elles publient en ligne, elles contribuent efficacement au rayonnement des ouvrages.

Éric MONNET (OpenEdition, AFHE)

Venant d'une discipline, l'économie, où l'article est le format prioritaire, voire le seul considéré comme légitime, je pense paradoxalement que le livre a plus d'avenir que ce que beaucoup ont tendance aujourd'hui à penser. Les disciplines où - au contraire de l'économie - la priorité de l'article est relativement récente, ont sans doute une vision trop pessimiste de ces évolutions. Je vois deux raisons qui peuvent laisser penser à un regain d'intérêt et de légitimité du livre individuel, en partie appuyées par les succès récents d'ouvrage économiques (pensons par exemple à l'ouvrage de C. Reinhart et K. Rogoff, *This time is different*, ou le *Capital au* XXIe *siècle* de Thomas Piketty). Premièrement, seul le livre peut permettre de toucher un public large et différentes disciplines. Puisqu'on voit aujourd'hui les limites de l'archi-spécialisation dans les sciences sociales, et que les instances de la recherche sont promptes à valoriser le travail interdisciplinaire, le livre peut s'affirmer à nouveau comme le format privilégié de la discussion académique. Pensons que l'on discute et recense les livres alors que les articles publiés sont rarement commentés. Deuxièmement, les incitations très fortes à la croissance des publications (le *publish or perish*) ont créé un émiettement du savoir, et accru l'hyperspécialisation de la recherche dont je parlais précédemment, au point qu'il devient difficile d'aborder les objets avec une vision synthétique et cohérente. Le livre individuel permet cela.

Mais le format du livre n'est pas figé. On le voit aujourd'hui accompagné de contenus numériques, être le fruit d'un « retravail » d'articles publiés précédemment, etc. Le livre aura d'autant plus un avenir qu'il saura s'adapter. Je pense par exemple que l'on devrait plus refaire des éditions abrégées de livre académiques touffus, comme cela a pu se faire fréquemment dans les années 1960-1970. Il y a un sens à avoir un livre en deux tomes pour un public universitaire et une version abrégée pour un lectorat généraliste.

Je suis plus sceptique sur les publications d'actes de colloque. Il y a un problème aujourd'hui du trop grand nombre de publications et des republications, d'autant plus lorsqu'elles sont de qualité très hétérogène. Les actes de colloque les favorisent souvent. Il me semble que le format d'actes de colloque pouvait correspondre à une modalité de circulation des connaissances dans un monde où ces dernières circulaient difficilement. Ce n'est plus le cas. Si un texte prononcé lors d'un colloque est conçu comme une version préliminaire d'un travail en cours, le publier dans un ouvrage collectif non éditorialisé, souvent avec plusieurs années de retard, ne fait plus beaucoup sens alors qu'il peut être publié sur internet comme note d'un carnet de recherche ou document de travail. Il y a trop de publications et on a besoin de savoir ce qui, pour un chercheur, correspond à l'aboutissement assumé de son travail, de sa réflexion. Il y a un risque de se perdre dans des versions intermédiaires. Évidemment, je parle ici des ouvrages qui sont purement et simplement des "actes" , et non des ouvrages collectifs qui sont conçus comme de véritables réflexions communes ou des numéros de revue très éditorialisés.

Franck COLLARD (APHG)

Pour ce qui est du livre d'histoire, il demeure à mes yeux pertinent d'un point de vue matériel : objet tangible, reposant les yeux des écrans, appréhendable différemment du texte numérisé, feuilletable, même s'il faut admettre que les usages scientifiques que l'on peut en faire (retrouver un fait, une date, un personnage) s'adaptent mieux au numérique, quelque complets que puissent être les index

La revue *Historiens & Géographes*, publiée sous ce titre depuis 1965 (441 numéros en continu depuis novembre 1910) occupe une place reconnue dans le monde des publications à caractère historique par sa triple fonction de publication scientifique, pédagogique et culturelle. Elle bénéficie d'une « niche éditoriale » par son importance dans la préparation aux concours qui nécessite une bibliographie rigoureuse et des mises au point scientifiques de haute tenue, et sa position d'interface entre savoirs savants et connaissances/compétences transmises, dans ce jeu très subtil de « transposition didactique ». Cette « transposition » au cœur de l'identité professionnelle, très caractéristique, de l'enseignant, donne sa ligne éditoriale à la revue de l'APHG, qui ne saurait être confondue avec aucune autre, depuis le mensuel (parfois) d'excellente vulgarisation jusqu'aux dossiers et aux sources éditées par exemple par La Documentation française. *Historiens & Géographes* remplit donc une fonction bien délimitée et en ce sens, elle a toute sa place, pour un public encore très attaché au livre individuel et au support papier. Son excellente diffusion auprès des collectivités et établissements scolaires en témoigne.

Pour autant, les habitudes de lecture évoluent. De près de 650 pages au milieu des années 1990, la revue *Historiens & Géographes* est désormais de taille plus modeste, environ 225 pages en moyenne et 4 numéros par an. Elle s'articule avec une offre sur support numérique (voir ci-dessous). Les comptes rendus, outils historiques de la revue depuis la fin des années 1920, sont très lus et relayés ; ils permettent d'illustrer concrètement le lien entre l'Université et l'enseignement secondaire ou des premiers cycles. Enfin, les comptes rendus de colloques et de tables rondes font l'objet, pour la revue *Historiens & Géographes*, de publications résumées, faciles d'accès et d'emploi pour les enseignants, en complément de vidéos intégrales publiées sur le site internet de l'APHG. Ceci confirme les nouvelles habitudes de lecture et de travail au sein d'un métier en mutation.

2/ Doit-on publier de façon systématique en anglais ou le français a-t-il encore sa place ? À quelles conditions ? Comment peut-on concilier la défense de la francophonie et la montée de l'anglais scientifique ? Comment la France peut-elle rattraper son retard en la matière ? Existe-t-il d'autres langues de publications permettant de promouvoir la recherche française que le français, l'anglais et l'espagnol ?

Franck COLLARD (APHG)

Dans le cadre de ses activités internationales (Euroclio par exemple), l'APHG et sa revue préparent des résumés en anglais ainsi que des fiches pédagogiques dans le cadre de la plateforme *Europeana*. Il est à noter que la langue de travail du nouveau Musée d'Histoire de l'Europe, à Bruxelles (projet du Parlement européen) afin d'aboutir à un récit commun est l'anglais. Depuis les années 1990, le sommaire *d'Historiens & Géographes* est aussi diffusé en anglais. Néanmoins, l'important travail franco-allemand mené par les associations française et allemande des professeurs d'Histoire débouche sur des publications dans ces deux langues nationales, sans passer nécessairement par l'anglais scientifique.

Plus généralement, la langue anglaise peut être une *lingua comunis* des échanges, pas la langue de la science historique mondiale. L'histoire n'est ni la chimie ni la médecine, elle est tout en nuance et l'on est nuancé que dans sa langue maternelle. Autrement, danger d'appauvrissement considérable de la pensée. Il faut écrire dans sa langue et prévoir avec l'édition des textes les frais de traduction. Ne jamais oublier non plus, quand on recense des livres de l'aire anglophone, de pointer leur ignorance fréquente de tout ce qui n'est pas écrit en anglais. Son exclusivisme serait un facteur d'appauvrissement de la science historique, à tous égards.

Éric MONNET (OpenEdition, AFHE)

L'expérience d'Open Editions journals (Revues.org) montre que le français, l'espagnol, l'italien, l'allemand, le portugais etc. sont encore - et heureusement - des langues de recherche universitaire. On constate par exemple que les revues en français sont lues sur tous les continents. Ce qui est crucial c'est le référencement dans les bases bibliographiques internationales. La recherche fonctionne beaucoup par communautés de chercheurs. Même avec internet, il y a finalement peu de diffusion de la recherche qui se fasse sans lien avec des réseaux constitués et des communautés actives où les chercheurs se connaissent personnellement. La plupart des chercheurs lisent principalement des chercheurs qu'ils ont rencontrés, dont ils connaissent au moins la réputation. Peu d'ouvrages ou d'articles arrivent à acquérir une aura suffisante pour avoir une diffusion qui franchissent les frontières de communautés déjà constituées. Ces communautés ont une langue commune et ce n'est pas toujours l'anglais. Il n'y a pas de raison que ça le soit. On voit d'ailleurs l'échec de certaines stratégies de traduction systématique. Ce n'est pas parce qu'un texte est en anglais qu'il va être lu dans le monde entier. Mais pour dépasser les frontières d'une communauté de chercheurs, il est nécessaire de publier en anglais. Aujourd'hui comme souvent dans l'histoire, les chercheurs en sciences humaines ne peuvent se suffire d'une seule langue d'expression.

Laurent BOURQUIN (Université du Mans)

Le français est lu et parlé par des centaines de millions de personnes dans le monde. Il serait donc absurde de ne publier qu'en anglais, d'autant que les livres d'histoire s'inscrivent dans un marché de l'édition francophone. Bien sûr, il est nécessaire de publier également en anglais, en particulier dans les grandes revues anglophones d'audience internationale : nos collègues étrangers le font depuis longtemps, et il serait contre-productif de ne pas y participer.

Cela étant, produire un article en anglais, et *a fortiori* un ouvrage collectif entier, coûte très cher du fait des coûts de traduction, et cette dépense est difficilement soutenable par la plupart des laboratoires. Surtout, il n'est pas nécessaire d'écrire un article en anglais pour qu'il soit visible à l'international. La plupart des grandes revues francophones accompagnent leurs textes de résumés et de mots-clefs en anglais qui permettent de les faire « remonter » efficacement dans les moteurs de recherche. Cet effort doit se poursuivre et s'amplifier, notamment pour les actes de colloques publiés sur Internet.

Enfin, de nombreuses communautés historiennes se sont affirmées et structurées dans des pays éloignés de la culture anglo-saxonne : songeons à la Chine, au Japon, au Brésil... Dans un espace académique de dimension mondiale, nous avons, certes, besoin d'une langue commune comme l'anglais pour jeter des passerelles et travailler sur des thématiques transversales. Mais nul besoin d'écrire en une seule et même langue, au risque d'un appauvrissement préjudiciable à toutes les cultures.

Jean-Claude DAUMAS (AFHE)

La question de la langue est difficile. D'une part, je suis convaincu qu'il faut continuer à écrire et à publier en français parce que c'est la langue dans laquelle nous pensons et que, dans leur majorité, les chercheurs français n'ont pas une pratique suffisamment courante et fluide de l'anglais pour s'y exprimer avec finesse et nuance. De plus, l'histoire est une composante de la culture nationale, et le public des historiens français ne se réduit pas aux chercheurs étrangers : nous devons donc impérativement continuer à nous adresser à un lectorat français, sinon la culture française s'appauvrira et c'est la qualité même du débat public qui en souffrira.

Par ailleurs, on peut le déplorer, mais c'est un fait, l'anglais est la langue dominante, et si nous ne voulons pas que nos travaux soient ignorés sur le plan international, comme c'est très largement le cas aujourd'hui, il faut impérativement publier également en anglais, tant des articles que des livres. Ce qui suppose de la part du MESR, du CNRS, des universités et des MSH un effort plus important de soutien à la traduction et à la publication, et donc une augmentation substantielle des ressources qui y sont consacrées.

Bruno LAURIOUX (Université de Tours et CTHS)

Le classement ERIH, dont j'ai déjà parlé, a montré l'importance des publications en langue anglaise pour les non-Français – et ce dans tous les domaines. C'est le résultat de la pression des institutions de recherche européennes mais pas seulement. Il n'est pas jusqu'aux dossiers de candidature à l'IUF – dans le but de favoriser l'évaluation par des experts étrangers – qui ne doivent être rédigés en anglais. Quelle que soit par ailleurs l'opinion que l'on puisse avoir sur la qualité linguistique des articles écrits en anglais par des non-anglophones, l'anglais est bien devenu la *lingua franca* des échanges scientifiques.

On a raison de s'en plaindre, voire de s'en indigner ; cependant, l'enjeu, lorsqu'on regarde la bibliographie de nombreux ouvrages fondamentaux parus récemment aux États-Unis (ou ailleurs !) et qui ne mentionnent aucun titre français, n'est pas de faire ré-apprendre le français à nos collègues étrangers mais d'essayer de mieux les atteindre, en écrivant nous-mêmes en anglais. Il faut y encourager vivement nos jeunes collègues, en les incitant (y compris financièrement) à participer le plus tôt possible à de véritables colloques internationaux, à y prononcer des interventions en anglais et à publier des articles au plus vite dans les grandes revues en langue anglaise.

En même temps, il faut faire connaître plus largement les travaux des historien.ne.s français.es en finançant leur traduction. De ce point de vue, le CNRS a mené une politique volontariste de rattrapage du retard français, que l'on doit saluer. Elle a notamment profité aux revues qui avaient déjà pignon sur rue, comme les *Annales*, et l'expérience mériterait sans doute d'être élargie. Pourquoi ne pas traduire aussi des articles majeurs et les rassembler sous forme d'anthologies ?

Christophe MARION (CTHS, École nationale des chartes)

Le CTHS fait le pari de la francophonie. Toutes les collections du Comité sont en français (même si des exceptions demeurent pour certains articles issus d'actes de congrès s'étant tenus dans des régions frontalières par exemple) et la vocation de l'institution est de rassembler les sociétés savantes du territoire national mais également des pays francophones. En raison de la spécificité du congrès, qui rassemble des scientifiques mais également des érudits locaux et des chercheurs non-professionnels, la commission de publications n'a pas souhaité jusqu'à ce jour demander aux auteurs un résumé en anglais de leur contribution. Ce sujet fait cependant régulièrement l'objet de nombreux débats internes.

Éric LEDRU (Éditions SPM)

En tant que responsable de quatre revues savantes publiées par les Presses de la recherche historique, je propose d'examiner trois d'entre elles relativement à la question de la langue.

La première, fondée en 2000, s'intitule *La Phalère, revue européenne d'histoire des ordres et décorations*. Il s'agit de la seule revue française et en français de phaléristique, science auxiliaire de l'histoire. Les résumés de chaque article sont rédigés en allemand, anglais, espagnol, italien, et bientôt en russe ! Voici donc une revue en français à vocation européenne.

La deuxième est la plus ancienne revue scientifique sur ce thème, car fondée en 1938 par l'Institut Napoléon, lui-même créé en 1932. Il s'agit de la *Revue de l'Institut Napoléon. Révolution, Consulat, Empire*. Tous les articles sont rédigés en français mais comportent un résumé en anglais. Le français ne semble pas un obstacle à la diffusion du titre, car 48 universités étrangères sont abonnées dont 25 aux États-Unis. Elle est présente dans une quinzaine de pays, dont Israël, le Canada et une bonne partie des pays européens. Cette revue savante classique a donc su conquérir et conserver depuis des décennies un lectorat de langue anglaise !

Enfin, je citerai la *Revue française d'histoire économique*. Fondée en 2014 par Dominique Barjot entouré d'une équipe de chercheurs dont Thierry Claeys, Marie-Claude Esposito, et épaulé par un comité scientifique très international, elle est coéditée par les Amis de la *Revue française d'histoire économique* et les Presses de la recherche historique. Elle offre des numéros à thème et des *varia*, des articles en français mais aussi souvent en anglais, certains numéros étant quasiment uniquement dans cette langue. Elle s'est agrégée un diffuseur pour la France et Cairn se charge de la diffusion internationale. La seule revue d'histoire économique française... est en partie en langue anglaise et accroît régulièrement son audience.

Thomas PARISOT (CAIRN)

Un projet comme Cairn.info repose fortement sur l'idée que le français puisse perdurer comme langue scientifique, dans les différents domaines des sciences humaines et sociales. Mais cela demande une stratégie et des investissements, dans un contexte de plus en plus fortement marqué par l'anglais et par les grandes plateformes anglo-américaines de référencement (Web of Science, Scopus - Elsevier, Google Scholar, etc.). C'est ainsi que Cairn a lancé en 2014 « Cairn International Edition » (www.Cairn-int.info), plateforme entièrement en anglais, permettant aux non-francophones de naviguer dans l'actualité des revues françaises à travers des sommaires en anglais, des résumés d'articles en anglais, mais aussi des articles intégralement disponibles en anglais, parallèlement à leur version française. Cette mise en visibilité du français par la traduction en anglais passe aujourd'hui autant par un travail de fond sur les « métadonnées » (titres, résumés, mots clés, etc.), et leur intégration aux grandes bases internationales (IBSS, Historical Abstracts, ERIH, MLA, etc.), que par l'éditorialisation de la production francophone pour les publics éloignés, axe pour lequel Cairn a fait le choix de travailler avec une équipe de journalistes spécialisés (https://www.Cairn-int.info/dossiers).

Et cette initiative porte aujourd'hui ses fruits : cette plateforme a enregistré plus de 1.3 millions de consultations en 2018 (soit une augmentation de 40 % sur 12 mois) et des partenariats ont été établis avec plus de 200 établissements d'enseignement supérieur et de recherche non francophones (aux États-Unis, en Chine, au Japon, au Royaume-Uni, en Allemagne, en Espagne, en Italie, en Israël, etc.). Les prochaines étapes consisteront à mieux valoriser le travail d'éditorialisation réalisé en partenariat avec le magazine Books au sein de notre plateforme et de multiplier les passerelles d'export des données en anglais que nous qualifions vers les grandes bases scientifiques internationales.

3/ La montée du numérique ne conduit-elle pas à envisager de manière différente la diffusion et la valorisation de la recherche ? Les revues doivent-elles systématiquement passer au support électronique ? Peut-on et, en ce cas, comment, concilier support papier et support électronique ? Le livre papier a-t-il encore un avenir ? L'édition à la demande constitue-t-elle une solution ?

Christophe MARION (CTHS, École nationale des chartes)

La question essentielle qui se pose aujourd'hui à la communauté scientifique n'est pas celle de l'édition électronique mais plutôt celle de l'édition multi-supports. C'est la raison pour laquelle le CTHS, en choisissant à partir de 2017 de travailler avec Persée et OpenEdition, a opéré des changements importants dans la fabrication de ses actes de congrès en adoptant la chaîne Métopes

(Méthodes et outils pour l'édition structurée) développée par l'université de Caen. Grâce à cette chaîne éditoriale et au format XML-TEI, l'article peut être diffusé en multi-supports (PDF, papier avec un imprimeur ou un tirage à la demande, ePub, Web, etc.). Ainsi, ce n'est plus l'éditeur qui choisit le support des titres qu'il publie mais le lecteur.

Thomas PARISOT (CAIRN)

De même que Cairn tente de concilier langue française et langue anglaise pour combiner diversité de la production et diffusion internationale, nous nous employons à faire du numérique un levier de meilleure valorisation des œuvres dans tous leurs formats, y compris donc le format « papier ». Il est ainsi notable que de nombreux projets éditoriaux récents aient souhaité créer un bel objet physique parallèlement à leur mise en ligne immédiate sur une plateforme comme Cairn.info (par exemple la revue *Zilsel*[18]) ou même que de jeunes revues se positionnent essentiellement comme des objets papiers et non numériques (par exemple la revue *Sensibilités*[19]). Avec les progrès stupéfiants de l'impression à la demande (que Cairn et ses éditeurs partenaires pratiquent largement pour la vente de numéros de revues sur la plateforme Cairn.info), mais aussi des logiciels de mise en page semi-automatisée, permettant la mise en ligne d'articles au fil de l'eau plutôt que par numéros (par exemple pour la récente revue *La Pensée écologique*[20], éditée aux PUF), de nouvelles pratiques de diffusion apparaissent peu à peu et ouvre le champ des possibles pour les revues, les éditeurs et les auteurs.

Éric LEDRU (Éditions SPM)

L'édition scientifique est aujourd'hui en grande partie à la demande, mais pour les revues il subsiste un fond d'abonnés associatifs ce qui permet un tirage fixe imprimé en noir (*Revue de l'Institut Napoléon*) ou en couleur (*La Phalère*). Quant aux livres, sa production se fait maintenant en flux tendus comme dans toute l'industrie, car les délais de livraison se sont considérablement réduits, entre 48 à 72 heures.

Franck COLLARD (APHG)

La revue *Historiens & Géographes* s'articule avec un site internet national (35 000 visiteurs uniques par mois en moyenne), des pages sur les réseaux

18 – https://www.cairn.info/revue-zilsel.htm?contenu=apropos
19 – https://anamosa.fr/les-revues/
20 – https://lapenseeecologique.com/

sociaux (qui permettent une grande réactivité dans la publication des annonces culturelles et scientifiques) et un portail d'accès vers des ressources plus locales (les Régionales de l'APHG). La revue fait le choix, systématisé depuis 2014, de publier un dossier concis et dense de mise au point scientifique (avec des spécialistes incontestés du sujet et des praticiens) articulé avec des exemples de transposition didactique en lien avec un aspect des programmes du second degré ou des concours. Il s'articule avec les ressources proposées par le site internet national www.aphg.fr (avec des compléments en accès réservé). La mutation numérique accompagne une mutation professionnelle et des pratiques de travail. Le support papier privilégie pour *H & G*, et de plus en plus, une réflexion de fond et dense, ainsi que des comptes rendus en lien avec la pratique de la bibliographie et de la préparation aux concours ; tandis que le numérique relaie l'information plus immédiate, des tribunes et des prises de position dans le débat public, les annonces culturelles, les fiches plus courtes ou « utilitaires » en lien avec des études de cas concrètes de transposition de savoirs savants dans l'enseignement secondaire. En ce sens, le livre papier a un avenir, dans une « niche éditoriale » sans doute plus restreinte mais aux contours bien balisés.

En somme, *H & G* a parié pour une relation de complémentarité entre les deux supports : pas question d'abandonner le papier, plus question de lui faire tout transmettre, projet de mise en ligne intégrale mais avec barrière mobile de la revue papier ainsi que projet de numérisation rétrospective ; un jeu de renvois entre les deux supports

Ajoutons que l'échec commercial relatif du « livre numérique » (cf. étude commandée il y a quelques années par le Ministère de la Culture) rend le support papier incontournable et seul véritablement viable économiquement à condition d'apporter « une plus-value » dans un marché éditorial saturé et d'articuler support papier et offre numérique complémentaire. Enfin, dans le cas spécifique d'*H & G*, sa dimension de « revue engagée », « politique » au sens large de l'acception dans la promotion et l'illustration d'un métier bien précis, lui donne une audience particulière et en fait un acteur reconnu dans l'organisation à l'échelle nationale d'une communauté d'historiens et de géographes.

Laurent BOURQUIN (Université du Mans)

Les grandes plateformes numériques ont constitué une petite révolution, qui s'est imposée depuis le début des années 2000. Le fait de pouvoir consulter sans difficulté les revues et télécharger leurs articles a permis de renforcer la visibilité de nos recherches et leur circulation. Ajoutons à cela les bénéfices que nos étudiants en ont tiré, puisqu'ils peuvent désormais facilement accéder aux revues électroniques grâce aux abonnements financés par leurs établissements. Néanmoins, le support papier a toujours sa place dans ce contexte, non plus à destination des bibliothèques universitaires, mais pour satisfaire des abonnés qui ont conservé un intérêt marqué pour «l'objet-livre», y compris la revue reliée.

Ce modèle économique, où le numérique tient une place croissante, doit toutefois être questionné et encadré, car ces abonnements aux grandes plateformes (en SHS, mais aussi en sciences «dures») sont de plus en plus onéreux. En outre, les financeurs publics, en particulier l'Union Européenne, souhaitent légitimement que les productions issues de leurs programmes de recherche soient disponibles en *open access*. La montée en puissance de la plateforme HAL en est la conséquence logique. Nous devons donc nous attendre à d'importantes mutations dans ce domaine au cours des prochaines années, avec le basculement progressif d'une partie de la production vers des plateformes gratuites.

Éric MONNET (OpenEdition, AFHE)

L'édition à la demande a fait des progrès rapides et semble aujourd'hui apporter une solution viable mais je ne suis pas suffisamment spécialiste de cette technologie pour pouvoir me prononcer sur son modèle économique. Le support électronique me paraît une évidence, mais il ne faut pas oublier les problèmes juridiques que peut poser la publication en ligne pour certaines disciplines qui utilisent des images dont les droits sont souvent restreints à la publication papier. Je pense ici en particulier à l'histoire de l'art et à un rapport récent de l'INHA (Institut National d'Histoire de l'Art) qui insistait sur ce problème ("Des revues pour l'histoire de l'art", Rapport rédigé par Sophie CRAS et Constance MORETEAU, INHA, juillet 2017, https://www.inha.fr/fr/recherche/le-departement-des-etudes-et-de-la-recherche/domaines-de-recherche/histoire-et-theorie-de-l-histoire-de-l-art-et-du-patrimoine/des-revues-pour-l-histoire-de-l-art.html) . Mais dans un monde de plus en plus dominé par les images et le numérique, ce problème ne sera bientôt plus limité aux études sur les œuvres d'art... Il y a sans doute sur ce plan des évolutions juridiques à examiner pour ne pas que la publication numérique ait comme conséquence paradoxale de restreindre les sujets d'étude. Il serait absurde aujourd'hui que les sciences sociales soient limitées dans leur capacité à analyser les images et contenus numériques en raison du droit d'auteur qui empêche de les reproduire pour une analyse scientifique. Des exceptions au droit d'auteur doivent être envisagées.

Bruno LAURIOUX (Université de Tours et CTHS)

A mon sens, le problème n'est pas lié au fait qu'un support exclurait l'autre. La plupart des livres et des revues, surtout dans nos domaines, ont vocation à être diffusés sur les deux supports à la fois, électronique (mais sous le format XML et non plus sous le format PDF qui n'autorise guère une recherche active) et papier, sous forme éventuellement de tirage à la demande. Le gros avantage de la publication électronique étant de pouvoir prolonger le texte « classique » - celui qui est issu de l'imprimerie de la Renaissance - par des métadonnées (gloses, images), qui l'apparentent davantage à un manuscrit - voire à un rouleau - médiéval !

Le vrai problème est celui de l'accessibilité. On a beaucoup débattu dans les dernières années sur la nécessaire rémunération des auteur.e.s et des éditeurs/éditrices, au regard de la revendication de libre accès (*Open Access*) manifestée par les lecteurs et lectrices - c'est-à-dire dans le domaine qui nous occupe ici les chercheurs et chercheuses ou apprenti.e.s chercheurs et chercheuses. Pour ma part, je pense que l'*Open Access* en matière de publications scientifiques s'impose d'autant plus que l'État aide beaucoup ce secteur. Dans les années 2000, le CNRS mettait à disposition d'un grand nombre de revues des centaines d'agent.e.s qui occupaient notamment le poste de secrétaires de rédaction - et je ne sache pas que cela ait fondamentalement changé. Est-il bien normal que l'éditeur ou l'éditrice d'une revue qui emploie des agent.e.s payé.e.s d'une manière ou d'une autre par l'État (CNRS, université, EHESS) n'ouvre pas ses collections papier ou numériques au moins aux chercheurs et chercheuses ? Il me semble y avoir là une règle de bon sens à rétablir.

Jean-Claude DAUMAS (AFHE)

Le papier a encore un avenir tout simplement parce que ce n'est pas tout à fait la même chose de lire un livre ou une revue sur support papier et de lire sur écran. En ce qui me concerne, j'imprime tous les articles que je découvre sur le net parce que le papier permet une forme de concentration et de rapport au texte que n'autorise pas la lecture sur écran.

S'agissant des revues, il faut inventer une manière inédite de conjuguer les deux. Il me semble que les « grandes » revues généralistes doivent absolument conserver un format papier tout en acceptant la numérisation, comme c'est d'ailleurs le cas aujourd'hui, mais les petites revues, plus pointues, situées sur des champs de recherche très spécialisés et en mouvement, au lectorat plus sétroit, doivent, au contraire, faire d'emblée le choix du numérique car c'est une affaire de moyens et de coûts. Cela me semble d'autant plus nécessaire que le soutien des institutions officielles à l'édition scientifique est très faible, tant en personnels qu'en ressources financières.

Dans la situation de pénurie où nous sommes aujourd'hui, il me semble que l'édition à la demande peut constituer une solution intelligente dans la mesure où elle est rapide et peu coûteuse, et permet d'accéder à des ouvrages épuisés ou confidentiels, en faisant l'économie d'une édition ou d'une réédition qui générerait inévitablement des stocks coûteux et lourds à gérer.

Enfin, l'édition numérique comme l'édition à la demande peuvent permettre de s'adapter au rythme de la recherche sur contrat (ANR, CNRS, PCRD, régions) qui s'inscrit dans une temporalité relativement courte (de trois à cinq ans), d'autant que les publications qui en sont issues visent généralement des publics relativement étroits et qu'il s'agit très souvent de rendre compte de recherches en cours.

4/ Comment un chercheur d'aujourd'hui doit-il répartir son effort entre investissement scientifique lourd (publication dans des revues internationales à comité de lecture ? travaux collectifs lourds ? livres scientifiques ? congrès, colloques et tables rondes internationales ou non ?) et valorisation (ouvrages grands publics ou manuels ? publication dans des revues grand public ou des journaux ? participation à des expositions, des émissions de radio ou de télévision ? intervention sur les réseaux sociaux ?) ? Quelle doit être la frontière entre recherche fondamentale, recherche appliquée (ou finalisée ou contractuelle) et activité d'expertise, voire même engagement sociétal ?

Laurent BOURQUIN (Université du Mans)

La recherche universitaire et sa valorisation sont absolument indissociables, quelles que soient les disciplines. Certes, tous les travaux ne se prêtent pas de la même façon à une large diffusion, mais il existe, pour l'histoire, une forte attente du public en termes d'éclairage du présent par le passé. Les publications que nous réalisons dans les revues grand public, les ouvrages de vulgarisation, les essais destinés à une large audience, les interventions à la radio ou à la télévision font donc partie de nos missions, et même de notre cœur de métier.

C'est d'autant plus vrai que les nouveaux outils numériques sont en train de bouleverser le paysage en la matière. Il ne s'agit pas seulement de lutter contre les *fake news* prétendument historiques. Il s'agit aussi de s'emparer des modes de communication modernes qui se développent actuellement sur les plateformes de vidéos en ligne, où des vulgarisateurs, souvent de grand talent, mettent à la disposition du public une production de qualité. Dans ce contexte, les universitaires ont toute leur place et doivent occuper ce nouvel espace, qui permet de toucher non seulement le « grand public », mais aussi les étudiants actuels et futurs.

Jean-Claude DAUMAS (AFHE)

Il me semble qu'un chercheur doit d'abord se consacrer à la recherche personnelle qui débouche sur un livre : c'est pour lui le front principal parce que, en histoire du moins, il n'y a pas d'autre moyen pour labourer un chantier en profondeur et que c'est par là que passe l'innovation. La valorisation de cette recherche passe nécessairement par la rédaction d'articles et, si possible, leur traduction en anglais. J'ajoute que c'est cette recherche-là qui doit féconder toute son activité.

Dans l'organisation de la recherche telle qu'elle est en train de se cristalliser aujourd'hui, la participation à des programmes collectifs est devenue inévitable, mais elle ne doit pas pour autant dévorer toute l'énergie et tout le temps des chercheurs. La difficulté est de trouver la bonne articulation entre recherche individuelle et recherche collective : cela dépend bien sûr du domaine de recherche et du stade où l'on en est dans le déroulement de sa carrière. Mais il faut bien être conscient du risque que cette forme de recherche fait peser sur les chercheurs : pour obtenir à la fois des crédits et de la visibilité, les laboratoires (mais aussi les chercheurs individuels) sont aujourd'hui tentés de « monter des projets » qui mobilisent à l'excès les chercheurs, souvent sur des thématiques très éloignées des leurs, et les projets succédant aux projets, c'est tout leur temps de recherche qui est ainsi peu à peu grignoté, sans bénéfice réel.

Parallèlement, il est indispensable de participer à la diffusion auprès du grand public des résultats de la recherche car c'est ainsi que se renouvelle le savoir de nos contemporains et que s'enrichit le débat public. Refuser de le faire serait une forme renouvelée de « trahison des clercs ». Le support importe peu, car ce n'est qu'affaire d'opportunité. La seule chose qui importe est que le chercheur conserve le contrôle de sa parole sans se soumettre à d'autres exigences que celle d'une communication claire et efficace. Cela exige souvent de pénibles négociations, en particulier lorsqu'il s'agit de participer à des documentaires ou à des vidéos où le découpage qui sera fait de ce qu'il aura dit lui échappe largement: mieux vaut donc prendre le maximum de garanties en amont. On peut cependant noter que cette médiatisation de la recherche alimente une véritable coupure entre les chercheurs les plus « médiatiques » et les autres, ce que Noiriel avait noté il y a déjà de nombreuses années dans son livre sur la crise de l'histoire. J'ajoute que cela se double d'une coupure Paris/province : pour ma part, j'ai souvent été sollicité pour participer à des émissions de TV sur des chaînes nationales mais quand le journaliste découvrait que je vis en province, son enthousiasme était sérieusement refroidi car il avait rarement les moyens de prendre en charge les frais de train et d'hôtel que cela entraînait. Mieux vaut alors privilégier la presse écrite ou la radio où les duplex sont généralement possibles.

Éric MONNET (OpenEdition, AFHE)

Il est très difficile de répondre à cette question, et je doute qu'on puisse trouver une règle d'or. Il est toutefois impossible de ne pas y répondre puisque toutes les chercheuses et chercheurs sont aujourd'hui soumis à ces impératifs et à la multiplication des sollicitations. Ma crainte est que cette multiplication des tâches accroissent les inégalités entre universités et entre chercheurs. Le combat est d'autant plus inégal lorsqu'il ne se situe plus sur le plan des idées mais investit les techniques de communication. On le voit aujourd'hui avec les universités nord-américaines qui bénéficient de forts moyens financiers et qui mettent à disposition de certains chercheurs des équipes avec un grand nombre d'assistants, pour la recherche, l'administration ou la communication.

D'une manière générale, ces évolutions poussent de plus en plus les chercheurs à devenir, quelquefois très tôt au cours de leur carrière, des directeurs de recherche qui gèrent une équipe financée par des fonds reçus d'appels à projets (ANR, ERC etc.). Cela soulève notamment deux enjeux. Tout d'abord il y a un risque à la bureaucratisation de la recherche et l'on voit de plus en plus de chercheurs se plaindre de cela. La gestion de ces projets leur apparaît comme une délégation de la gestion des ressources humaines des universités aux chercheurs, à l'heure où les postes de titulaires se raréfient et les contrats temporaires se multiplient. Deuxièmement, il y a un décalage entre le fonctionnement des projets de recherche, de plus en plus souvent collectifs et sous forme d'équipe, et la considération des auteurs au sein des publications. Beaucoup de jeunes chercheurs, en doctorat ou post-doctorat se retrouvent à travailler au sein de ces équipes mais leur travail est insuffisamment reconnu et leur nom insuffisamment mis en valeur dans les publications.

Bruno LAURIOUX (Université de Tours et CTHS)

Le problème ici est celui du décalage entre les critères d'évaluation et la réalité des pratiques. Dans le système d'évaluation normalisé que j'ai mis en place pour les SHS au CNRS (RIBAC), toutes les activités de valorisation sont prises en compte, y compris les publications de vulgarisation, les interventions dans les médias et l'organisation d'expositions. Il faut espérer que cet instrument, qui est actuellement expérimenté par les enseignant.e.s chercheurs et chercheuses de certaines UMR soit étendu à tou.te.s.

Mais c'est très tôt, dès le master, qu'il faut apprendre aux étudiant.e.s à intégrer la valorisation *lato sensu* dans leur démarche de recherche. Les chercheurs et chercheuses – comme d'autres catégories professionnelles – ont besoin que la société les reconnaisse et pour cela il faut qu'elle les connaisse !

Franck COLLARD (APHG)

Grandes questions ! à la première série, réponse très simple : être sur le maximum de fronts et répondre au maximum de sollicitations avec cependant une conscience du retour sur investissement, le grand problème étant de savoir jusqu'à quel point mettre de l'énergie à monter des projets type ANR ou ERC au taux de réussite infime et aux critères d'évaluation parfois opaques ou trop contraignants. Par ailleurs, l'histoire reste une discipline de réalisation personnelle, la pression de l'Institution ne doit pas tout plier au travail collectif.

Le risque de cette multi activité est évidemment la dispersion, le travail superficiel, la fin de la recherche de fond, réalisable seulement sur CRCT, détachements à l'IUF ou ailleurs. Des choix peuvent être faits par phasages dans le déroulement de la carrière. Mais de là à une planification...

La deuxième série de questions appelle le même genre de réponses. Il n'y a pas de cordon étanche entre les divers plans mentionnés, des glissements, des articulations. Il faut toutefois éviter de tout réduire à des finalités appliquées, même si l'on sait bien qu'une recherche se finance maintenant beaucoup sur le critère de son utilité immédiate. Il faut conjuguer des temporalités différentes et nourrir la demande ponctuelle de tel média par des recherches de longue date ; il faut éviter de tout conditionner aux appels d'offres mais profiter de ceux-ci pour développer le projet conçu indépendamment d'eux.

Christophe MARION (CTHS, École nationale des chartes)

Le CTHS n'a pas de légitimité particulière pour définir le travail d'un enseignant-chercheur. Cependant, il constate avec d'autres que la culture de l'évaluation à outrance a conduit à une inflation du nombre de publications (dont la qualité ou le réel impact dans la communauté peuvent être légitimement interrogés). Tout doit-il être publié ? Des alternatives existent-elles (carnet Hypothèses, épi-journaux) ? L'expérience du CTHS tend à montrer que le lien entre l'éditeur et l'auteur n'est pas assez développé : celui-ci est rarement tenu au courant des statistiques de ventes ou plus généralement, associé à la diffusion de son ouvrage. Par ailleurs, la responsabilité de l'éditeur doit le conduire à définir une politique qui explicite avec précision le type d'ouvrages qu'il propose, et à quel public : universitaires, public éclairé, étudiants, etc. C'est en indiquant clairement ce qu'il publiera ou non qu'un éditeur peut agir sur les priorités du chercheur (livres scientifiques, manuels, etc.).

Thomas PARISOT (CAIRN)

Cairn se définit avant tout comme un facilitateur technique et organisationnel au service des revues, des éditeurs et des auteurs de sciences humaines et sociales. En ce sens, nous essayons de refléter la diversité de la production éditoriale et de la valoriser au mieux quelle que soit sa nature, qu'il s'agisse de publications strictement scientifiques ou de projets éditoriaux visant un public plus large. C'est ainsi que Cairn a pu constituer une offre de revues d'intérêt général et de débat[21] ou encore un bouquet numérique de magazines[22], à cheval

21 – Comprenant notamment les revues *Esprit, Études, Critique, Le Débat, Commentaire, Les Temps modernes, Multitudes, Mouvements, Cités*, etc. Voir ici https://www.Cairn.info/disc-interet-general.htm

22 – Composé notamment du magazine *L'Histoire*, du *Monde diplomatique*, du magazine *Sciences Humaines*, etc. Voir ici : https://www.Cairn.info/magazines.php

entre l'univers des sciences humaines et sociales et de celui de la presse. Les services que nous offrons aux auteurs vont par ailleurs continuer à s'étoffer, pour leur permettre très bientôt d'éditer leur « page auteur »[23] sur Cairn.info, de partager de leurs publications plus aisément, par exemple sur les réseaux sociaux et de disposer de statistiques d'usage qualifiées sur l'usage généré par leurs différentes publications.

23 – Par exemple ici : https://www.cairn.info/publications-de-Barjot-Dominique--17304.htm

THE FRENCH ECONOMIC
HISTORY REVIEW

N° 9-10

Document

REVUE FRANÇAISE
D'HISTOIRE ÉCONOMIQUE

N° 9-10

Document

ORIGINES ET MOTIVATIONS AU SUJET DE LA CONSTRUCTION D'UN RÉSEAU TÉLÉGRAPHIQUE RELIANT L'INDOCHINE À LA CHINE À PARTIR DE 1889

Thierry Claeys

IRCOM-Centre Roland Mousnier, Faculté de Lettres de Sorbonne-Université, avec la collaboration de Wen Wen (文雯) 1

Le 1er décembre 1889, les autorités françaises et chinoises signèrent une convention pour la réaliser la construction de lignes télégraphiques reliant l'Union Indochinoise – créée en 1887 – et la Chine, après avoir successivement signé le « Traité de paix, d'amitié, et de commerce, conclu entre la France et la Chine, le 9 juin 1885, à Tien-Tsin » (Tianjin), et « Convention commerciale entre la France et la Chine, signée à Tien-Tsin, le 25 avril 1886 » (*vide infra*).

1 – Madame WEN Wen prépare une thèse de doctorat sous la direction du professeur Dominique Barjot, Centre Roland Mousnier, Faculté de Lettres de Sorbonne-Université.

Convention télégraphique entre la France et la Chine (1er décembre 1888)[1]

Le Gouvernement de la République française et le Gouvernement de l'Empire chinois, désireux de faciliter la transmission des correspondances télégraphiques internationales, ont résolu de conclure une Convention ayant pour objet le raccordement des lignes télégraphiques du Tonkin avec les lignes télégraphiques chinoises, et ont, en conséquence, nommé pour négocier et signer ladite Convention des commissaires munis de pouvoirs spéciaux, savoir :

Le Gouvernement de la République française,
M. Paul Ristelhueber, consul de 1ère classe, résidant à Tientsin[2], chevalier de l'ordre national de la légion d'honneur, commandeur du Double dragon de Chine, etc. ;
Et le Gouvernement de l'Empire chinois,
Cheng-Shuen-Houi[3], fonctionnaire du rang de trésorier provincial, intendant de circuit pour les préfectures de Teng-tchéou[4], Lei-Tchéou[5] et Tchi-tchéou[6], avec juridiction militaire, surintendant des douanes maritimes à Tchéfou[7], directeur général de la Compagnie chinoise de navigation à vapeur, etc., etc., etc.
Lesquels, après s'être communiqué leurs pleins pouvoirs qui ont été reconnus en bonne et due forme, sont convenus des stipulations suivantes :
Article premier. - Les lignes télégraphiques françaises et les lignes télégraphiques chinoises seront reliées à la frontière du Tonkin et de la Chine, dans le but de transmettre de la manière ci-après indiquée les correspondances internationales.

1 – L. de Reinach, *Recueil des traités conclus par la France en Extrême-Orient (1684-1902)*, Paris, Ernest Leroux éditeur, in-8°, 442 p., p. 305-309 (en annexe p. 310-312 ; liste des 55 bureaux télégraphiques en Cochinchine et Cambodge, 26 bureaux en Annam, 35 bureaux au Tonkin, 45 stations dans le Kouang-Tong, Kouang-Si et Yunnan, et 54 stations situées sur le et au sud du Yangtze - Yangzi ou Changjiang -, 38 stations situés au nord du Yangtze, 4 stations en Corée), reprenant le texte publié au *Journal officiel de la République française* du 15 mai 1890. Voir également : *Archives diplomatiques*, 1890, 2e série, tome XXXIV (96), p. 257-260, « Archives Diplomatiques : Première partie, Traités, conventions, protocoles ; Chine - France », qui ne reprit que le texte principal. L'auteur du *Recueil des traités conclus par la France en Extrême-Orient*, était Lucien Joseph de Reinach, fils de Jacob Adolphe - dit Jacques - baron de Reinach, l'infortuné banquier qui fut emporté par le scandale du canal interocéanique du Panama, et de Fanny Emden. Né à Saint-Germain-en-Laye, département de Seine-et-Oise - chez ses père et mère, rue de Sully n° 3, le 29 juin 1864, Lucien de Reinach fut élève à l'École spéciale militaire à Saint-Cyr à partir du 28 octobre 1885, élève à l'École d'application de cavalerie le 1er 1887 avec le grade de sous-lieutenant, sous-lieutenant au 19e régiment de chasseurs en 1888 puis au 2e régiment de hussards en 1889, lieutenant au 2e hussards en 1891, servant au Tonkin à partir de 1893, en activité hors cadres au Tonkin et en Annam, administrateur des services civils de l'Indochine, capitaine de cavalerie à partir de 1901, hors cadres, mis à la disposition du ministère des Colonies en 1908. Il fut nommé chevalier de la Légion d'honneur par le décret du 11 juillet 1908. Voir à son sujet : Archives nationales (A.N.) LH/2288/40 (dossier de Légion d'honneur) ; Jean-Yves Mollier, *Le scandale de Panama*, Paris, Fayard, 1991, 564 pages ; voir notamment le chapitre VII, « La famille Reinach » (pp. 209-239).

2 – Tianjin, 天津.

3 – Sheng Xuanhuai, 盛宣怀 (*vide infra*).

4 – Dengzhou, 登州.

5 – Laizhou, 莱州.

6 – Qingzhou, 青州.

7 – Yantai, 烟台.

Art. 2 - Les raccordements seront établis :

A. Entre la station française de Dongdang, au Tonkin, et la station chinoise de Tcheun-Nan-Kouan[8], dans la province de Kouang-si[9].

B. Entre la station française de Monkai, au Tonkin, et la station chinoise de Tong-hing[10], dans la province de Kuang-tong[11].

C. Entre la station française de Laokai, au Tonkin, et la station chinoise de Mongtze[12], dans la province du Yun-nan[13].

Aussitôt après que la présente Convention aura reçu l'approbation du Gouvernement chinois, il sera procédé au raccordement entre Dongdang et Tcheun-Nan-Kouan.

Les raccordements entre Monkai et Tong-hing, d'une part, et Laokai et Mongtze, d'autre part, seront établis dans le délai de dix-huit mois, après que ladite approbation aura été donnée.

Art. 3 - L'administration des télégraphes français et l'administration des télégraphes chinois établiront, maintiendront en bon état et desserviront les lignes de raccordement. Chacune des parties contractantes prendra à sa charge la part des dépenses qui seront faites pour ces différents objets sur son propre territoire et veillera à ce que les limites de chaque territoire soient scrupuleusement respectées. Les stations mentionnées à l'article précédent devront assurer la transmission des télégrammes en se servant des fils directs des lignes de raccordement.

Art. 4 - Les prescriptions stipulées pour le régime extra-européen dans le règlement de service de la Convention télégraphique internationale ([14]) seront observées en ce qui concerne le traitement technique des télégrammes transmis par les lignes terrestres de raccordement. Toutefois, pour le compte des mots des télégrammes échangés par les lignes terrestres de raccordement entre la Chine d'une part, et d'autre part le Tonkin, l'Annam, la Cochinchine et le Cambodge, on appliquera les règles du régime européen stipulées dans le règlement de service de la Convention télégraphique internationale.

Art. 5 - Chacune des Parties contractantes fixe les taxes à percevoir pour la transmission des correspondances par ses lignes respectives, jusqu'à la frontière de son territoire. Toutefois, il est entendu que, pendant toute la durée de la présente Convention, les taxes fixées dans l'articles 6 ne pourront être augmentées et que, pendant la moitié de la période, chacune des Parties contractantes aura la faculté de réduire ses propres taxes, si elle le juge convenable.

Art. 6 - Les taxes à percevoir par mot pour les correspondances échangées par les lignes de raccordement mentionnées à l'article 2 sont fixées ainsi qu'il suit :

8 – Zhennanguan, 镇南关.

9 – Guangxi, 广西.

10 – Dongxing, 东兴 (elle est maintenant une ville de la région autonome du Guangxi, au lieu du Guangdong).

11 – Guangdong, 广东.

12 – Mengzi, 蒙自.

13 – Yunnan, 云南.

14 – Il s'agit de la Convention télégraphique internationale signée à Saint-Pétersbourg le 22 juillet 1875 (*Archives*, 1876-1877, III, p. 80) et du Règlement du service signé à Berlin le 17 septembre 1885 (*Archives*, 1886, IV, p. 252).

Taxes perçues par l'administration des télégraphes français :

A. - *Taxes terminales.*

Pour toutes les correspondances échangées par les voies terrestres de la frontière chinoise avec :

1° le Tonkin	0,15 F
2° l'Annam	0,30 F
3° la Cochinchine et le Cambodge	0,45 F

B. - *Taxes de transit.*

Pour toutes les correspondances échangées entre la frontière chinoise et :

1° Les autres frontières par la voie terrestre	0,50 F
2° Les câbles atterrissant à :	
a. Haïphong	0,20 F
b. Hué	0,30 F
c. Saigon	0,50 F

Taxes perçues par l'administration des télégraphes chinois :

A. - *Taxes terminales.*

1° Pour les correspondances échangées par la frontière du Tonkin entre le Tonkin, l'Annam, la Cochinchine, le Cambodge et Siam d'une part, et d'autre part :	
a. Toutes les stations des provinces du Kouang-tong du Kouang-si et du Yunnan	0,75 F
b. Toutes les autres stations situées sur le Yangtze[15] ou au sud du Yantze	1,25 F
c. Toutes les autres stations situées au nord du le Yangtze sauf celles qui se trouvent en Corée	2,25 F
d. Les stations chinoises en Corée	2,50 F
2° Pour les correspondances échangées par la frontière du Tonkin entre la Chine et l'Europe ou les pays situés au-delà de l'Europe	5,50 F
a. Toutes les stations des provinces du Kouang-tong, du Kouang-si et du Yunnan	1,00 F
b. Toutes les autres stations situées sur le Yangtze ou au sud du Yantze	1,50 F
c. Toutes les autres stations situées au nord du le Yangtze sauf celles qui se trouvent en Corée	2,25 F
d. Les stations chinoises en Corée	2,50 F

15 – Yangzi ou Changjiang, 长江.

B. – *Taxes de transit.*

1° Pour les correspondances échangées par la frontière du Tonkin entre l'Europe et les pays au-delà d'une part, et d'autre part toutes les autres frontières de la Chine	5,50 F
2° Pour toutes les correspondances échangées par la frontière du Tonkin et :	
a. Hong-Kong[16]	0,75 F
b. Amoy[17], Foutchéou[18] et Shanghaï[19]	1,25 F
c. Toutes les autres frontières	2,50 F

Art. 7 – Une liste donnant les noms des stations françaises et chinoises, dont il est parlé à l'article précédent, est annexée à la présente Convention.

Art. 8 – Lorsque les expéditeurs des télégrammes n'auront pas expressément indiqué la voie par laquelle ils désirent que leurs télégrammes soient transmis, il est entendu qu'à tarif inférieur toutes les correspondances, et à tarif égal la moitié au moins des correspondances, devront être expédiées par les lignes de raccordement mentionnées à l'article 2 de la présente Convention.

Art. 9 – Le compte des correspondances transmises sera arrêté chaque jour et communiqué par le télégraphe de station à station.

Le règlement des comptes aura lieu à la fin de chaque mois. Le solde résultant des comptes sera payé à l'administration des télégraphes français à Saïgon, et à l'administration des télégraphes chinois à Shanghaï, dans les dix jours qui suivront le mois auquel ce solde se rapporte.

Les télégrammes échangés au sujet du règlement des comptes seront considérés comme télégrammes de service.

Le mois sera calculé suivant le calendrier européen.

Art. 10 – Les payements seront effectués en piastres mexicaines au taux de vingt-six cents (26 cents) de piastres pour un franc.

Art. 11 – Aussitôt après l'échange des signatures, la présente Convention sera soumise à l'approbation du Gouvernement chinois ; elle sera mise à exécution dès que cette approbation aura été donnée, et restera en vigueur pendant quinze années. Au-delà de cette période elle continuera à être obligatoire tant que l'une des Parties contractantes n'aura pas annoncé, six mois à l'avance, l'intention, soit d'y apporter des modifications, soit d'en faire cesser les effets.

Toutefois, il est entendu que dans le cas où, avant l'expiration de la présente Convention, des modifications seraient apportées dans les arrangements qui lient actuellement l'administration chinoise aux Compagnies *Great Northern* et *Eastern-Extension*, en ce qui concerne les taxes terminales et de transit pour les correspondances à destination ou provenant d'Europe et des pays au-delà,

16 – Xianggang, 香港 (Hongkong reste un nom couramment usité).

17 – Xiamen, 厦门.

18 – Fouzhou, 福州.

19 – Shanghai, 上海.

l'administration des télégraphes français obtiendrait de droit pour lesdites taxes toutes les réductions qui seraient faites à la suite de ces modifications.

Art. 12 - La ligne de raccordement entre la station française de Laokai, au Tonkin, et la station chinoise de Montze, dans la province du Yun-nan[20], ne devant être établie que dans le délai de dix-huit mois, il est entendu que les correspondances télégraphiques à destination ou provenant du Yun-nan auront à acquitter, jusqu'au moment du raccordement, les taxes terminales de 1 fr. 25 et de 1 fr. 50 par mot stipulées dans les paragraphes A. 1° *b.* et A. 3° *b.* de l'article sixième de la présente Convention.

Fait à Tchéfou, en huit exemplaires, dont quatre en langue française et quatre en langue chinoise, le premier décembre mil huit cent quatre-vingt-huit, correspondant au vingt-huitième jour de la dixième lune de la quatorzième année du Kouang-Sin.

Signé : P. Ristelhueber

Cheng-Shuen-Houi.

Un complément fut inséré dans la « Convention complémentaire de la Convention additionnelle de commerce du 26 juin 1887 entre la France et la Chine, signée à Pékin, le 20 juin 1895 »[21] :

« Art. 6 : L'article 2 de la Convention télégraphique entre la France et la Chine signée à Tche-Fou le 1er décembre 1888, est complété ainsi qu'il suit : D. – Un raccordement sera établi entre la préfecture secondaire de Sse-Mao[22] et l'Annam par deux stations, qui seront Sse-Mao, en Chine, et Muong-Ha-Hin (Puong-Ngay-Neua) placé en Annam, à mi-chemin de Lai-Chau et Luang-Prabang. Les tarifs seront fixés conformément à l'article 6 de la Convention télégraphique de Tche-Fou[23]. »

Cette convention du 1er décembre 1888 intervint après près de trente années de conflits larvés et ouverts entre la France, l'Annam et la Chine pour le contrôle de la péninsule indochinoise, auxquels le « Traité de paix, d'amitié, et de commerce, conclu entre la France et la Chine, le 9 juin 1885, à Tien-Tsin », mit définitivement un terme[24].

20 – Yunnan, 云南.

21 – Voir : L. de Reinach, *Recueil des traités conclu par la France en Extrême-Orient, op. cit.*, p. 331-334. Cette convention fut immédiatement précédée par la « Convention complémentaire de la Convention de délimitation de la frontière entre le Tonkin et la Chine du 26 juin 1887, signée à Pékin, le 20 juin 1895 (Échange de ratifications à Pékin, le 7 août 1896) : *Ibidem*, p. 328 *sq.*

22 – Simao, 思茅.

23 – Tchéfou ; Yantai, 烟台.

24 – L. de Reinach, *op. cit.*, p. 229-235. Ce traité fut précédé par la Convention signée à Paris, le 4 avril 1885, entre la France et la Chine (*Ibidem*, p. 225-226). Pour davantage de renseignements, voir : Michel Bodin, *Les Français au Tonkin 1870-1902 : Une conquête difficile*, Paris, SOTECA, collection « Outre-Mer », 2012, 296 p. ; Pierre Brocheux, Daniel Hémery, *Indochine : La colonisation ambiguë, 1858-1954*, Paris, La Découverte, 1995 (première édition), 427 p., voir p. 26-55 ; Philippe Devillers, *Français et Annamites : Partenaires ou ennemis ? 1856-1902*, Paris, Denoël, collection « L'Aventure coloniale de la France. Destins croisés », 1998, 528 p.

La première intervention française en Annam fit suite à la décapitation de l'évêque espagnol Diaz sur l'ordre du roi : un corps expéditionnaire franco-espagnol fort de 2 300 hommes y fut envoyé en 1858 et les affrontements perdurèrent jusqu'au début de l'année 1862[25]. Par le Traité de Saigon du 5 juin 1862, l'Annam céda à la France ses trois provinces méridionales qui devinrent une colonie française sous le nom de Cochinchine[26].

Consécutivement aux péripéties militaires du dernier trimestre 1873, la prise de Hanoï par l'expédition de Francis Garnier le 20 novembre, et la mort au combat de ce dernier le 21 décembre suivant - à l'occasion d'une contre-offensive des troupes annamites, renforcées des Pavillons Noirs, des pirates chinois servant de mercenaires à l'empereur de l'Annam -, un traité franco-annamite - dit traité Philastre - fut conclu 15 mars 1874[27], par lequel la France avait reconnu l'entière indépendance de l'Annam vis-à-vis de toute puissance

25 – Le corps expéditionnaire franco-espagnol fut renforcé par une partie des forces françaises ayant participé à la campagne franco-anglaise de 1860 en Chine, rendue célèbre par le sac du Palais d'Été, voir : Raymond Bourgerie, Pierre Lesouef, *Palikao (1860). Le sac du Palais d'Été et la prise de Pékin*, Paris, Economica, 1995, 158 p., p. 135-139 : chapitre 24, « Le départ des troupes et le renforcement de la Cochinchine ».

26 – Voir : L. de Reinach, *op. cit.*, p. 94-98 : « Traité de paix et d'amitié conclu à Saïgon, le 5 juin 1862, entre la France et l'Espagne, d'une part, et le royaume d'Annam, d'autre part (Échange des ratifications à Hué, le 14 avril 1863) ». Actuellement, Saïgon est orthographié Saigon.

27 – *Ibidem*, p. 146-153 : « Traité de paix et d'alliance conclu à Saïgon, le 15 mars 1874, entre la France et le Royaume d'Annam (Échange des ratifications à Hué, le 26 août 1875). « S. Exc. Le Président de la République Française et S. M. le Roi de l'Annam, voulant unir leurs deux pays par les liens d'une amitié durable, ont résolu de conclure un Traité de paix et d'alliance remplaçant celui du 5 juin 1862, et ils ont en conséquence nommé leurs Plénipotentiaires à cet effet, savoir : S. Exc. Le Président de la République Française : le Contre Amiral Dupré, Gouverneur et Commandant en chef de la Basse-Cochinchine, Grand-Officier de l'ordre national de la Légion d'Honneur, officier de l'Instruction publique, etc., etc. Et S. M. le Roi de l'Annam : Le Tuan, Ministre de la Justice, premier Ambassadeur et Nguyen Van Tuong, premier conseiller du Ministre des Rites, deuxième Ambassadeur, qui, après communication de leurs pouvoirs respectifs, trouvés en bonne et due forme, sont convenus des articles suivant : Art. 1. Il y aura paix, amitié et alliance perpétuelles entre la France et lr Royaume d'Annam (...).
En 1866-1868, Doudart de Lagrée et Francis Garnier avaient exploré le cours du Mékong et démontré l'inaptitude de ce fleuve à la navigation. Garnier entreprit d'explorer le Fleuve Rouge, lien naturel entre le Yunnan et le Tonkin, et aboutit à Hankéou, où il rencontra le négociant Dupuis - un ancien marchand d'armes lors de l'affaire des Taïping qui avait tissé des liens étroits avec Ma, le chef musulman du Yunnan rallié aux autorités chinoises -, et les frères Rocher, fonctionnaires français des Douanes chinoises, dont Émile qui servit d'intermédiaire dans la grande révolte des musulmans du Yunnan. Fin 1872, Dupuis traversa le Tonkin avec une cargaison d'armes destinée à Ma, qui en échange céda une grande quantité d'étain. Arrivé à Hanoï, il subit le blocus mis sur l'étain par les mandarins annamites. L'amiral Dupré intervint sur la demande du gouverneur de la Cochinchine et envoya Garnier à Hanoï. Ce dernier déclara le Fleuve Rouge ouvert au commerce le 17 novembre 1873 avant d'être tué dans une escarmouche avec des Pavillons Noirs. Finalement les seuls avancées du traité Philastre furent l'ouverture du Fleuve Rouge et l'installation d'un consul de France à Hanoï. Voir : Michel Bruguière, « Le chemin de fer du Yunnan. Paul Doumer et la politique d'intervention française en Chine, 1889-1902 », dans Michel Bruguière, *Pour une renaissance de l'histoire financière (XVIIIe-XXe siècles)*, Paris, Comité pour l'histoire économique et financière de la France, 1992, p. 1-85, voir p. 10, citant notamment, John Cady, *The Roots of French Imperialism in Eastern Asia*, 1954, p. 281 sq. (il s'agit de la réédition des articles publiés dans la *Revue d'Histoire diplomatique*, tome LXXVII, janvier-mars 1963, p. 23-61, avril-juin 1963, p. 129-162, juillet-septembre 1963, p. 252-278).
Voir également : Francis Garnier, *Voyage d'exploration en Indochine, effectué pendant les années 1866, 1867 à 1868*, Paris, 1873, 2 volumes. Cet ouvrage, rendu célèbre par la fin tragique de son auteur, fit connaître au public français la province du Yunnan. Il y présenta la province commerce un marché prometteur pour le commerce français et Saigon, dans la perspective de l'ouverture de ce marché, comme une rivale éventuelle de Hong Kong. En juillet-août 1878, Jean Dupuis publia dans le *Bulletin de la Société de Géographie* un article intitulé « Voyage au Yunnan ». L'année suivante, il publia son ouvrage *L'ouverture du Fleuve Rouge au commerce : 1872-1877*. Il fut suivi de Rocher, qui sortit en 1879-1880 son livre en deux volumes intitulé *La province chinoise du Yunnan*. Enfin V. Hoskiaer, colonel du Génie, publia aux éditions Plon, en 1883, *Les routes commerciales du Yunnan, province chinoise au nord du Tonkin*. Ces dernières publications décrivirent le Yunnan comme un véritable eldorado minier. Ces publications

étrangère tout en s'engageant à lui donner l'appui nécessaire pour maintenir l'ordre à l'intérieur et pour se défendre de toute attaque. En retour, l'Annam s'était obligé à conformer à la politique extérieure française[28]. Les contractants ne tardèrent pas à être en désaccord sur la portée de leurs engagements, l'Annam n'y voyant qu'un traité d'amitié et d'alliance éventuelle, et la France estimant au contraire que ce traité constituait à son profit un protectorat[29]. Les Annamites et leur monarque furent encouragés dans leur résistance par l'Empire Céleste qui refusa de reconnaître un traité qui contestait implicitement la suzeraineté chinoise sur le royaume de l'Annam[30].

ne furent pas étrangères aux ambitions françaises concernant le Tonkin, ayant une frontière commune avec le Yunnan. Voir Michel Bruguière, art. cit., p. 11.

28 – L. de Reinach, *op. cit.*, p. 116 : « Traité de paix (...) » : articles 2 et 3 : « S. Exc. Le Président de la République Française, reconnaissant la souveraineté du Roi de l'Annam et son entière indépendance vis-à-vis de toute puissance étrangère, quelle qu'elle soit, lui promet aide et assistance et s'engage à lui donner, sur sa demande et gratuitement, l'appui nécessaire pour maintenir dans ses États l'ordre et la tranquillité, pour le défendre contre toute attaque et pour détruire la piraterie qui désole une partie des côtes du Royaume » (art. 2). « En reconnaissance de cette protection, Sa Majesté le Roi de l'Annam s'engage à conformer sa politique extérieure à celle de la France et à ne rien changer à ses relations diplomatiques actuelles. Cet engagement politique ne s'étend pas aux Traités de commerce. Mais, dans aucun cas, Sa Majesté le Roi de l'Annam ne pourra faire avec une nation quelle qu'elle soit, de Traité de commerce en désaccord avec celui conclu entre la France et le Royaume d'Annam, et sans en avoir préalablement informé le Gouvernement Français » (art. 3).

29 – Albert Billot, *L'affaire du Tonkin. Histoire diplomatique de l'établissement de notre protectorat sur l'Annam et de Notre Conflit avec la Chine. 1882-1885, par un diplomate*, Paris, J. Hetzel et Cie, éditeurs, 1885, 430 p., p. 2 (« Livre Premier : Traités de Tien-Tsin et de Hué, décembre 1882 à juin 1884 ; Chapitre premier, Situation en 1882 »).

Né à Bourges, département du Cher, le 3 décembre 1841, décédé à Paris 16e, en son domicile sis Bd Suchet n° 49, le 17 novembre 1922, fils de Joseph Billot, sous-inspecteur des écoles primaires du département du Cher, et de Céline Moitoret, Albert Joseph François Martial Billot fut nommé attaché surnuméraire au département des Affaires étrangères - direction politique et contentieux - le 29 décembre 1865, attaché indemnisé le 1er novembre suivant, commis principal à la direction politique le 1er novembre 1869, rédacteur le 8 avril 1871, secrétaire du comité consultatif du contentieux politique et commercial le 14 février 1877, directeur du contentieux politique et commercial et ministre plénipotentiaire de 1ère classe le 16 octobre 1880, membre du comité de législation étrangère institué au ministère de la Justice le 27 mars 1882, ministre plénipotentiaire de 2e classe le 24 octobre 1883, puis membre du Conseil supérieur des Colonies le 29 mars 1884. Par un arrêté du 10 avril 1885, il fut mis à la disposition du ministre des Affaires étrangères et chargé de travaux particuliers. Il écrivit dans ce cadre l'ouvrage intitulé *L'affaire du Tonkin (...)*. Suivant un décret du 24 novembre 1885, il fut nommé envoyé extraordinaire et ministre plénipotentiaire à Lisbonne. Ultérieurement, il fut nommé ambassadeur de France à Rome. Nommé chevalier de la Légion d'honneur le 11 octobre 1873, il obtint toutes les décorations jusqu'à celle de grand-officier de la Légion d'honneur, par le décret du 4 décembre 1897. Il fut veuf en premières noces de Suzanne Bataille, et en secondes noces de Mathilde Naudin. Voir à son sujet : Archives départementales du Cher 3^E^2538, n° 497, acte de naissance du 4 décembre 1944 ; Archives de Paris V11E 538 (table des décès du 16e arrondissement de Paris) ; Archives de Paris 16D 124 n° 2130, acte de décès du 17 novembre 1922 ; A.N. LH/241/57 (dossier de Légion d'honneur d'Albert Billot).

30 – L'Annam, dont le nom d'origine chinois An,安 (la paix) et Nan, 南 (Sud), signifiait « Sud pacifié », constitua l'un des six protectorats créés par la dynastie Tang au confins de la Chine sans être directement annexés à l'Empire Céleste. Si le royaume annamite avait réussi à se libérer de cette tutelle durant plusieurs siècles, il redevint tributaire sous la dynastie mandchoue.

Alors qu'une guerre ouverte entre la France et la Chine menaça, le marquis Tseng fit connaître, le 26 novembre 1883, que le Gouvernement impérial avait le regret de ne pas trouver dans la proposition française une mesure qui répondait aux besoins de l'état des choses au Tonkin. Le Tsong-li-Yamen avait protesté par une circulaire adressée aux différentes puissances étrangères contre les entreprises françaises en Annam. Cette circulaire avait été adressée directement au chargé d'affaires français à Pékin et communiqué à Jules Ferry par le marquis Tseng :

« Nous faisons appel au sentiment d'équité de toutes les nations, pour juger si c'est un acte de justice que de méconnaître, comme vassal de la chine, un Prince qui a, pendant deux cents ans, rendu aux Empereurs de la Chine les tributs et hommages de vassal, et qui, pendant la même période a reçu d'eux l'investiture et la protection.

Le Gouvernement impérial est très désireux de conserver ses bonnes relations avec la France, et si ce désir est réciproque, il est près à s'entendre avec elle pour arriver un accord à l'amiable. Mais si le Gouvernement français

Les traités signés à Huê le 25 août 1883, à Tien-Tsin le 11 mai 1884, puis derechef à Huê le 6 juin 1884[31], n'empêchèrent pas l'incident de Bac-Lê opposant des troupes chinoises à la garnison française de Lang Son, le 22 juin 1884, événement déclencheur d'une guerre ouverte entre la Chine et la France qui eut pour effet le bombardement de Kelung ou Ke Long[32] – les 4 et 5 août 1884[33] –, la destruction de la flotte chinoise mouillant au port de Foutchéou et le bombardement de son arsenal – l'œuvre de Prosper Marie Gicquel[34] – par l'amiral Courbet du 23 au 29 août suivant, l'occupation en janvier 1885 de Ke Long et de Tam Sui, les deux ports des charbonnages de Formose, puis le blocus de l'île et l'organisation de l'embargo sur le ravitaillement de la Chine septentrionale en riz, en février 1885, et enfin, l'imbroglio de Lang Son en février-mars 1885 qui entraîna le renversement du gouvernement de Jules Ferry le 30 mars suivant et précipita les négociations franco-chinoises[35].

Le conflit prit fin avec l'abandon par la Chine de toutes ses prétentions sur l'Annam. Après la signature des préliminaires de paix le 4 avril 1885[36], la Chine et la France conclurent un Traité de paix, d'amitié, et de commerce, le 9 juin suivant[37]. L'article 7 de ce traité aborda la question de la construction des infrastructures :

> En vue de développer dans les conditions les plus avantageuses les relations de commerce et de bon voisinage que le présent Traité a pour objet de rétablir entre la France et la Chine, le Gouvernement de la République construira des routes au Tonkin et y encouragera la construction de chemins de fer.
> Lorsque, de son côté, la Chine aura décidé de construire des voies ferrées, il est entendu qu'elle s'adressera à l'industrie Française et le Gouvernement de la République lui donnera toutes les facilités pour se procurer en France le personnel dont elle aura besoin. Il est entendu aussi que cette clause ne peut être considérée comme un privilège exclusif en faveur de la France[38].

voulait quand même empiéter sur les lieux occupés par les troupes impériales au Tonkin, ce serait le Cabinet français qui aurait voulu rompre la paix. Car alors que les troupes impériales, mises en demeure de se défendre, ne manqueraient pas d'opposer la force contre la force. Tout regrettable que soit un conflit ainsi produit, ce serait le Gouvernement français seul qui en serait responsable. Nous n'aurions à nous reprocher ni l'ouverture des hostilités, ni l'abrogation des traités qui peut en résulter… » (Albert Billot, *L'affaire du Tonkin*, *op. cit.*, p. 126).

31 – Albert Billot, *op. cit.*, p. 411-415 (Traité de Huê – orthographié à l'époque Hué – du 25 août 1883 par lequel l'Annam reconnut et accepta la protectorat, et dont l'article 10 traita de l'établissement d'une ligne télégraphique exploitée par des employés français et dont une partie des droits devait être attribuée au gouvernement annamite) ; p. 416-417 (Traité de Tien-Tsin du 11 mai 1884) ; p. 418-421 (Traité conclu à Huê le 6 juin 1884).

32 – Jilong, 基隆. Albert Billot et les auteurs contemporains écrivirent Kelung.

33 – Albert Billot, *op. cit.*, p. 216-217.

34 – En décembre 1883, Prosper Gicquel (日意格), lieutenant de vaisseau en retraite, officier de la Légion d'honneur, directeur de la Mission Chinoise en Europe à la fin des années 1870 – début des années 1880, servit très probablement d'intermédiaire entre le marquis Tseng et le quai d'Orsay. Voir : Albert Billot, *op. cit.*, p. 124.

35 – *Ibidem*, p. 218 *sq*, 298 *sq*, 300, 304, 308-309 ; Pierre Brocheux, Daniel Hémery, *op. cit.*, p. 52-53.

36 – *Ibid.*, p 422. Le récit d'Albert Billot s'arrêta avec ce texte.

37 – L. de Reinach, *op. cit.*, p. 229-233, et les annexes, p. 233-235 : « Traité de paix, d'amitié, et de commerce, conclu entre la France et la Chine, le 9 juin 1885, à Tien-Tsin (Échange des ratifications, à Pékin, le 20 novembre 1885) ».

38 – *Ibidem*, p. 232.

Cet article fut le point de départ de la constitution d'un syndicat regroupant plusieurs grands établissements industriels français sous la direction du *Comptoir d'Escompte de Paris* : la *Société de Fives-Lille*, la *Société Anonyme des anciens Établissements Cail*, les *Ateliers et chantiers de la Loire*, la *Société des Aciéries de la marine et des chemins de fer*, la *Société des Forges et Chantiers de la Méditerranée*, *Marrel frères*, la *Société des mines de l'Anjou et des forges de Saint-Nazaire*, et la *Société industrielle et commerciale des métaux*. À partir du 1er janvier 1886, ce syndicat fut représenté en Chine par Jean Marie Thévenet, dit Thévenet-Le Boul, ingénieur en chef des Ponts et chaussées, qui prit le titre de « chef de la Mission de l'industrie française en Chine » et établit sa résidence à Tien-Tsin. Chargé des constructions du port militaire et de l'arsenal de Port-Arthur[39] (novembre 1886)[40], de deux ponts sur le Pei-Ho, à Tien-Tsin, et d'un moulin à blé, ainsi que de fournir deux dragues pour le Fleuve Jaune (avril 1887), un chemin de fer et ses wagonnets pour le palais impérial, de 1886 à 1889, des fers et cuivres et du ciment, ce syndicat constata finalement une perte d'environ 4 millions de francs dans cette affaire en décembre 1889. Entretemps, le principal bailleur de fonds, le *Comptoir d'Escompte de Paris* – qui avait installé à cet effet une agence à Tien-Tsin –, avait fait faillite[41].

39 – Lüshunkou, 旅顺口.

40 – Voir à ce sujet : *Comptoir d'Escompte, Rapport à l'assemblée générale ordinaire des actionnaires du 31 janvier 1887. Compte rendu des Opérations de l'Exercice 1886*, Paris, Société anonyme des Imprimeries réunis, Motteroz, Administrateur-Directeur, 54bis, rue du Four, 1887, 39 p., p. 16-17 :

« Vous savez qu'après la cessation des hostilités avec la Chine, les gouvernements européens ont appelé l'attention de leurs nationaux sur les débouchés que l'Empire chinois pourrait offrir à l'industrie momentanément paralysée un excès de production.

Répondant au désir exprimé par notre gouvernement, le Comptoir d'Escompte a pris l'initiative de grouper la plupart des établissements français de métallurgie, de constructions navales, d'armement et de fournitures militaires ; le *consortium* ainsi formé sous la direction de nos ingénieurs les plus expérimentées, a fait choix pour son représentant en Chine M. Thévenet, ingénieur en chef des Ponts et Chaussées, auquel le gouvernement français a accordé un congé de longue durée. Grâce au concours des représentants de la France en Chine, à la persévérance avec lequel M. Thévenet, chef de la Mission de l'industrie française, a poursuivi auprès du Vice-Roi du Petchili, S. E. Li-Hong-Change, des négociations ayant pour objet l'exécution de plans savamment étudiés, notre *consortium* a obtenu les importants travaux de Port-Arthur.

Ces travaux, nous en avons la ferme conviction, mettront en relief l'art de nos ingénieurs et nous espérons qu'ils ne sont que le prélude d'autres entreprises dans lesquelles la France prendra sa part des conquêtes pacifiques de la civilisation.

Afin de faciliter les opérations de trésorerie qui sont la conséquence des affaires industrielles, nous avons établi à Tien-Tsin une Agence dont l'intervention nous avons déjà été très utile et dont le développement suivra les progrès de la Mission Thévenet. »

41 – *Comptoir d'Escompte, Rapport à l'assemblée générale ordinaire des actionnaires du 28 janvier 1888. Compte rendu des Opérations de l'Exercice 1887*, Paris, Société anonyme des Imprimeries réunis, Motteroz, Administrateur-Directeur, 54bis, rue du Four, 1888, 36 p., p. 16 :

« Après les détails que nous avons donnés l'an dernier sur la Mission de l'industrie française en Chine, nous regretterions de passer sous silence cette importante création. Nous sommes heureux de vous dire que M. Thévenet, le chef de la Mission, semble avoir pris auprès du gouvernement chinois une situation conforme à ce que nous pouvions espérer de ses imminentes qualités et de la puissance des Établissements métallurgiques qu'il représente.

Les grands travaux de Port-Arthur, dont le gros œuvre sera prochainement terminé, seront parachevés à la fin de l'année qui vient s'ouvrir.

Nous avons des raisons de croire que d'autres entreprises du même genre seront confiées à la Mission et que le Gouvernement chinois sera ainsi amené à demander à l'industrie française une grande partie de l'outillage nécessaire pour l'exécution des projets poursuivis.

La réalisation d'un réseau télégraphique était la conséquence logique de l'article 7 du traité de paix, d'amitié et de commerce du 9 juin 1885 ainsi que de l'article 10 des deux traités de Huê signés les 25 août 1883 et 6 juin 1884 et devait d'une part affranchir la France du monopole du *Great Northern Telegraph Company*, dont les dépêches transitaient par la Russie, et d'autre part, favoriser les échanges commerciales entre la Chine et son voisin méridional – notamment l'exportation d'une houille d'excellente qualité produite par la *Société française des charbonnages du Tonkin*, fondée en 1888[42] – et naturellement le développement des projets industriels français ci-dessus mentionnés.

Enfin, sa réalisation était une condition *sine qua non* pour la construction alors déjà envisagée d'un chemin de fer devant relier le Tonkin à la province du Yunnan.

Il est également intéressant d'évoquer les parcours des deux commissaires signataires, Paul Ristelhueber et Cheng-Shuen-Houi (Sheng Xuanhuai).

Né à La Basse-Terre, île de la Guadeloupe, le 19 juillet 1849, décédé à Paris 16e, en son domicile sis rue d'Eylau n° 25, le 12 mars 1925[43], Paul Ristelhueber (询林椿) entama sa carrière diplomatique comme « élève interprète pour la langue chinoise » à Pékin, aux termes d'un arrêté du 8 janvier 1869, fut envoyé en mission à Tien-Tsin le 4 décembre 1870 pour régler avec le vice-roi de Tché-li les indemnités à accorder aux familles des chrétiens chinois victimes pendant le massacre du 21 juin 1870, et occupa successivement les fonctions de premier interprète de la Légation de France à Pékin du 25 août 1871 au 6 août 1872, de gestionnaire du consulat de Tien-Tsin du 9 mars 1873 au 15 juillet 1874, interprète du consulat général à Shanghai du 21 juillet 1874 au 10 novembre 1875 – chargé à ce titre de l'enquête nécessité par l'émeute du 3 mai 1874 sur la concession française, dite l'affaire de la Pagode de Ning-Pô –, interprète chancelier à Tien-Tsin à partir du 7 août 1875 et gestionnaire du consulat à Foutchéou du 17 mai 1877 au 16 juin 1880. En 1879, il fut le seul élève à poursuivre les cours de chinois à l'École des Langues orientales. Nommé premier interprète de la Légation le 1er novembre 1880, il rendit d'importants services pendant les négociations qui avaient pour objet de trouver une solution pacifique au conflit russo-chinois, ce qui lui valurent la croix de chevalier de la

Vous vous joindrez à nous, Messieurs, pour envoyer un cordial encouragement aux travailleurs infatigables qui, malgré les périls du climat et l'éloignement de la mère patrie, luttent avec énergie pour l'intérêt national. »

Paul Boell, *Les scandales du Quai d'Orsay. Les pots-de-vin du consul – la trahison Bourée, le cas Lemaire*, Paris, Albert Savine Éditeur, 1893, 138 pages, p. 19-21. Ayant appris la langue chinoise, Paul Boell avait « chargé par le ministre de l'Instruction publique d'une mission scientifique dans l'Extrême-Orient, où il passa trois années entières pour y étudier les domaines qui l'intéressaient, mais également pour y observer les pratiques et agissements du corps diplomatique français en place. » En juillet 1893, il publia un brûlot dans lequel il dénonça plusieurs diplomates français pour impéritie et corruption, notamment Ristelhueber, Bourée et Lemaire (p. 127-129). Les pièces sur lesquelles il se référait ont bien été conservées aux Archives du Ministère des Affaires étrangères et se trouvent dans le dossier concernant Paul Ristelhueber, *vide infra*.

42 – Fondée par la *Société générale du Crédit Industriel et Commercial*, elle exploita la concession du gisement de Hong Gai. Voir Pierre Brocheux, Daniel Hémery, *op. cit.*, p. 123.

43 – Arch. de Paris 16D 130 n° 539, acte de décès du 13 mars 1925.

Légion d'honneur par le décret du 15 novembre 1882[44]. Après avoir effectué un bref séjour en France, il fut renvoyé à Tien-Tsin en 1886 comme consul de France. En cette qualité il rendit d'importants services à la Mission de l'Industrie française en Chine jusqu'en 1889. Sa réputation fut ternie par l'affaire du détournement d'une partie des appointements de Tchao-Yu-Cheng, un lettré chinois de confession catholique travaillant pour le consulat de Foutchéou. Plus grave fut la dénonciation d'avoir toucher un montant total de 90 000 F du *Comptoir d'Escompte de Paris* à la demande de Thévenet-Le Boul. Cette affaire éclata au grand jour lors de la publication de l'ouvrage de Paul Boell, *Les scandales du Quai d'Orsay. Les pots-de-vin du consul*, en 1893[45]. Mis en cause, il fut admis à faire valoir ses droits à la retraite à compter du 1er janvier 1895 par le décret du 23 mars 1895, avec une indemnité mensuelle de 3 000 F. Ces déboires ne l'empêchèrent pas de rebondir aussitôt et d'être nommé à l'un des deux postes de directeur de la succursale parisienne de la *Banque Russo-Chinoise*, une banque russe créée officiellement le 21 janvier 1896, aux termes de l'accord signé le 22 décembre 1895, entre Sergeï Yulyevich Witte, ministre des Finances de l'Empire russe, d'une part, et d'autre part, par René Brice, du *Crédit Lyonnais*, le baron Rodolphe Hottinguer, régent de la *Banque de France*, Ernest Denormandie, directeur du *Comptoir National d'Escompte de Paris* et de la *Banque de l'Indochine*, Édouard Nœtzlin, représentant la *Banque de Paris et des Pays-Bas*, ainsi que par l'Autrichien Adolf Rothstein, représentant la *Banque Internationale de Commerce de Saint-Pétersbourg*[46]. Ristelhueber fut ensuite administrateur du *Crédit Foncier d'Extrême-Orient*, de la *Société Française de construction et d'exploitation des chemins de fer en Chine*, de la *Compagnie générale de Chemins de fer et Tramways de Chine*, de la *Société des Fonderies Labbé*, de la *Société des Établissements Duchesne* (dits également *S.A. des Ateliers Duchesne et Ateliers Bossière*), de la *Société des Glacières de Paris* et de la *Compagnie Commerciale Française*.

Né au Jiangsu en 1844, décédé en 1916 à Shanghai, Sheng Xuanhuai (盛宣怀) fut un haut fonctionnaire et homme d'affaires de tout premier plan de la fin de la dynastie des Qing. Son grand-père, Sheng Long (盛隆), et son père, Sheng Kang (盛康) – ce dernier ayant été un proche du général et homme d›État Li Hongzhang (李鸿章) –, furent également des hommes politiques de renom. Sheng Xuanhai fut nommé à la tête de l'administration télégraphique impériale chinoise (中国电报总局) et de l'Université de Peiyang (北洋大学堂), l'actuelle Université de Tianjin (天津大学). Il joua en outre un rôle important au sein de la *Compagnie marchande chinoise de navigation à vapeur* (*China Merchants Steam Navigation Company*, 轮船招商局), de la *Compagnie des Aciéries et des Mines de*

44 – A.N. LH/2334/16 (dossier de Légion d'honneur de Paul Ristelhueber).

45 – Archives du Ministère des Affaires étrangères (La Courneuve), Personnel, 1ère série, 3485, dossier de Paul Octave Ristelhueber.

46 – Voir à ce sujet : Thierry Claeys, « Description d'une action de la Banque Russo-Asiatique (1911) », *Revue Française d'Histoire Économique – The French Economic History Review*, 2017, nos 7-8 (numéro double), p. 216-223.

Hanyeping (汉冶萍公司) et de la *Banque Impériale de la Chine* (*The Imperial Bank of China, The Commercial Bank of China*, 中国通商银行)[47].

47 – Voir à son sujet, notamment : Jacques Gernet, *Le monde chinois*, Paris, Armand Colin, 2005, 4e édition, p. 542.

THE FRENCH ECONOMIC HISTORY REVIEW

Nº 9·10

Archives

REVUE FRANÇAISE
D'HISTOIRE ÉCONOMIQUE

N° 9-10

Archives

LES ARCHIVES DE LA BANQUE DE L'INDOCHINE

Outre les fonds d'archives historiques de Crédit Agricole SA (ex Caisse nationale de Crédit Agricole) et de LCL (ex Crédit Lyonnais), le service des Archives historiques de Crédit Agricole SA conserve les dossiers de Crédit Agricole Corporate & Investment Bank et de ses sociétés ancêtres, dont la Banque de l'Indochine.

1875-1975 : des « pionniers d'Extrême-Orient » à « l'autre grande banque d'affaires » 1

La Banque de l'Indochine est créée en 1875 à l'initiative du Comptoir d'escompte de Paris et du Crédit industriel et commercial auxquels se joignent la Banque de Paris et des Pays-Bas, la Société Générale puis le Crédit Lyonnais. Ce nouvel établissement commercial obtient de l'Etat le privilège d'émission de la monnaie dans les colonies françaises d'Asie (Cochinchine et Pondichéry). Ce privilège sera ensuite étendu à d'autres territoires (Djibouti, Vladivostok, Polynésie...). Une première succursale ouvre à Saigon dès 1875, première d'un réseau qui va progressivement s'étendre sur l'Asie du Sud-Est puis la déborder en fonction de l'expansion des intérêts français : Hanoï en 1886, Phnom-Penh en 1890, Hong-Kong en 1894, Shanghai en 1898, Singapour en 1905, Djibouti en 1908... jusqu'à Vladivostok en 1918, Chicago en 1947, Djeddah en 1948, Johannesburg en 1949, Sydney en 1970[2]. Elle finance le commerce dans les colonies et participe à la mise en valeur de leur territoire.

Le ralentissement du commerce dû à la crise des années 30 affaiblit la Banque de l'Indochine mais celle-ci résiste néanmoins en acquérant des sociétés en difficulté et en se transformant en banque d'affaires. Sa stratégie est remise en cause après-guerre avec la décolonisation et l'abandon du privilège d'émission

1 – Marc Meuleau, *Des Pionniers en Extrême-Orient, histoire de la Banque de l'Indochine (1875-1975)*, Paris, Fayard, 1990 ; Hubert Bonin, *Indosuez, l'autre grande banque d'affaires*, Paris, Economica, 1987.

2 – Pour la carte et la chronologie du réseau, voir Marc Meuleau, p. 634-635.

à partir de 1947. Elle se redéploye alors au Moyen-Orient, en Afrique du Sud et en Amérique du nord puis, à partir des années 60, elle développe en France son activité de banque d'affaires, de financement du commerce international, de crédit-bail et d'affacturage.

La situation de la Banque de l'Indochine est fragilisée au début des années 70 par de lourdes pertes. Elle entre en 1972 dans la Compagnie financière de Suez. En 1975, cette dernière fusionne la Banque de l'Indochine avec sa propre banque, la Banque de Suez et de l'Union des mines pour former la Banque de l'Indochine et de Suez rapidement renommée Banque Indosuez[3].

Le fonds d'archives

Du fait des fusions et acquisitions successives, le fonds d'archives de la Banque de l'Indochine est aujourd'hui la propriété de Crédit Agricole Corporate & Investment Bank, sa maison mère, et sa gestion est assurée par le service des archives historiques de Crédit Agricole SA qui encadre sa communication. On peut distinguer trois ensembles principaux au sein de ce fonds.

On a tout d'abord les séries d'archives liées à la gouvernance de l'entreprise qui comprennent assez classiquement les dossiers relatifs à la constitution de l'affaire, les statuts et les rapports annuels (351 AH 1-3, 82-85), les séries de dossiers et registres des assemblées générales (351 AH 63-109) et du conseil d'administration (351 AH 15-62). En revanche, en sa qualité de banque d'émission, la Banque de l'Indochine nous a aussi légué des dossiers plus spécifiques relatifs à son privilège d'émission (351 AH 4-14) et, plus largement, aux questions monétaires (351 AH 125-137). Ces dossiers s'accompagnent d'une importante collection numismatique.

Le fonds de la direction générale comprend également une collection de circulaires (351 AH 110-112, 510 AH 3-5), des dossiers anciens relatifs aux créations de certaines agences (351 AH 122-124 : Yunnan-Fou, Battambang, Vladivostok, Tourane, Djibouti, Nouméa, Papeete, Pondichéry, Bangkok et Singapour) et des duplicatas de correspondance avec le réseau (351 AH 113-119). La gestion du personnel n'est en revanche représentée que par deux dossiers des années 1920 (351 AH 120-121). De même, sauf de très rares exception, les dossiers de personnel ne nous sont pas parvenus. Ces archives de gouvernance permettent d'étudier le fonctionnement d'une banque d'émission coloniale, le financement du commerce colonial et, de par la constitution du capital et du conseil d'administration de la Banque de l'Indochine, une partie l'organisation du système bancaire français.

3 – Cette dernière est acquise en 1996 par la Caisse nationale de Crédit Agricole (privatisée en 1987) et devient Crédit Agricole Indosuez. En 2004, cette société absorbe l'activité de banque de financement et d'investissement du Crédit Lyonnais. Le nouvel ensemble prend le nom de Calyon puis, en 2010, de Crédit Agricole Corporate & Investment Bank.

Les archives de la comptabilité constituent un deuxième bel ensemble comprenant une série de situations et bilans de 1875 à 1969 (339 AH 1-43), une série de livre des inventaires, bilans annuels généraux et comptes de perte et profits de 1949 à 1973 (339 AH 44-45) et des « livres annexes des inventaires » et bilans annuels détaillés de 1969 à 1974 (339 AH 46-51). Une importante série de comptes de profits et pertes semestriels puis annuels des succursales de 1930 à 1970 (comprenant le siège central à partir de 1939) complète ce fonds de comptabilité (339 AH 53-59).

Enfin, les archives de la supervision du réseau sont peut-être l'élément le plus remarquable de ce fonds. Il s'agit d'un ensemble de plus de 8 300 dossiers couvrant la période 1875-1979 (séries 439 AH, 508 AH, 510 AH et 543 AH) et émanant de l'administration centrale ou de l'inspection générale en Extrême-Orient. Les séries les plus importantes sont :

- Des rapports d'inspection des agences dont le contenu s'intéresse à la fois à l'activité commerciale et à l'organisation des implantations.
- Des rapports d'activité, dont certains dits « rapports-bilans », établis par les sièges à l'attention du siège central et qui donnent lieu à des échanges de correspondance. Ces rapports, outre la situation comptable et commerciale de l'agence, donnent de très nombreux renseignements sur la vie économique, sociale et politique régionale et constituent pour certains sièges de longues séries continues.
- Les dossiers « d'affaires » et de fonctionnement des sièges sont les plus nombreux. Ils permettent d'étudier l'organisation des implantations de la banque ainsi que leur clientèle. Ces dossiers sont classés par sièges. Certains sont néanmoins classés dans la série « dossiers de responsables de l'administration centrale ».

D'importants chronos de correspondance et des dossiers relatifs au privilège d'émission complètent ce fonds.

Il faut enfin signaler le cas des archives de la succursale de Djibouti qui ont été rapatriées à Paris en 2007 puis classées dans la foulée pour préparer les célébrations du centenaire de cette implantation (série 394 AH, 1047 dossiers). Ce fonds contient des dossiers de direction, une série de dossiers de renseignements économiques et politiques, une série sur la supervision du réseau local, et des dossiers sur le fonctionnement de la succursale ainsi que sur son exploitation commerciale.

Cette présentation du fonds d'archives serait incomplète sans signaler l'existence d'une importante collection de photographies dont les plus anciennes datent de la deuxième moitié des années 1870. Représentant majoritairement les immeubles de la banque, certaines ont néanmoins un intérêt plus « ethnographique » avec des portraits de groupes autochtones.

Intérêt pour la recherche

Au-delà de la simple histoire de la Banque de l'Indochine, déjà bien connue, ce fonds d'archives peut servir de source primaire pour l'étude des banques coloniales, des banques d'émission et de la politique monétaire. Les rapports fournis par succursales peuvent également servir pour retracer l'histoire des places bancaires régionales. On trouvera également de nombreux renseignements sur les intermédiaires locaux, notamment les compradores, sur les conditions locales d'exercice des activités bancaires et sur les réseaux administratifs et politico-financiers régionaux.

Le grand volume de renseignements économiques, politiques et géopolitiques contenus dans les dossiers produits par les succursales est une importante source complémentaire aux archives publiques pour l'histoire des territoires dans lesquels était implantée la Banque de l'Indochine, soit dans les colonies (Indochine, Nouvelle-Calédonie, Nouvelles-Hébrides, Territoire français des Afars et des Issas...), soit dans des Etats souverains (Chine, Arabie Saoudite, Afrique du Sud, Russie...).Les historiens de grands projets dans lesquels était impliquée la Banque de l'Indochine, comme le chemin de fer du Yunnan ou le chemin de fer franco-éthiopien, trouveront également dans ces dossiers de quoi alimenter leurs études. Enfin, ce fonds d'archives est un grand réservoir de « choses vues », histoires et anecdotes qui permettent notamment d'approcher les mentalités et l'état des relations interculturelles entre Européens et autochtones.

Pascal Pénot

Archives historiques du Crédit agricole

Bibliographie

Hubert Bonin, *Indosuez, l'autre grande banque d'affaires*, Paris, Economica, 1987.

Yasuo Gonjo, *Banque coloniale ou banque d'affaires. La Banque de l'Indochine sous la IIIème République*, Paris, Comité pour l'histoire économique et financière, 1993.

Marc Meuleau, *Des Pionniers en Extrême-Orient, histoire de la Banque de l'Indochine (1875-1975)*, Paris, Fayard, 1990.

Roger Nougaret (dir.), *Un siècle de savoir-faire à Djibouti, Banque Indosuez Mer Rouge (1908-2008)*, Paris, Crédit Agricole SA, 2008.

Illustrations

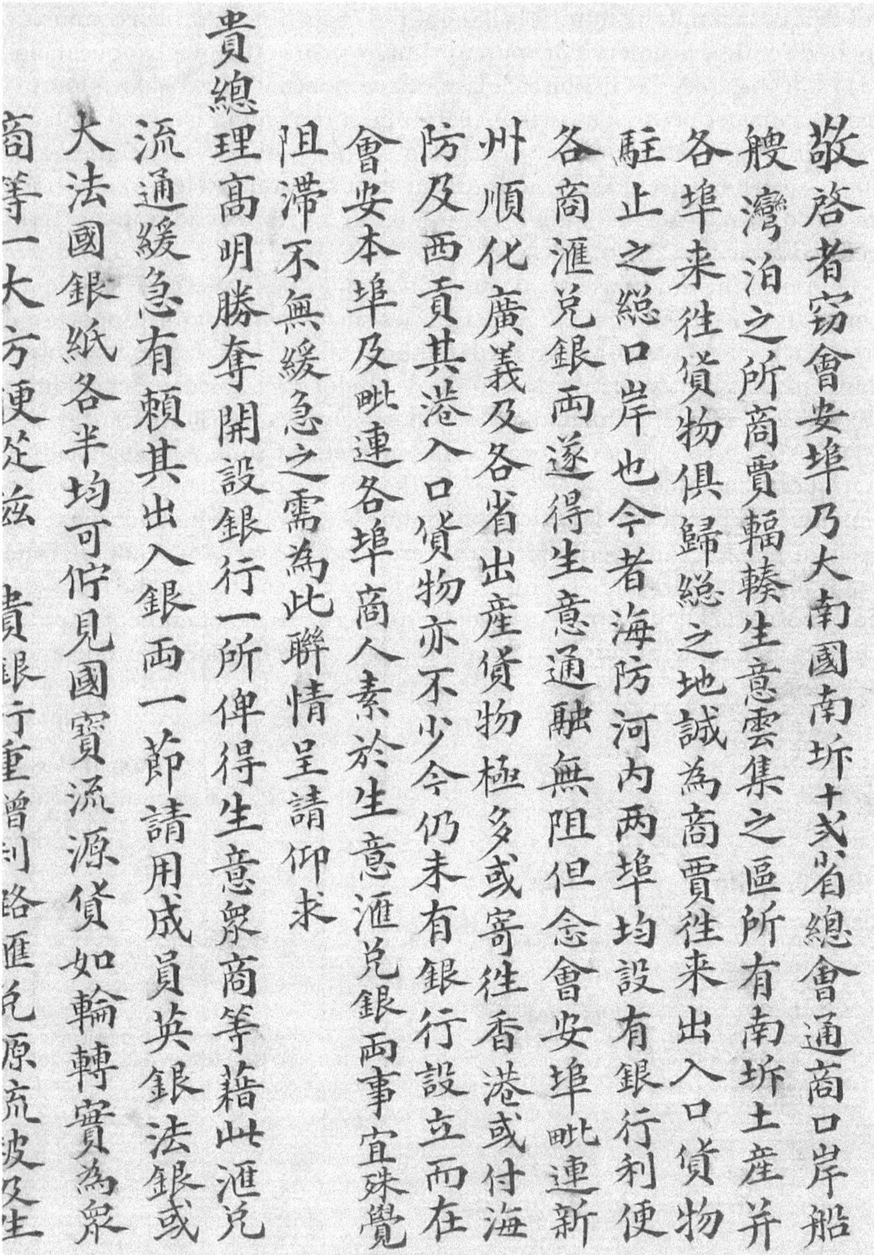

敬啓者窃會安埠乃大南國南圻十弍省總會通商口岸船
艘灣泊之所商賈輻輳生意雲集之區所有南圻土產并
各埠来往貨物俱歸總之地誠為商賈往来出入口貨物
駐止之総口岸也今者海防河內兩埠均設有銀行利便
各商滙兑銀両遂得生意通融無阻但念會安埠毗連新
州順化廣義及各省出產貨物極多或寄往香港或付海
防及西貢其港入口貨物亦不少今仍未有銀行設立而在
會安本埠及毗連各埠商人素於生意滙兑銀両事宜殊覺
阻滯不無緩急之需為此聯情呈請仰求
貴總理高明勝奪開設銀行一所俾得生意衆商等藉此滙兑
流通緩急有賴其出入銀両一節請用成員英銀法銀或
大法國銀紙各半均可俯見國寶流源貨如輪轉實為衆
商等一大方便從兹 貴銀行重曾刋路滙兑原流波及生

Lettres de commerçants chinois demandant à la Banque de l'Indochine d'ouvrir une agence à Tourane (1889).

Succursale de la Banque de l'Indochine
à Saigon (1875).

Succursale de la Banque de l'Indochine
à Nouméa (vers 1888).

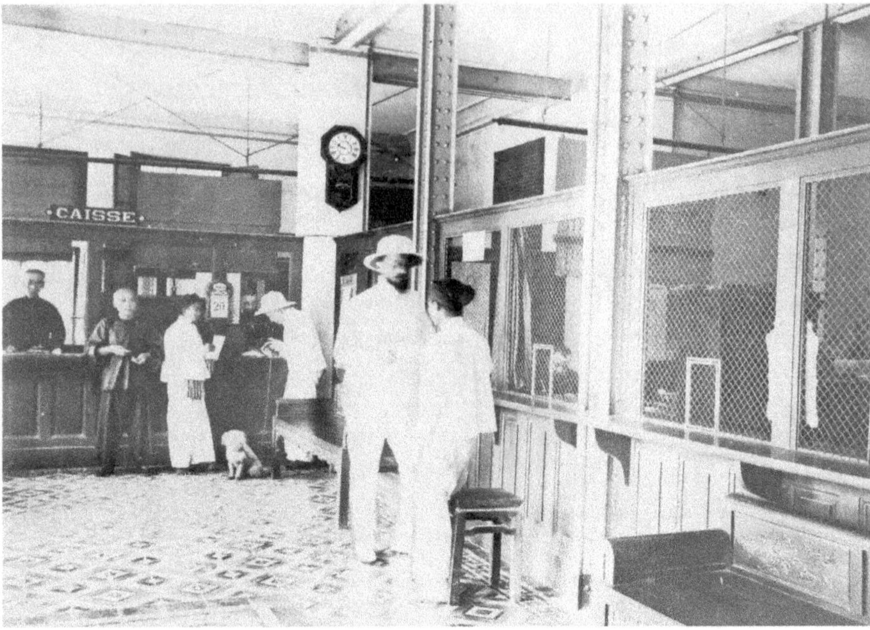

Hall de la succursale de la Banque de l'Indochine à Haïphong (vers 1885)

Billet d'une piastre de la Banque de l'Indochine (1903).

THE FRENCH ECONOMIC
HISTORY REVIEW

N° 9-10

Books Reviews

REVUE FRANÇAISE
D'HISTOIRE ÉCONOMIQUE

N° 9-10

Comptes rendus de lecture

Ivan Berend, *An Economic History of Twentieth-Century Europe. Economic Regimes from Laissez-Faire to Globalization*, Cambridge, Cambridge University Press, deuxième édition, 2016 (première édition en 2006), 352 p. ; isbn 978-1-316-50185-6.

Dans ce manuel de format peu ou prou semblable à un *U* français, le professeur californien fait découvrir l'histoire économique de l'Europe à des étudiants qui ont bénéficient non seulement d'analyses classiques, mais aussi d'une riche bibliographie et d'encarts concernant des acteurs de la croissance (entreprises, décideurs institutionnels, tel Jean Monnet, etc.). Cette excellente vulgarisation permettrait à nos étudiants de se cultiver tout en pratiquant l'anglais propice à leur propre globalisation...

Afin de donner un sens à l'acculturation estudiantine, I. Berend pose d'abord des cadres : les deux guerres mondiales et des chocs sanitaires, un relatif repli de l'Europe par rapport au reste du monde ; mais une rapide urbanisation, de puissants gains de productivité, d'espérance de vie (de 50 à 80 ans en moyenne) et de biens de consommation. Les débats autour du rôle de l'État dans l'économie, de la philosophie néolibérale, de l'État-Providence et de l'intégration intra-européenne, puis internationale et enfin globalisée, sont rappelés.

Jusqu'aux années 1940, le cours précise l'alternative entre le laissez-faire commerciale à l'anglaise et le mercantilisme, tandis que se déploient la première étape de la deuxième révolution industrielle, des révolutions techniques et bancaires, et des progrès de productivité (p. 80s). Malgré la percée des États-Unis, l'Europe gagne encore en puissance, notamment grâce à la colonisation et aux gains de production ; mais des disparités intra-européennes se creusent, avec par exemple une progression de la Scandinavie par rapport aux PECO (Europe centrale et orientale). Mais si des études de cas sont apportées, l'analyse de l'esprit d'entreprise et des mentalités patronales, des notions d'investissement, voire des rapports entre les banques et les marchés financiers, manque quelque peu. L'entrée dans l'ère d'une certaine régulation du marché par la puissance publique (surtout en 1914-1918) et de l'interventionnisme monétaire (lutte contre l'inflation, retour à l'étalon-or, création d'établissements publics spécialisés, contrôle des changes) est relatée – avant des développements classiques mais fournis sur les tentatives sociale-démocrates de redistribution et de contrôle économique ou sur les débats autour du protectionnisme et du multilatéralisme (p. 60 *sq.*). Riche en analyses macro-économiques, le livre fournit des évaluations des performances respectives des espaces européens entre 1900 et 1950, d'où le creusement d'une différenciation de développement.

Un robuste chapitre 3 est consacré aux politiques économiques des régimes autoritaires et fascistes (Allemagne, Europe du Sud, PECO). C'est que les jeunes générations n'ont guère appris ces faits au lycée. Les logiques d'interventionnisme public (décrets-lois), de programmes à moyen terme, d'autosuffisance relative, de plein emploi par les grands travaux sont précisées, ainsi que l'osmose entre grande entreprise et puissance publique. Des entités publiques de contrôle et de financement se multiplient, comme en Espagne et en Italie (IRI). Une lacune doit être notée néanmoins, la négligence de la structuration d'un appareil militaire d'Etat autour des programmes de réarmement dans certains pays. Lui aussi exceptionnel, le mode d'organisation de l'URSS constitue un beau cas d'étude pédagogique d'une économie centralisée et planifiée (développement intensif, industrialisation forcée, grands programmes) ; mais l'auteur reconstitue avec doigté les débats au sein des communistes dans les années 1920 quant aux stratégies à choisir. C'est une histoire vivante, mêlant théories et actions. On pourrait lui reprocher une faiblesse concernant l'étude des moyens de financement et la cristallisation d'élites d'ingénieurs et techniciens, ou de dirigeants au sein des compagnies publiques (mode de sélection, de promotion), ainsi que de pôles de recherche autonomes – après l'arrêt des transferts de technologies américaines.

L'élargissement à un bloc soviétique d'envergure après 1945 relaye ce chapitre, par le biais d'études méticuleuses du mode opératoire des plans et du mode artificiel de fixation des prix. Une fois encore, le financement global de l'effort productif est quelque peu oublié, tout comme la division du travail entre les pays pour certaines filières au sein du COMECON. Rappelant des ouvrages publiés dans les années 1960-1980, l'histoire de la priorité aux industries lourdes, des tentatives de libéralisation des prix ou de décentralisation ici et là, touche aux blocages dans les rouages de l'économie étatisée. Mais je pense que les facteurs de différenciation entre Europe de l'Ouest et de l'Est dans l'utilisation des richesses produites, dans leur orientation vers plus ou moins de biens de consommation d'armements, d'exportations ne sont pas assez pris à bras le corps.

En revanche, les structures de l'économie ouest-européenne sont profondément fouillées pour l'après-guerre : nationalisations (fortes en Autriche), notamment dans l'énergie et les transports, rôle de l'État pour la recherche &

développement, logement social, économie mixte et État-Providence (*Sozial Partnerschaft*), bond de la dépense publique (d'où es graphiques expressifs), révolution éducative de masse, enseignement professionnel, planification (avec un encart sur Jean Monnet) sont autant de leviers de ce livre-cours dense et précis. Mais il étudie aussi l'apogée de la deuxième révolution industrielle (p. 222-232), le bond de la productivité, l'industrialisation de l'agriculture, l'essor de la société de consommation. Et il replace la croissance dans la régulation internationale de Bretton Woods et surtout dans le processus d'intégration européenne (Plan Marshall, CECA, puis Marché commun et Communauté économique européenne), en un solide ABC d'histoire économique « ouverte ».

On quitte ensuite la mission d'un manuel de remise à niveau sur des « temps [déjà] anciens » afin de fournir une synthèse de l'époque contemporaine, dans le cadre de la globalisation et d'un certain retour au « laissez-faire/laissez-passer ». On à l'impression de tout revivre, mais l'ouvrage est destiné à des générations découvrant la réalité d'une Europe entraînée par une adaptation ardue à un monde nouveau, marqué par l'interconnexion des filières d'approvisionnement au sein des firmes transnationalisées (*supply chain management*), le triplement du commerce mondial entre 1973 et 2000, et l'élargissement des investissements directs à l'étranger, dans les deux sens, de l'Europe et vers l'Europe. Une fois de plus, l'argent est négligé, notamment les flux dans le cadre de la gestion des moyens de payement, des changes, des compensations, etc. Mais les débats autour des tentatives de reprise du contrôle de l'économique par les autorités européennes (textile, etc.), par quelque régulation, sont évoqués - tout autant que les enjeux environnementaux (p. 300-308). La réponse aura été surtout apportée par l'unification européenne, le Marché unique, l'euro et l'européanisation des entreprises - bien scrutée (p. 285-292), en particulier à propos des banques paneuropéennes (*Deutsche Bank*, BNP *Paribas*).

Ces pistes d'analyse débouchent sur une esquisse de bilan car l'ouvrage doit aider les étudiants à appréhender « la force » de l'Europe au sein de ce monde économique globalisé. Bref, ce livre-manuel se situe à un excellent niveau didactique et informatif, en faisant se succéder analyses factuelles, essais thématiques, études de cas, et de riches apports statistiques et graphiques. Il devient ainsi le compagnon de route d'un livre dont la revue a publié le compte rendu : Jörg Baten (dir.), *A History of the Global Economy. From 1500 to the Present*. Cambridge University Press, 2016.

Hubert Bonin

Sciences Po Bordeaux & GRETHA-Bordeaux Université

Kim Oosterlinck, *Hope Spring Eternal. French Bondholders and the Repudiation of Russian Sovereign Debt*, New Haven & Londres, Yale University Press, "Yale series in economic & financial history", 2016, 244 p., isbn 978-0-300-19091-5 (traduit par A. Bulger) (pas de prix indiqué).

Ce professeur de l'Université libre de Bruxelles, spécialiste d'histoire bancaire et d'histoire statistique, s'est penché sur le sort des détenteurs de valeurs mobilières émises en France (avec des allusions au Royaume-Uni et à l'Allemagne) par l'État russe ou des entreprises russes, filiales ou non de sociétés ouest-européennes. Mais, quelle que soit son aridité, ce n'est en aucun cas un livre cantonné dans ce seul cas d'étude. En effet, il est connecté sans cesse à trois grands thèmes : les positions des responsables politiques français (et russes), le cadre général des événements militaires en Russie, et des comparaisons avec d'autres crises de non-remboursement de grosses dettes par des États aux XIXe et XXe siècles. Chaque étape du destin des valeurs mobilières prend ainsi tout son sens « historique », puisque K. Oosterlinck soupèse les retombées de la Grande Histoire sur cette petite histoire de la Bourse et des épargnants ou investisseurs.

À propos de ce dernier mot, une critique surgit : notre collègue a laissé de côté les banques et investisseurs institutionnels (gestionnaires d'actifs, assurances, holdings financières, par exemple belges) qui détenaient des paquets de titres russes et dont la capacité d'influence est laissée de côté. C'est qu'il se concentre sur les associations de porteurs de valeurs russes, sur la presse financière (*Le Rentier*, etc.) et les ministres censés plaider la cause des épargnants (estimés à 1,6 million de Français) : la « démocratie mobilière » était en effet confrontée à la démocratie bolchevique !

On sait que les révolutionnaires répudient la dette héritée du tsarisme, du capitalisme et de l'impérialisme. L'adaptation de leur philosophie aux événements diplomatiques est reconstituée, et quelques concessions sont ainsi faites aux Allemands lors du traité de Brest-Litovsk (cinq tranches à payer, en or, pour six milliards de marks). Mais, tout au long des négociations des années 1920-1926, malgré de timides avancées provisoires et l'idée d'un vaste accord multilatéral (proposé par la France en 1922), ils sont restés imperturbables devant les exigences des anciens alliés financiers puis militaires de la Russie. Or les titres russes pesaient un quart des investissements français hors du pays avant la guerre, et les quatre-cinquièmes de la dette publique russe étaient placés à Paris, tandis que les valeurs industrielles étaient détenues en France pour un tiers, à Londres pour un quart et en Allemagne pour 16 %. Même l'idée d'un moratoire de quinze ans en échange d'une reconnaissance de la dette ne passe pas, pas plus que des propositions d'aides contre la famine ou autres.

Un chapitre reconstitue donc les espérances mises par ceux-ci et les épargnants dans une victoire des armées Blanches. L'histoire de cette guerre civile est précisée, mais uniquement pour servir d'arrière-plan aux analyses de l'opinion, des points de vue des parlementaires et ministres, et, surtout à l'évolution du cours de Bourse de ces valeurs mobilières. En effet, la grande originalité du livre est leur suivi pendant plusieurs années. Il veut mesurer (statistiquement) comment les porteurs ont vécu d'espoirs (déçus), d'illusions ; comment la Bourse reflétait quelque optimisme ou du pessimisme. *Grosso modo*, la valeur s'est effondrée de moitié ou des deux-tiers ; elle sautille au gré des événements de 10 % vers le haut et de 10 % vers le bas, au maximum, d'où des ondulations quelque peu bizarres mais compréhensibles, dès lors qu'on ne pouvait pressentir bien entendu la capacité de résistance des Léninistes.

Certes, des soutiens sont apportés en conseils et en armements aux troupes Blanches. Mais dire que la France les procure pour défendre la cause des épargnants serait farfelu. Toutefois, lors des grandes conférences de reconstruction de l'Europe, les questions des créances sont abordées : on rêve de compensations, on établit les montants concernés. Mais l'impasse est vite admise *de facto* : le « défaut » de la dette russe est consacré. Le processus de reconnaissance de l'URSS n'est d'ailleurs guère enrayé par la question des créances : après le Royaume-Uni dès 1921, la France s'y résout en 1925. Une conférence franco-soviétique se tient même à Paris en 1926 (impulsée par Anatole de Monzie), mais les questions commerciales y dominent largement. Mais l'idée des Russes de reconnaître une partie de la dette en remboursant 60 millions de francs par an – valeur calculée par l'URSS en fonction de la dépréciation du franc par rapport au montant de 400 millions estimé en francs d'avant-guerre –, aussitôt reversés en nouveaux crédits pour financer les achats russes en France, se disloque.

De façon sidérante, on voit alors le groupe de représentation des intérêts des épargnants se retourner vers l'État français... Celui-ci ne redoute pas leur bolchevisation, mais il a besoin de faire encore appel à eux pour financer la fin de la guerre, la reconstruction et le déficit budgétaire. On apprend ainsi que de petites concessions leur sont faites, en octobre 1918 puis en juillet 1919 : ils peuvent souscrire à certains emprunts en apportant des coupons dus par les débiteurs russes (pour le payement des intérêts de l'année écoulée), et l'État échange des bribes de valeurs russes contre ses propres titres. Cela se produit en peu d'occasions : en aucun cas, les gouvernements successifs ne cèdent à la démagogie qui aurait consisté à échanger de la dette russe contre de la dette française. Et le montant total des sommes mobilisées lors de ce troc de coupons contre des obligations françaises n'atteint que quelques centaines de millions de francs. En fait, l'on sait bien que la dépréciation du franc entaille par surcroît ces payements.

Avec originalité, K. Oosterlinck puise dans l'histoire des comparaisons avec le sort des « emprunts russes ». La question clé est en effet celle de la « répudiation ». Est-ce que des États ont déjà accepté, contraints et forcés, de gommer des créances sur des États surendettés et en faillite ? L'Amérique latine en fournit des exemples, tout comme la Grèce, sur trois siècles. La diplomatie de la dette aura été l'un des leviers de l'histoire financière, avec des réactions violentes (expédition française au Mexique dans les années 1860), dures (contraintes commerciales, embargo, etc.) ou tolérantes (avec la « renégociation de la dette », étalée dans le temps, réduite en valeur – comme cela a été le cas pour la Grèce au XXIe siècle d'ailleurs.

Hubert Bonin

Sciences Po Bordeaux & GRETHA-Bordeaux Université

Mohamed Sassi, *La Politique pétrolière de la France de 1861 à 1914 à travers l'exemple de Desmarais Frères*, Paris, Éditions SPM, 2018.

Dans son ouvrage, Mohamed Sassi mobilise tour à tour la théorie de l'agence, l'analyse évolutionniste, la théorie des coûts de transaction et l'approche institutionnaliste. Le sujet croise trois problématiques : l'importance du pétrole pour l'économie mondiale, l'originalité de la politique pétrolière française et la subsistance paradoxale de l'entreprise familiale dans le secteur pétrolier. Pour le traiter, M. Sassi s'est appuyé sur deux fonds essentiels : 130 AQ Desmarais Frères et Archives Total. Elles ont fait l'objet de recoupements avec des fonds secondaires (AN F^{12}, Archives économiques et financières de Savigny-le-Temple, Archives municipales du Havre, SHAT, Archives orales du CHEFF) et une documentation imprimée importante et diverse. L'approche combine gestion stratégique (M. Porter) et histoire de l'entreprise (A.D. Chandler). Elle vise à repérer les facteurs ayant une influence stratégique : facteurs internes (qualité de l'organisation, management de la main-d'œuvre) et externes (environnement politique et intérêts de l'État, concurrence). Elle conduit à définir trois périodes.

Dans une première étape, de 1861-1918, l'entreprise pétrolière privée doit faire face à un environnement hostile. Fondée dès 1861, sous forme de société en nom collectif, la maison Desmarais Frères ne peut survivre, en tant qu'entreprise indépendante, face à la Standard Oil et à Royal Dutch Shell qu'en se limitant au négoce. Avec la Première Guerre mondiale, les difficultés s'amplifient, nécessitant une intervention lourde de l'État français dans le domaine pétrolier. Suite à la crise de septembre 1917, le gouvernement devient le seul acheteur et importateur de pétrole. Pour Desmarais, l'époque marque un tournant : souci accru d'approvisionnement, coopération étroite avec le gouvernement. On passe d'une logique de cartel à une logique de consortium contrôlé par l'État. Mais cette évolution reste inachevée, comme le révèle le débat Clémentel-Loucheur autour du pilotage de l'économie par l'État.

La seconde période (1919-1945) est celle de l'émergence d'une authentique industrie pétrolière française. Entre 1919 et 1931, se développe la diplomatie du pétrole. En effet, par les accords de San Remo, la France récupère la part de la Deutsche Bank au sein de la Turkish Petroleum et accède ainsi au pétrole d'Irak. De plus, les milieux privés s'opposent peu à l'intervention de l'État. Dans un contexte marqué par l'explosion de la demande de pétrole, les indépendants passent dans le giron des majors, en particulier Royal Dutch Shell (alliance avec les Deutsch de la Meurthe), Standard Oil of New Jersey et Asiatic Petroleum, future BP. Seule demeure Desmarais Frères, parce qu'alliée à l'État au sein de la Compagnie Française des Pétroles. Les années 1930 voient la poursuite de l'expansion. Alors que l'État tend de plus en plus à contrôler le secteur de l'énergie, le développement de la CFP, dont Desmarais Frères constitue le second plus important actionnaire après l'État, tire avantage de sa participation dans la production de pétrole brut de l'Irak Petroleum Company et, depuis 1928, sa reconnaissance comme major. L'industrie pétrolière française offre un bon exemple de *path dependency* en raison de l'association étroite CFP-Desmarais Frères, mais aussi une coordination raffinage-distribution assurée par le biais d'une très stricte réglementation. Desmarais Frères développe alors ses positions dans la distribution pétrolière. En même temps la société s'adapte sur le plan technique. La Seconde Guerre mondiale constitue une nouvelle épreuve pour Desmarais Frères. Bien que très éprouvée par le conflit, Desmarais Frères resserre ses liens avec la CFP. En même temps, grâce à une activité discrète de fabrication d'alcool et au développement d'un kérosène, futur carburéacteur, Desmarais Frères préserve une situation financière solide.

La troisième partie traite des défis de la modernisation (1945-1965). Dans un contexte marqué par une vigoureuse stratégie d'investissement et de diversification de ses sources de pétrole par la CFP, les affaires pétrolières deviennent de plus en plus politiques, d'où l'affirmation des technocrates. En même temps que la CFP gagne du terrain sur la concurrence internationale tant au niveau de la production qu'au Moyen-Orient et dans l'Union française, Desmarais Frères modernise sa structure organisationnelle, développe un esprit marketing tourné vers le client, concentre ses moyens sur la distribution et conserve sa position privilégiée au sein de CFP et de CFR. La CFP cherche alors à contrôler un vaste réseau de distribution. Le climat est favorable aux concentrations. Pour s'imposer nationalement et internationalement, CFP se rapproche de Desmarais Frères. En effet, la fusion permet à CFP de rivaliser avec Esso et Shell en se dotant du plus important réseau de distribution français. Grâce à l'absorption de Desmarais Frères, la Compagnie Française des Pétroles franchit le stade de l'intégration verticale de son activité : du même coup, elle bénéficie de tous les éléments d'un système à rétroaction positive : réduction des coûts de transaction par le contrôle de la filière ; plus grande flexibilité stratégique, meilleure coordination administrative des unités d'exploitation. Son succès réside donc dans la rencontre entre la stratégie efficace d'une grande entreprise moderne et la politique, vigoureuse et cohérente de l'État français depuis sa prise de conscience salutaire, du retard pétrolier de la France pendant la Première Guerre mondiale.

Dans un contexte marqué par l'influence du facteur international, il analyse un exemple réussi d'une stratégie d'indépendance nationale, inaugurée avec la constitution de la CFP et de la CFR et aboutissant à Total-CFD. La fusion Desmarais (Azur)-CFP (Total) résulte de deux facteurs : la synergie créée par l'action de l'État et la volonté constante d'atteindre le niveau d'échelles des majors. L'action du capitalisme privé n'est pas moins décisive (Desmarais Frères, Deutsch de la Meurthe). Desmarais Frères offre en effet l'exemple d'un paradoxe : la permanence d'une entreprise familiale dans un secteur très capitalistique, d'une entreprise moyenne fondant sa compétitivité sur la qualité de sa main-d'œuvre et palliant ses faiblesses structurelles au moyen de l'adhésion fidèle de grands serviteurs de l'entreprise.

Dominique Barjot
Professeur émérite d'Histoire économique contemporaine
Sorbonne Université. UMR 8596 Centre Roland Mousnier

Caroline Suzor, *Le groupe Empain en France. Une saga industrielle et familiale*, Bruxelles, Peter Lang, « Histoire de l'énergie, n° 9 », 2016, 506 p., isbn 978-2-8076-0041-6.

Nombre de faits sont *grosso modo* déjà connus, suite aux nombreux ouvrages publiés sur l'histoire de l'électricité, des chemins de fer et des services publics en France, et sur le grand patronat en Belgique – et la riche bibliographie le confirme. Mais l'auteure est allée consulter des archives complémentaires et, surtout, elle produit un ce cas d'étude bien centré sur les Empain et leur groupe dans leur déploiement capitalistique, industriel et tertiaire sur le champ français, d'où un livre bien structuré, par ailleurs complété par nombre de tableaux sur les participations, les filiales, les branches d'activité.

Après avoir rappelé les racines et l'émergence de la dynastie Empain dans les années 1880, C. Suzor reconstitue la stratégie de déploiement du portefeuille de savoir-faire, de technologies, de réseaux financiers vers la France, en parallèle avec d'autres champs (Chine, Égypte, etc.), sous l'égide d'Édouard Empain I (jusqu'en 1929), avant ses deux fils Jean et Louis – d'où un vaste groupe (tableau p. 48-57). Son robuste capital technique est dès lors diffusé en France, d'abord à proximité de la frontière, dans le grand Nord, et ce mouvement s'inscrit dans les flux de capitaux et de technologies animés par des firmes belges (Solvay, banques, etc.).

La priorité va aux réseaux régionaux de chemins de fer ou de tramways, avec une douzaine de sociétés créées ou reprises en 1883-1895, avant Nantes en 1910 et surtout la Compagnie du métropolitain de Paris (p. 102-108) en 1898, en association avec des banques. Un groupe se dessine dès lors qu'Empain entend fournir l'électricité à ces réseaux captifs et à des réseaux clients – même si cette logique aurait dû être plus explicitée par l'auteure. C'est qu'il faut délivrer le courant pour faire tourner quelque 663 km de tramways du groupe en 1900 (26 % des 2600 en fonction), d'où la Société d'électricité de Paris en 1903 et les liens avec la Compagnie parisienne de distribution d'électricité en 1907.

Les fusions des réseaux parisiens autour de la Compagnie générale des omnibus et des Tramways de Paris & du département de la Seine renforcent les débouchés pour les centrales d'Empain, qui affirme surtout sa stature de groupe électrique (chapitre 3) avec des sociétés financières en amont (Société parisienne pour l'industrie des chemins de fer & de travaux électriques) malgré la concurrence de l'Union de l'électricité à partir de 1920. Des centrales thermiques se dressent dans le Nord et en région parisienne (quai de la Râpée dès 1899, Saint-Denis en 1903-1905). L'auteure décrit dès lors la montée en puissance de ce groupe au fur et à mesure de l'extension des débouchés à cause de l'essor des transports en commun et de la consommation courante. De nouveaux groupes de production sont installés à Saint-Denis et aussi à Ivry dans les années 1920-1930, portés par Electricité de la Seine (1924), tandis que l'équipement s'intensifie dans le Nord, sur le site de la firme à Jeumont (Ateliers de constructions électriques du Nord et de l'Est, en 1901) et par le biais d'une filiale spécialisée, Electricité & gaz du Nord (1910) (Valenciennes, Anzin, Maubeuge, Hirson, etc.), qui concentre ses efforts sur de grosses usines en tirant parti de la reconstruction d'après-guerre et du progrès technique.

En ajoutant le pôle nantais, le groupe Empain réussit à produire entre 4,2 % de l'électricité française en 1925 et 6,2 % en 1936. Le chapitre 4 dresse d'ailleurs un bilan d'ensemble d'un tiers de siècle d'offensive stratégique, à la date de 1929, date du décès d'Edouard Empain I. Des recensions et tableaux (p. 230 *sq.*) permettent d'apprécier les structures financières et industrielles, de présenter les sociétés (p. 290 *sq.*), leurs dirigeants, en insistant logiquement sur le rôle des ingénieurs. C'est alors (seulement) qu'est explicitée la cohérence industrielle de cette implantation en France, qui fait tourner l'usine de Jeumont pour fabriquer turbo-alternateurs, transformateurs ou disjoncteurs. On aurait aimé que l'auteure puise dans les références concernant l'histoire du management et des stratégies afin de mieux relier ce panorama aux questionnements de l'histoire d'entreprise, afin de donner plus de sens problématisant à cette reconstitution.

La consolidation est récurrente ensuite, dans les années 1930-1940, face à la concentration et à la concurrence (dont celle d'Électrobel, elle aussi présente en France, de la Sofina et du groupe de la Générale de Belgique). Une vaste rationalisation du groupe s'impose, qui renforce le pouvoir de la technostructure des ingénieurs et du fils Empain Jean (face à son oncle François, tandis que Louis se consacre à une action philanthropique), mais qui, surtout, insuffle plus de logique, depuis Électrorail au sommet jusqu'aux filiales françaises. Celles-ci s'inscrivent dans une continuité stratégique et technologique caractérisée par des flux continus d'investissements pour moderniser et étendre les usines (Saint-Denis, Nantes-Chantenay, Valenciennes), sans stagnation pendant la crise des années 1930, tandis que des capitaux sont insufflés aussi dans des sociétés hydroélectriques, en association avec d'autres investisseurs. De son côté, le Métropolitain de Paris répond à la demande publique et gère un réseau de plus en plus étendu vers la proche banlieue en 1930-1933, d'autant plus que la CMP absorbe le Nord-Sud en 1930. D'ultimes études sont consacrées aux aléas de la guerre, de l'Occupation et même de l'épuration (pour quelques dirigeants), et enfin aux nationalisations d'après-guerre – qui créent une rupture, comblée seulement par la prise de contrôle de Schneider dans les années 1960.

Cette synthèse passionnante aurait dû beaucoup plus mobiliser d'histoire industrielle pour mieux démontrer les synergies entre les sociétés de services et d'électricité et le groupe industriel lui-même, notamment en France. L'image de marque du groupe (dans le monde politique, dans l'opinion ou la presse) n'est pas étudiée, pas plus que sa « culture d'entreprise » spécifique. Pour autant, c'est un bon cas d'étude, qui complète l'histoire parallèle de l'influence de la Société générale de Belgique en France ou, à rebours, celle de Paribas en Belgique.

Hubert Bonin

Sciences Po Bordeaux & GRETHA-Bordeaux Université

THE FRENCH ECONOMIC
HISTORY REVIEW

N° 9-10

Books received

REVUE FRANÇAISE
D'HISTOIRE ÉCONOMIQUE

N° 9-10

Livres reçus

ALAIN ALCOUFFE, MONIKA POETTINGER, BERTRAM SCHEFOLD, eds, *Business Cycles in Economic Thought*, Routledge, 2017, 252 pages.

STEFFEN E. ANDERSEN, *The Origins and Nature of Scandinavian Central Banking*, Basingstoke, Palgrave Macmillan, 2016, 237 pages.

JEAN-PAUL BLED, dir., *Le général de Gaulle et le Québec*, Paris, Éditions SPM, 2018,149 pages.

Francesco BOLDIZZONI, Pat HUDSON, eds, *Routledge Handbook of Global Economic History*, New York, Routledge, 2016, 471 pages.

JACQUES-OLIVIER BOUDON, dir., *Le choc des empires : France et Russie, 1798-1870*, Paris, Éditions SPM, Collection de l'Institut Napoléon, 2018, 191 pages.

CAMILLE BOUVET, dir., *Les plus beaux lieux du Patrimoine industriel*, Boulogne-Billancourt, Michelin Travel Partner, collection « Guide Patrimoine de France », nouvelle édition de 2018 (parution en octobre 2017 ; première édition, 2011), 367 pages.

Melissa M. BULLARD, *Brooklyn's Renaissance: Commerce, Culture, and Community in the Nineteenth-Century Atlantic World*, Basingstoke, Palgrave Macmillan, 2017, 458 pages.

ERIC CAINES, *Heath and Thatcher in Opposition*, Basingstoke, Basingstoke, Palgrave Macmillan, 2017, 314 pages.

MARIE-EMMANUELLE CHESSEL, NICOLAS DE BREMOND D'ARS, ANDRÉ GRELON, *L'entreprise et l'Évangile. Une histoire des patrons chrétiens*, Paris, SciencesPo Les Presses, 2018, 331 pages.

ANNE COCHON, DAVID PLOUVIEZ, ÉRIC SZULMAN, dir., *Le financement des infrastructures de transport, XVIIe-début XIXe siècle*, Paris, Comité pour l'histoire économique et financière de la France, 2018, 286 pages.

MARK CONDOS, *The Insecurity State. Punjab and the Making of Colonial Power in British India*, Cambridge, Cambridge University Press, 2017, 260 pages.

FLORENCE DESCAMPS, LAURE QUENNOUËLLE-CORRE, dir., *Une fiscalité de guerre? Contraintes, innovations, résistances*, Paris, Comité pour l'histoire économique et financière de la France, 2018, 354 pages.

MICHEL DE VROEY, *A History of Macroeconomics. From Keynes to Lucas and Beyond*, Cambridge, Cambridge University Press, 2016, 429 pages.

MARIA PAULA DIOGO, DIRK VAN LAAK, *Europeans Globalizing: Mapping, Exploiting, Exchanging*, Basingstoke, Palgrave Macmillan, 2016, 352 pages.

JARI ELORANTA, ERIC GOLSON, PETER HEDBERG, MARIA CRISTINA MOREIRA, eds, *Small and Medium Powers in Global History: Trade, Conflicts, and Neutrality from the 18th to the 20th Centuries*, Londres – New York, Routledge, 2018, 240 pages.

ANDREAS FICKERS, PASCAL GRISET, *Communicating Europe, Technologies, Information, Events*, Basingstoke, Palgrave Macmillan, 464 pages.

PATRICK FRIDENSON, PASCAL GRISET, dir., *L'industrie dans la Grande Guerre*, Paris, Comité pour l'Histoire Économique et Financière de la France, 2018, 552 pages.

FABRICE GRENARD, FLORENT LE BOT, CÉDRIC PERRIN, *Histoire économique de Vichy. L'État, les hommes, les entreprises*, Paris, Perrin, 2017, 440 pages.

JAMES W. HORROCKS, *A Short History of Mercantilism*, Routledge, 2018, 256 pages.

CHRISTINE KINEALY, JASON KING, GERARD MORAN, eds, *The History of the Irish Famine*, Londres – New York, Routledge, 2018, 1480 pages.

Paul KOSMETATOS, *The 1772-73 British Credit Crisis*, Basingstoke, Palgrave Macmillan, 2018, 360 pages.

DAVID KYNASTON, *Till Time's Last Sand: A History of the Bank of England 1694-2013*, London, Bloomsbury Publishing, 2017, 896 pages.

MICHEL LESCURE, éd., *Immortal Banks. Strategies, Structures and Performances of Major Banks*, Genève, Droz, 2016, 296 pages.

SOPHIE LOY-WILSON, *Australians in Shanghai*, Londres – New York, Routledge, 2017, 142 pages.

MOSHE ARYE MILEVSKY, *The Day the King Defaulted, Financial Lessons from the Stop of the Exchequer in 1672*, Basingstoke, Palgrave, Macmillan, 2017, 218 pages.

ANNE MONTENACH, *Femmes, pouvoirs et contrebande dans les Alpes au XVIIIe siècle*, Grenoble, Presses universitaires de Grenoble, 2017, 318 pages.

KATE MURPHY, *Behind the Wireless: A History of Early Women at the BBC*, Basingstoke, Palgrave Macmillan, 2016, 295 pages.

KIRAN KLAUS PATEL, *The New Deal. A Global History*, Princeton, Princeton Université Press, 2016, 456 pages.

LEANDRO PRADOS DE LAS ESCOSURA, *Spanish Economic Growth, 1850-2015*, Basingstoke, Palgrave Macmillan, 2017, 408 pages.

LALASOA JEANNOT RASOLOARISON, BEARISOA RAKOTONIAIANA, *Madagascar et les îles du sud-ouest de l'océan Indien : économies et sociétés depuis le début du XX*e siècle, *Tsingy*, n° 21, 2018, 138 pages.

LAURENT ROLLET *et alii*, éd., *Les enseignants de la faculté de sciences de Nancy et de ses instituts. Dictionnaire biographique, 1854-1918*, Nancy, Presses universitaires de Nancy, 2016, 600 pages.

FRITZ SAGER, CHRISTIAN ROSSER, CÉLINE MAVROT, PASCAL Y. HURNI, *A Transatlanctic History Of Public Administration, Analyzing the USA, Germany and France*, Northampton, Massachusetts, Edward Elgar Pub, 2018, 224 pages.

MOHAMED SASSI, *La politique pétrolière de la France de 1861 à 1974 à travers le rôle de la compagnie privée Desmarais Frères*, Paris, Éditions SPM, collection Kronos, 2018, 642 pages.

NICHOLAS-ROSS SMITH, *EU-Russian Relations and the Ukraine Crisis*, Edward Elgar, 2016, 224 pages.

MARK SPOERER, *C& A: A Family Business in Germany, the Netherlands and the United Kingdom 1911-1961*, Munich, Verlag C.H. Beck, 2016, 480 pages.

LESLIE TOMORY, *The History of the London Water Industry, 1580-1820*, Baltimore, John Hopkins Press, 2017, 336 pages.

CATHERINE VERNA, *L'industrie au village. Essai de micro-histoire (Arles-sur-Tech, XIV*e *et XV*e *siècles)*, Paris, Les Belles Lettres, coll. « Histoire », 2017, 552 pages.

SÉBASTIEN VOSGIEN, *Gouverner le commerce au XVIII*e *siècle*, Paris, Institut de la gestion publique et du développement économique (IGPDE), 2017, 555 pages.

KULA WITOLD, *The Problems and Methods of Economic History*, Londres - New York, Routledge, 2018, 479 pages.

JOHN CUNNINGHAM WOOD, *British Economists and the Empire*, Londres - New York, Routledge, 2017, 318 pages.

About the Authors

REVUE FRANÇAISE
D'HISTOIRE ÉCONOMIQUE

N° 9-10

Biographie des auteurs

DOMINIQUE BARJOT est professeur émérite d'Histoire économique contemporaine à Sorbonne Université Lettres, professeur à la Renmin University of China. Ancien directeur adjoint des SHS du CNRS (1994-1997) et représentant de la France au Standing Committee de l'European Science Foundation (1994-1998), il a été aussi directeur scientifique des sciences humaines et des humanités au ministère de l'Enseignement supérieur et de la Recherche (2003-2007) et directeur de l'École doctorale d'histoire moderne et contemporaine (ED 188) de l'université Paris-Sorbonne (Paris-IV) (2002-2010). Président, depuis 2017 du Comité Français des Sciences historiques, ancien président de l'Association française des historiens économistes (1998-2001), il est l'auteur de nombreux ouvrages ou articles de revue, parmi lesquels : *La Grande entreprise française de travaux publics* (Paris, Economica, 2006); *Bouygues. Les ressorts d'un destin entrepreneurial* (Paris, Economica, 2013); (dir.), « Où va l'histoire des entreprises? », *Revue économique*, 58, n° 1, janvier 2007; (dir.), *Deux guerres totales 1914-1918 1939-1945. La mobilisation de la nation* (Paris, Economica, 2011); avec Harm G. Schroeter (éd.), « Economic Cooperation Reconsidered », *Revue économique*, vol. 64, n° 6, novembre 2013; Barjot (Dominique) (ed.), "The Construction Industry in the XXth Century: an International Interfirm Comparison", *Revue Française d'histoire économique - The French Economic History Review*, n° 1, septembre 2014, 178 p. (éd.), « Globalization, national patterns of development and strategies of firms (19th-21st centuries). Mondialisation, modèles nationaux de développement et stratégies d'entreprises (XIXe-XXIe siècles) », *Revue française d'histoire économique - The French Economic History Review*, n° 1, mai 2015; (dir.), "Local development and global strategies of two multinationals of two multinationals of the industry of the aluminium in the XXth century : Alcan and Pechiney". « Développement local et stratégie globale de deux multinationales de l'aluminium au XXème siècle: Alcan et Pechiney », *Revue Française d'histoire économique - The French Economic History Review*, n° 4-5 (n°2, novembre 2015, n° 1, janvier 2016) (avec Jean-François Klein (dir.), *De l'Indochine coloniale au Viêt Nam actuel*, Paris, Académie des Sciences d'Outre-Mer, Éditions Magellan, 2017Ó; (dir.), « Entreprises et entrepreneurs d'Asie », *Entreprises et Histoire*, n° 90, avril 2018.

HUBERT BONIN est chercheur en histoire économique à Sciences Po Bordeaux à l'UMR CNRS 5113 GRETHA-Université de Bordeaux. Il est spécialiste d'histoire bancaire et financière, mais aussi de l'histoire des entreprises et des organisations tertiaires, de l'esprit d'entreprise et du négoce et de la banque ultramarines. Il étudie aussi le déploiement des banques françaises dans les anciennes concessions chinoises. Son champ d'étude couvre enfin l'histoire des flux logistiques intercontinentaux. Il co-organise également des manifestations d'histoire appliquée avec des responsables de communication d'entreprise.
[www.hubertbonin.com].

LAURENT BOURQUIN est Vice-président Recherche et professeur à l'Université du Maine. Il est expert au Haut Conseil d'Évaluation de la Recherche et de l'Enseignement Supérieur (HCERES).

YOUSSEF CASSIS is Professor of Economic History at the European University Institute, in Florence. His work mainly focuses on banking and financial history, as well as business history more generally. His most recent publications include *Capitals of Capital. A History of International Financial Centres, 1780-2005*, (Cambridge University Press, 2006, 2nd revised edition, 2009), *Crises and Opportunities. The Shaping of Modern Finance* (Oxford University Press, 2011), and, with Philip Cottrell, *Private Banking in Europe: Rise, Retreat and Resurgence* (Oxford University Press, 2015). He has also recently co-edited *The Oxford Handbook of Banking and Financial History*, (Oxford University Press, 2016, with Richard Grossman and Catherine Schenk); *The Performance of European Business in the Twentieth Century*, Oxford University Press, 2016, with Andrea Colli and Harm Schröter); *International Financial Centres after the Global Financial Crisis and Brexit* (Oxford University Press, 2018, with Dariusz Wojcik); and *Financial Elites and European Banking: Historical Perspectives* (Oxford University Press, 2018, with Giuseppe Telesca). He was the cofounder, in 1994, of *Financial History Review* (Cambridge University Press). He was a long serving member of the Academic Advisory Council of the European Association for Banking and Financial History (EBHA) and past President (2005-2007) of the European Business History Association.

THIERRY CLAEYS est docteur en histoire, ingénieur d'études en analyse de sources historiques et culturelles de la Faculté de Lettres de Sorbonne Université (anciennement Paris IV - Paris Sorbonne), membre de l'IRCOM - Centre Roland Mousnier. Il a publié le *Dictionnaire biographique des financiers en France au XVIIIe siècle*, paru aux Éditions S.P.M., en 2008 et réédité en 2011 (2 volumes), ainsi que *Les Institutions financières de la France au XVIIIe siècle*, aux Éditions S.P.M., en 2011 (2 volumes). Actuellement, il prépare un dictionnaire en plusieurs volumes sur les banques et banquiers à Paris, couvrant une période de plus de deux siècles, s'arrêtant à la veille de la Première Guerre mondiale, ainsi qu'un dictionnaire ayant pour sujet le corps enseignant de l'École Centrale des Arts et Manufactures (1829-1889). Auteur de trois articles scientifiques consacrés aux investissements et transferts technologiques français en Russie de 1857 à 1914. Associé au programme de recherches A.N.R. « Les Français dans la vie intellectuelle et scientifique russe, XVIIIe-XXe siècles » (FRASCIRU) dirigé par Francine-Dominique Liechtenhan, directrice de recherches au C.N.R.S., 2010-2013; cofondateur et codirecteur de la collection *« Inédits russes »*, dont trois ouvrages parus aux Éditions S.P.M.; cofondateur et rédacteur adjoint de la *Revue Française d'Histoire économique – The French Economic History Revue (RFHE)*, dont le premier numéro parut en mai 2014; associé au « Megagrant » obtenu par l'Université Fédérale de l'Oural (U.R.F.U.) à Iekaterinbourg, relatifs aux transferts culturels, scientifiques, technologiques et économiques entre la Russie et les autres états européens aux XVIIIe-XXe siècles, dirigé par Marie-Pierre Rey, professeur de l'Université Paris-I, 2013-2017 (membre du groupe concernant les transferts économiques et technologiques entre la France); chercheur associé de l'Université Fédérale de l'Oural (U.R.F.U.) en 2017; actuellement membre du groupe de recherche EURUS au sein du Centre Roland Mousnier qui poursuit les travaux de FRASCIRU. Dans ce cadre, il a publié plusieurs articles dont « La Société des sels gemmes et soudes naturelles de la Russie méridionale de 1882 à 1918. Un exemple d'une réussite industrielle », *RFHE*, n°7-8, p. 120-159.

FRANCK COLLARD, Normalien (Fontenay), agrégé d'histoire, docteur de l'université de Paris I, titulaire d'une HDR délivrée par la même université, Fr. Collard a enseigné à l'université de Reims avant de rejoindre celle de Paris Nanterre en 2006. Il dirige l'EA 1587 - CHISCO depuis 2014 et préside l'APHG depuis 2017. Ses dernières publications personnelles sont : *Les écrits sur les poisons*, Typologie des sources du Moyen Âge occidental, 88, Turnhout, Brepols, 2016 et *La passion Jeanne d'Arc. Mémoires françaises de la Pucelle*, Paris, PUF, 2017. Il a aussi codirigé *Images, pouvoirs et normes. Exégèse visuelle de la fin du Moyen Âge (XIIIe-XVe siècle)*, avec Fr. Lachaud et L. Scordia, Paris, Classiques Garnier, 2018 et, avec E. Samama, *Le corps polychrome. Couleurs et santé, Antiquité, Moyen Âge, Temps modernes*, Paris, L'Harmattan, 2018.

JEAN-CLAUDE DAUMAS, Professeur émérite à l'université de Franche-Comté où il a dirigé la Maison des Sciences de l'Homme et de l'Environnement CN Ledoux (USR 3124), membre honoraire de l'Institut universitaire de France et ancien président de l'Association française d'histoire économique (AFHE), Jean-Claude Daumas a d'abord consacré ses recherches à l'histoire des entreprises et du patronat avant de les élargir à celle de la distribution et de la consommation. Il a notamment dirigé le *Dictionnaire historique des patrons français* (Flammarion, 2010) et *L'histoire économique en mouvement* (PU du Septentrion, 2012), et vient de publier *La révolution matérielle. Une histoire de la consommation, France XIXe-XXIe siècle* (Flammarion). Il dirige un programme de recherche sur les révolutions du commerce.

FAN DINGLIANG est docteur en histoire. Spécialiste des entreprises moyennes allemandes (le fameux Mittelstand), elle est post-doctorante au Si-Miang Institute for Advanced Studies in Humanities, East China Normal University.

HUANG CHUN est Associate professor of economics à la School of Economics de la Renmin University of China (Pékin). Il est directeur du département d'Histoire de la pensée économique. Spécialiste de théorie économique, il a publié notamment *The Foundation in Reasoning of Market, Money and Capital*, Beijing, China Renmin University Press, 2012.

PIERRE LANTHIER est professeur retraité d'histoire à l'Université du Québec à Trois-Rivières et membre du Centre interuniversitaire d'études québécoises depuis sa création. Spécialiste de l'histoire des entreprises d'électricité et d'électrotechnique ainsi que de l'industrie de l'aluminium, il a également effectué de nombreux travaux d'histoire régionale canadienne (notamment sur les villes et les villages de la Mauricie et de Lanaudière). Depuis quelques années, il s'intéresse à l'économie de l'Inde contemporaine et, notamment à la production d'électricité de ce pays, à l'histoire de Tata Group et, de façon plus générale, aux grandes entreprises de ce pays. Il a récemment publié, en codirection avec A. Beltran, S. Le Gallic et L. Laborie, Mondes électriques/ Electric Worlds. Création, circulations, tensions, transitions (XIXe-XXe siècles), Berne-Bruxelles, Peter Lang, 2016.

BRUNO LAURIOUX est professeur d'histoire du Moyen Âge et de l'Alimentation à l'université de Tours, président de la section Histoire et philologie des civilisations médiévales du Comité des Travaux Historiques et Scientifiques (CTHS), ancien directeur de l'Institut National des Sciences Humaines et Sociales (INSHS).

ERIC LEDRU, Diplôme EPHE et DEA d'histoire (Paris IV-Sorbonne/EPHE), directeur du Centre de recherches d'histoire des ordres et décorations (1996) (siège : EPHE IVe section), il est membre du conseil scientifique du Centre des Hautes Études franco-allemandes pour l'Europe (2016) et membre du conseil scientifique du séminaire de recherche « Les Français dans la vie intellectuelle russe (1725-1964) » du Centre Roland-Mousnier - université Paris-Sorbonne (2013). Il a écrit plusieurs ouvrages, dont : *Napoléon, le conquérant prophétique* ; *Napoléon, the Prophetic Conqueror* ; *Napoléon, la révolution impériale* ; *Napoléon, 1769-1821*. Directeur littéraire des Editions du Soleil Noir (1982--1983), fondateur de la collection Kronos (1990), il est cofondateur et codirecteur de la collection de l'Institut Napoléon (2001) et dirige les Éditions SPM (2006). Directeur éditorial (1991-2000, puis 2005) de la *Chronique d'Histoire maritime* (CFHM-UNESCO) et est éditeur (1992) et rédacteur en chef (1996) de la *Revue de l'Institut Napoléon*, fondée en 1938 ; fondateur et rédacteur en chef de *La Phalère, revue européenne d'histoire des ordres et décorations* (2000); délégué éditorial du *Bulletin de l'Académie du Second Empire* (2009-2014) ; il est co-éditeur de la *Revue française d'histoire économique* (2014).

LU YIMIN est Professeur au département d'histoire à l'Université de Zhejiang (Chine) et vice-doyen de l'École des humanités. Il s'est engagé, depuis de nombreuses années, dans la recherche et l'enseignement de l'histoire moderne et contemporaine du monde, notamment de l'histoire de France. Il est l'auteur ou le co-auteur de nombreux ouvrages, traductions et revues. Il dirige de nombreux projets scientifiques d'État : « La place et la fonction des intellectuels français après la seconde guerre mondiale », « Les intellectuels français au XXe siècle », « L'idée et la pratique de la citoyenneté française à l'époque moderne », « L'histoire du régime politique française ». Il a été invité plusieurs fois par les universités ou les institutions réputées de France en tant que Professeur invité ou *Senior Visiting Scholar*. Il participe de nombreuse conférences internationales et échanges scientifiques aux États-Unis, Japon et Europe etc.

PHILIPPE MIOCHE est professeur émérite d'histoire contemporaine à Aix-Marseille Université et membre de l'UMR Telemme. Spécialiste d'histoire industrielle (sidérurgie, aluminium, chimie, mines), il a récemment publié, à propos de l'histoire de l'aluminium : « La fabrication de l'aluminium à Gardanne en Provence et les risques technologiques : à la recherche du point d'équilibre », *Technologie et innovation* , vol. 1, 2017 ; « L'acier et l'aluminium en France : prolégomènes d'une histoire parallèle 5 XIXe-XXIe siècles) », dans P. Fridenson et F. Hachez-Leroy (dir.), *L'aluminium, matière à création XIXe-XXIe siècles*, Tours, PUFR, 2017. S'agissant de la sidérurgie, il a notamment codirigé avec C. Barthel et I. Kharaba, *Les mutations de la sidérurgie mondiale du XXe siècle à nos jours. The Transformation of the World Steel Industry from the XXth Century to the Present*, Bruxelles, P.I.E. Peter Lang, 2014. Il est aussi l'auteur de « Roger Martin et la sidérurgie française : « l'anticipateur » ? », dans M. de Laubier et M. Hamon (dir.), « Saint-Gobain 350 ans. Histoire et mémoire de l'entreprise », *Revue française d'histoire économique*, n° 6, 2016-II, p. 40-55.

CHRISTOPHE MARION est Délégué général du CTHS et Délégué scientifique à la recherche de l'École nationale des chartes.

ERIC MONNET est économiste à la Banque de France et chercheur associé à l'École d'Économie de Paris. Son travail de recherche porte sur l'histoire des politiques monétaires, du système monétaire international et des marchés financiers en Europe au XIX-XXe siècle. Il a notamment publié *Euro, les années critiques* (PUF), *Controlling Credit: Central Banking and the Planned Economy in Postwar France, 1948-1973* (Cambridge University Press), ou « Expériences naturelles et causalité en histoire économique : Quels rapports à la théorie et à la temporalité ? » *(Annales. Histoire, Sciences Sociales, 2017).*

THOMAS PARISOT est Directeur commercial de CAIRN.

PASCAL PÉNOT est archiviste au sein des Archives historiques de Crédit Agricole SA depuis 2006 et en est le responsable depuis 2016. Titulaire d'une maîtrise d'histoire contemporaine et d'un DESS d'histoire et métiers des archives, il a précédemment travaillé aux archives du secrétariat international de l'OTAN puis a été adjoint du conservateur du Bureau des archives de l'occupation française en Allemagne et en Autriche (ministère des Affaires étrangères).

FÉLIX TORRES, directeur-fondateur de la société Public Histoire, Félix Torres est ancien élève de l'École Normale Supérieure de Saint-Cloud, agrégé d'Histoire, docteur de l'Ecole des Hautes Études en Sciences sociales (EHESS), directeur de collection chez Albin Michel et Vuibert, directeur de Félix Torres Éditeur. Il est aussi est l'auteur et l'éditeur de nombreux ouvrages et d'articles spécialisés sur l'histoire d'entreprises, ainsi récemment: *Immigrer en France. De l'ONI à l'OFII*, (avec B. Dänzer-Kantof et V. Lefebvre), préface de Dominique Paillé, Le Cherche Midi Editeur, 2011; *Le chemin partagé. Une histoire d'EDF en Chine (1983-2011)*, préface de François Roussely, Paris, François Bourin Editeur, 2011; *Le lait, tout le lait, Une histoire de Sodiaal*, (avec B. Dänzer-Kantof et V. Lefebvre), Félix Torres Editeur, 2012; (Avec B. Danzer-Kantof), *L'enjeu nucléaire. De Zoé à l'EPR, une histoire du programme nucléaire français*, 2013; (Avec G. Norris), *General Electric, Safran, CFM56, le moteur d'avion le plus vendu de l'histoire.*, 2013; pour la Chambre de Commerce et d'Industrie française en Chine, *L'économie française en Chine*, 2013; *L'Intelligence de l'entreprise. 40 ans de réflexion patronale en France*, Paris, Manitoba / Entreprises et société, 2016. Il vient de soutenir, à Sorbonne Université et avec succès, le 19 septembre, son habilitation à diriger des recherches sur le thème: *Le temps de l'entreprise. Anthropologie, histoire publique, histoire d'entreprise: un itinéraire.*

WANG JUE is associate Professor of School of Economics, Renmin University of China. She is Director of Economic History Department. She is Vice - President of the Institute of Foreign Economic History. Specialist of Economic History, she wrote 3 and translated 5 books, and published about 30 papers. Recent books and chapters in Books : (1) *General World Economic History*, Volume II, Higher Education Press, 2005; (2) Chapter7 to Chapter 20 in *An Economic History of the World*, ed. By Gao Debu and Wangjue,Renmin University Press, 2015.
Recent Papers in Refereed Journals : (1) "On the different Position of Creditor Country under Different Hegemonic Systems of Great Britain and the United States", *Teaching and Research*, 2009, No.6, pp56-62.; (2) "Market, inflow of funds, and Growth: the Great Discoveries of Geography and the conditions of emergence from the Malthusian Trap", *The journal of World Economy*, 2010,No.11, pp71-83.; (3) "BLS: Estimate structural breaks in Time series of financial prices and its significance in historical analysis", *Journal of Renmin University of China*, 2012,N°.4.pp72-79.; (4)" Getting through the history dilemma of unified growth model: an investigation into the social class and culture based on technology progress", *China review of political economy*, vol.7no.5.

WEN WEN est doctorante à l'école doctorale 188 d'Histoire moderne et contemporaine (ED 2) de Sorbonne Université Lettres. Boursière du gouvernement chinois, elle poursuit une thèse de doctorat intitulée : les ingénieurs français et le développement économique de la Chine (1841-1937), sous la direction du professeur Dominique Barjot.

KAZUHIKO YAGO, Professor at Waseda University, Faculty of Commerce, defended his doctoral dissertation "L'épargne populaire comme fonds de placement public: Caisse des Dépôts et Consignations" at Université Paris X in 1996. Pursuing historical studies on international financial organizations such as the BIS and the IMF, his recent researches focus on the role played by the World Bank on growth and development of the capitalist world around the 1960s and the 70s. Recent publications include: *History of the IMF: Organization, Policy, and Market* (with Yoshio Asai and Masanao Itoh), Springer, 2015; *Asian Imperial Banking History* (with Hubert Bonin and Nuno Valerio), Pickering and Chatto, 2014; *The Financial History of the Bank for International Settlements*, Routledge, 2012.;"La Banque du Japon dans le système monétaire international (1945-1985)", in Olivier Feiertag et Michel Margairaz, dirs., *Les banques centrales à l'échelle du monde*, Presses de la Fondation nationale des sciences politiques, 2012.

CONSIGNES ÉDITORIALES

Soumission des articles
Les manuscrits doivent être envoyés au Comité de rédaction qui les transmettra au Comité de lecture de la Revue. Ils peuvent être renvoyés à leurs auteurs pour correction et, une fois acceptés, les manuscrits sont insérés dans le projet éditorial établi par le Comité de rédaction.

Recommandations
- Les manuscrits sont à envoyer en version papier (1 exemplaire) accompagnée d'un CD-Rom et complété par un envoi fichier à l'adresse mail suivante : arfhe@gmail.com
- Ils doivent comporter le nom de l'auteur, une adresse postale précise, un numéro de téléphone et une adresse électronique.
- Les manuscrits ne doivent pas excéder 60.000 signes (caractères et espaces compris) ou 10.000 mots ; ils intègrent un résumé de l'article d'environ 700 signes (caractères et espaces compris) ou 120 mots ainsi qu'une mini biographie (comprenant quelques publications marquantes) d'environ 700 signes (caractères et espaces compris) ; les résumés et mini biographies sont bilingues franco-anglais.

Les normes typographiques de la *Revue française d'Histoire économique* sont conformes à celle utilisées par les Presses Universitaires de Paris Sorbonne (PUPS) consultables à l'adresse suivante : http://www.clea.paris-sorbonne.fr/PUPS/PUPSnormes.pdf

EDITORIAL INSTRUCTIONS

Submission of papers
Manuscripts must be sent to the Editorial committee which will transmit to the Reading Committee of the Review. Manuscripts can be sent back to their authors for correction. Once accepted, manuscripts will be inserted into the editorial project established by the Editorial committee.

Recommendations
- Manuscripts are to be sent to paper version (1 copy) with a CD-ROM and completed by a sending file at the following e-mail address : arfhe@gmail.com
- Manuscripts have to contain the name of the author, a precise mailing address, a phone number and an e-mail address.
- Manuscripts do not have to exceed 60.000 signs (characters and included space) or 10.000 words ; manuscripts integrate a summary of the article about 700 signs (characters and included space) or 120 words and a mini biography (including some significant publications) about 700 signs (characters and included space); Summaries and mini biographies are bilingual French-English.

The English typographic standards of *The French Economic History Review* are in accordance with that used by the Chicago Manual of Style: http://www.chicagomanualofstyle.org/16/contents.html

BULLETIN D'ADHÉSION

À retourner accompagné de votre règlement à l'adresse postale suivante:

Association des Amis de la Revue française d'Histoire économique
Professeur Dominique BARJOT
Maison de la Recherche
Sorbonne Université
28, rue Serpente 75006 Paris France
arfhe@laposte.net

Nom, Prénom: ....

Profession/Institution: ....

Adresse: ....

Téléphone: ....

E-mail: ....

Je m'abonne pour l'année: ....

Chaque abonnement donne droit à la livraison des 2 numéros annuels de la revue

	FRANCE	ÉTRANGER*
Particuliers (frais d'envoi inclus)	❑ 1 an = 70 € ❑ 2 ans = 120 €	❑ 1 an = 80 € ❑ 2 ans = 150 €
Institutions (frais d'envoi inclus)	❑ 1 an = 170 € ❑ 2 ans = 330 €	❑ 1 an = 190 € ❑ 2 ans = 360 €
Particuliers: Abonnement + adhésion à l'Association des Amis de la RFHE (frais d'envoi inclus)	❑ 1 an = 65 € ❑ 2 ans = 115 €	❑ 1 an = 75 € ❑ 2 ans = 140 €
Institutions: Abonnement + adhésion à l'Association des Amis de la RFHE (frais d'envoi inclus)	❑ 1 an = 160 € ❑ 2 ans = 320 €	❑ 1 an = 180 € ❑ 2 ans = 350 €
Prix à l'unité	34 €	38 € (frais d'envoi inclus)

* Pour les abonnements à l'étranger, les chèques ne sont pas acceptés et les souscriptions se font par virement international à l'adresse suivante:

Banque: Crédit Mutuel, CME Paris Quartier Latin,
69 boulevard Saint-Germain 75005 PARIS FRANCE

Titulaire: Association des Amis de la Revue française d'Histoire économique
Account Currency: 00020706401
Account Number IBAN: FR76 1027 8065 0000 0207 0640 135
BIC (SWIFT) Code: CMCIFR2A

SUBSCRIPTIONS

To return accompanied with your regulation to the:

Association des Amis de la Revue française d'Histoire économique
Professor Dominique BARJOT
Maison de la Recherche
Sorbonne Université
28, rue Serpente 75006 Paris France
arfhe@laposte.net

Name: ....

Profession/Institution: ....

Adress: ....

Phone: ....

E-mail: ....

I subscribe for year: ....

All subscriptions are entered for two issues on a calendar year basis running from January to December

	FRANCE	ÉTRANGER*
Individuals (inclusive forwarding charges)	❑ 1 year = 70 € ❑ 2 years = 120 €	❑ 1 an = 80 € ❑ 2 years = 150 €
Institutional Subscribers (inclusive forwarding charges)	❑ 1 year = 170 € ❑ 2 years = 330 €	❑ 1 year = 190 € ❑ 2 years = 360 €
Individuals: Members + Society for the French Economic History Review membership (inclusive forwarding charges)	❑ 1 year = 65 € ❑ 2 years = 115 €	❑ 1 year = 75 € ❑ 2 years = 140 €
Institutions: Members + Society for the French Economic History Review membership (inclusive forwarding charges)	❑ 1 year = 160 € ❑ 2 years = 320 €	❑ 1 year = 180 € ❑ 2 years = 350 €
Unit price	34 €	38 € (inclusive forwarding charges)

* Full pre-payment in EUR (€) is required for all orders by bank transfer:

Bank: Crédit Mutuel, CME Paris Quartier Latin,
69 boulevard Saint-Germain 75005 PARIS FRANCE

Account: Association des Amis de la Revue française d'Histoire économique
Account Currency: 00020706401
Account Number IBAN: FR76 1027 8065 0000 0207 0640 135
BIC (SWIFT) Code: CMCIFR2A